Boris Becker

Augenblick, verweile doch …

Boris Becker

Augenblick, verweile doch …

Autobiographie

In Zusammenarbeit mit
Robert Lübenoff und Helmut Sorge

C. Bertelsmann

Umwelthinweis:
Dieses Buch und der Schutzumschlag wurden
auf chlorfrei gebleichtem Papier gedruckt.
Die Einschrumpffolie (zum Schutz vor Verschmutzung)
ist aus umweltschonender und recyclingfähiger PE-Folie.

1. Auflage

Umschlaggestaltung: Design Team, München
Satz: DTP im Verlag
Druck und Bindung: GGP Media, Pößneck
Printed in Germany
ISBN 3-570-00780-4
www.bertelsmann-verlag.de

*Für Franz, meinen Opa, und für Karl-Heinz,
meinen Vater. Ihr Erbe ist meine Verantwortung.
Es ist nun an mir als Ältestem, die Becker-Familie
zu führen und zu schützen.*

Prolog

Werd ich beruhigt je mich auf ein Faulbett legen,
So sei es gleich um mich getan!
Kannst du mich schmeichelnd je belügen,
Dass ich mir selbst gefallen mag,
Kannst du mich mit Genuß betrügen –
Das sei für mich der letzte Tag!
Die Wette biet ich!
(...)
Werd ich zum Augenblicke sagen:
Verweile doch! Du bist so schön!
Dann magst du mich in Fesseln schlagen,
Dann will ich gern zugrunde gehn!
Dann mag die Totenglocke schallen,
Dann bist du deines Dienstes frei,
Die Uhr mag stehn, der Zeiger fallen,
Es sei die Zeit für mich vorbei!

Fausts Wette mit Mephistopheles, Szene im Studierzimmer.
Aus: Johann Wolfgang von Goethe, Faust. Der Tragödie erster Teil

Es ist dunkel geworden. Aus der Küche dringt leise die Stimme eines TV-Kommentators – Noah guckt Basketball. Elias hat sich an meinen rechten Arm gekuschelt. Sein blonder Wuschelkopf liegt an meiner Schulter, die großen blauen Augen sind hellwach. Die schwere weiße Kinderbibel fällt mir fast aus der Hand. »Papa, weiterlesen«, fordert Elias.

»... und Moses hob seinen Stab, schaute zum Himmel. Und auf einmal kam ein Wind auf, der zum Sturm wurde. Und plötzlich begann sich das Meer zu teilen.« Die Tür öffnet sich einen Spalt. Juey kommt rein, unser Hund. Ohne einen Mucks legt sich der Golden Retriever auf die bunte Decke, die über die Matratze gebreitet ist, und schiebt die Schnauze unter mein linkes Knie. » ... rechts und links türmten sich hohe Wassermauern auf. Moses treibt sein Volk an. Und der Tross schiebt sich langsam durch die Meeresöffnung.« Wieder geht die Tür auf. Das Basketball-Match ist zu Ende. Noah legt sich an meine linke Seite, den Kopf ganz dicht an meinem. Seine braunen Locken kitzeln mein Ohr. » ... das Heer der Ägypter ist verunsichert, der Pharao gibt trotzdem den Befehl zum Angriff. Doch als die Ägypter in der Mitte des Meeres angekommen sind, hört der Sturm auf und die Wassermassen verschlingen die Verfolger ...«

Es ist mucksmäuschenstill im Raum. Ich kann mich keinen Millimeter bewegen, so belagert bin ich. Aus den Augenwinkeln sehe ich: Elias und Noah schlafen. Auch Juey habe ich offensichtlich ins Land der Hundeträume befördert. Ich muss schmunzeln. Was für eine Szene! Plötzlich laufen mir ein paar Tränen über das Gesicht, aus dem Nichts. Ich kann diesen Ausbruch nicht kontrollieren. Erst spüre ich Trauer und Freude zugleich, könnte laut lachen, aber auch laut heulen. Dann durchströmt mich ein Glücksgefühl. Was ist das? Was ist los mit mir?

Minutenlang bleibe ich so liegen, ohne einen klaren Gedanken fassen zu können. In meinem Kopf explodiert ein Feuerwerk von Bildern. Ich habe einmal gelesen, dass im Augenblick des Übertritts vom Leben zum Tod noch einmal alle wichtigen Erinnerungen wie in einem Film vor dem geistigen Auge ablaufen. Holt Mephisto jetzt etwa meine Seele, weil ich in diesem Moment genau das empfinde, was Faust niemals empfinden zu können behauptete und worauf er sein Leben verwettete? »Augenblick, verweile doch, du bist so schön.«

Nein, mein Leben hat gerade erst neu begonnen. Mephisto, du kriegst mich nicht!

Vorwort

Auf dem Tennisplatz habe ich geweint, geklagt, geblutet, gelitten, gehustet. Ich habe mit mir selbst geredet, und Millionen konnten es hören. Ich bin herangewachsen und zum Mann geworden, und ein ganzes Volk hat zugesehen. Ich habe protestiert und provoziert – die Rivalen und die Trainer, das Publikum und meine Eltern. Ich habe mir widersprochen, so wie es Heranwachsende tun, aber Nachsicht hat es für mich nicht gegeben. Ich durfte als Tennisspieler nicht älter werden, nachdenklicher, sondern ich sollte immer so scheinbar naiv und spontan bleiben wie bei meinem ersten Triumph in Wimbledon. Der ewig siebzehnjährige Leimener, eingefroren in den Träumen einer Tennis-Nation, am liebsten nur für zwei Wochen im Jahr im Sommer in Wimbledon zum Leben erweckt.

Der Druck, der auf mir lastete, war oft unerträglich. »Boris ist offensichtlich für alle da«, hat die »Stuttgarter Zeitung« 1986 geschrieben, »fast jeder findet sich in ihm wieder, sei es als unbeherrschter Trotzkopf oder als cooler Siegertyp. Wie schön, dass sich das badische Multitalent auch seinerseits auf die unterschiedlichsten Ansprüche einzuspielen beginnt.«[1] Ich hatte oft genug Zweifel, ob die unterschiedlichen Erwartungen überhaupt zu erfüllen waren. Unbeherrscht durfte der Trotzkopf immer nur dann sein, wenn es hieß: »Game, Set, Match Becker.« Rausfliegen in der ersten Runde war in dieser Heldenrolle nicht vorgesehen. Dann war, wie die Blätter meldeten, Boris am Ende.

Ich schreibe dieses Buch vor allem für meine Kinder Noah, Elias und Anna. Für sie will ich meine Wahrheit festhalten – die Sekunden vor dem letzten Aufschlag, der mich zum jüngsten Wimbledonsieger aller Zeiten machte, und die Minuten nach meiner Verurteilung als Steuersünder. Ich möchte ihnen meine größte persönliche Niederlage erklären, die Verantwortung übernehmen für Trennung und Scheidung. Und ich möchte Anna erklären, warum sie nicht Becker heißt.

Ich möchte von dem erzählen, was sich hinter der Grundlinie abspielte während und nach meiner Karriere – und doch mit dem Tennisspiel eine Menge zu tun hat. Wie das war, wenn mich der von mir heute hoch geschätzte John McEnroe beim Seitenwechsel als »Arschloch« beleidigte, oder warum das Ende meines Tennislebens auch das Ende meiner Ehe bedeutete. Wenn Frauengeschichten in der Presse auftauchten, in denen nicht mal die Haarfarbe stimmte, während meine wirklichen Leidenschaften weitgehend unentdeckt blieben. Und wenn einer wie ich, der vermeintlich brave Bub aus Leimen, zu Tabletten griff und, weil das irgendwann nicht mehr ausreichte, zur Flasche.

Dieses Buch beschreibt *meine* Wirklichkeit. Es dokumentiert den Stress, den ich aushalten und verarbeiten musste, meine Zweifel und Ängste, aber auch meine Schuld und die Schmerzen, die ich anderen zugefügt habe. So mancher wird mir widersprechen, sich empören oder erklären: Sportler sollen laufen, schwitzen, leiden und – schweigen. Zu Zeiten des jungen Uwe Seeler mag es wohl so gewesen sein – Fallrückzieher, Kopfball und danach unter die kalte Dusche, ein gemeinsames Lied im Vereinsheim und noch ein Wort zum vergebenen Strafstoß. Das war's dann.

Wer aber in unserem Medien-Zeitalter oben stehen, wer Star sein will oder es schon ist, der muss kommunizieren können oder es lernen, so, wie ich es lernen musste. Spitzensport ist Entertainment geworden, und ich habe in Deutschland den Vorreiter gespielt: Achtundneunzig Prozent der Westdeutschen, so eine Umfrage damals, kannten mich nach meinem ersten Wimbledon-Sieg – ein weltweit berühmteres deutsches Produkt war wohl nur der Volkswagen. Becker, so verbreitete die US-Fernsehgesellschaft CBS in der Polit-Sendung »60 minutes«, sei der »erste deutsche Nationalheld seit der Niederlage der deutschen Armee im Zweiten Weltkrieg«[2]. Eine herbe Übertreibung. Heute kennen mich hundert Prozent aller Deutschen über achtzehn.

Eine »lebende Legende« sei ich geworden, schrieb der Hamburger Publizist Claus Jacobi damals – wider Willen und im »Mach-2-Tempo«[3]. Doppelte Schallgeschwindigkeit also. Ich selbst, dem doch oft genug Überheblichkeit und Arroganz nachgesagt wurden, habe mich jedoch niemals als Legende betrachtet. Ich habe mich nie als einen Michael Jordan gesehen, als einen Muhammad Ali oder Max Schmeling. »Lasst mich leben«, habe ich gefleht, weil ich meine Schwächen, meine dunkle Seite von jeher als Teil meiner selbst akzeptiert habe.

Wie es Legenden ergehen kann, habe ich in Biographien nachgelesen. Besonders eindrucksvoll war das bei den Leinwandgrößen: Marlene Dietrich, vereinsamt in einem Kämmerlein an der Avenue Montaigne in Paris; Marilyn Monroe, süchtig und sensibel, vom Ruhm erdrückt, womöglich ermordet, zumindest missbraucht als Femme fatale; Marlon Brando, der noch lebt, aber in einem Schatten, den er, übermächtig und übergewichtig, selbst geworfen hat; James Dean, bereits unter der Erde, bevor sein letzter Film in die Kinos kam und ihn als Kultfigur verewigte.

Ich sollte Wunderkind und Märchenprinz sein. Mal wurde ich zum germanischen Lichtgott ernannt, dann zum Tennis-Engel. Doch die Wirklichkeit war oft anders: statt Freude Frust, Erwartungsdruck, Schlagzeilen, nationale

Euphorie, Enthüllungen und Erfindungen der Medien, Begegnung mit Rassismus und der Last des Ruhmes. Während fünfzehn Profijahren täglich Licht und Schatten. Und später wurde es eine Zeit lang richtig dunkel.

»Die Medien«, notierte die »Neue Zürcher Zeitung« im Dezember 1985 über mich, »stempeln ihn zum Supermann, zum Aushängeschild der Nation. Der Rummel um ihn macht jenem um die Weihnachtsbescherung ernsthafte Konkurrenz und scheint Becker zu verschlingen.«[4] Ich hab's überlebt.

Es sind nicht die Millionen, die mich heute locken, es ist nicht die Macht, die mich reizt, sondern die Herausforderung, als geschiedener Mann ein guter Vater zu sein, auch der eines unehelichen Kindes. So mancher meiner Kollegen empfindet am Schluss seiner Karriere eine große Leere, weil er sich auf das Ende nicht vorbereitet hat. Die Emotionen nach seinen Final-Siegen bei den US Open oder in Wimbledon, das hat mir John McEnroe einmal erzählt, seien so stark gewesen wie die bei der Geburt seiner Kinder. Von einem Tag auf den anderen muss der Tennisprofi damit fertig werden: vorbei. Nie mehr der Beifall auf dem Centre Court, kein Jubel, keine Fans, die dich berühren wollen. Die Geschichten abgestürzter Stars könnten Bücher füllen: Fußballer, die sich in Alkohol ertränken oder versuchen, im Kokainnebel der neuen Wirklichkeit zu entkommen, wie Argentiniens früherer Fußballgott Diego Maradona. Boxer haben ihre Frauen vom Balkon gestürzt oder durch die geschlossene Toilettentür erschossen, weil sie nach ihrer Karriere den Halt verloren. Andere Sportstars unterschreiben heute in ihrem Kiosk an der Ecke Lottozettel statt Autogrammkarten, weil Geld und Ruhm über Nacht plötzlich verschwunden waren.

Nein, erschossen habe ich niemanden, und Kokain habe ich auch nicht genommen. Aber ich torkelte ohnmächtig und betäubt dem Absturz entgegen. Mit einem Fuß stand ich am Abgrund, mit dem anderen im Gefängnis. Doch immer dann, wenn es am schlimmsten wurde und scheinbar ausweglos war, hat mein Instinkt funktioniert und mich rausgeholt. Du kannst fallen, aber du musst wieder aufstehen. Ich stehe wieder.

Tennis ist für mich eine Art Freiheitskampf gewesen, ein Weg in die Unabhängigkeit. Ich bin angekommen – gerade mal fünfunddreißig Jahre alt und am Ende und Anfang zugleich. Ich bin wieder in der Qualifikation, wie damals für Wimbledon 1984. Und jetzt heißt das Turnier Leben.

Einer für alle

Matchball. Fünf Schritte an die Grundlinie. Mein Arm wird schwer, ganz wacklig. Ich schaue auf meine Füße und stolpere beinahe. Ein heftiges Zittern ergreift meinen Körper, als würde ich gleich die Kontrolle über mich verlieren. Ich stehe wieder an der Grundlinie, an der ich zum 1:0 im ersten Satz aufgeschlagen habe. 5:4. Das Ende kommt näher. Matchball. Ich muss einen Weg finden, wie ich diese vier Punkte nach Hause bringe.

Beim letzten Wechsel ist mir fast das Herz in die Hose gerutscht. Ich sehe ihn vor mir, den Gipfel der Tenniswelt. Kevin Curren, mein Gegner, macht Druck. 0:15. 15 beide. 30:15. 40:15. Ich will, will, will den Sieg, schaue nur noch auf meine Füße, auf den Schläger. Ich höre nichts mehr. Ich versuche die Kontrolle zu behalten. Luftholen. Aufschlag – Absprung wie beim Fallschirmspringen. Doppelfehler. 40:30. Was nun? Wie soll ich den Ball in dieses Rechteck auf der anderen Seite setzen, das plötzlich zu schrumpfen scheint? Ich konzentriere mich auf den Ballwurf und haue einfach drauf.

Dieser letzte Aufschlag war beinahe überirdisch – zumindest die Folgen. Der Sieg war meine ganz persönliche Mondlandung. 1969 Apollo 11, 1985 Wimbledon 1. Neil Armstrong hüpfte damals von der Leiter der Raumfähre »Eagle« in den Mondstaub und übermittelte den Erdenbürgern historische Gefühle: »Dies ist ein kleiner Schritt für einen Menschen, aber ein großer Sprung für die Menschheit.« Ich dachte nach dem letzten Ballkontakt auf dem Rasen des Centre Court von Wimbledon lediglich: »Menschenskind, das ist nicht wahr.«

Die Spannung war explosionsartig gewichen, ich war zunächst leicht benebelt. Mein Herz schlug schneller, geweint haben andere: mein Coach Günther Bosch, mein Vater, meine Mutter. »Mit der Leidenschaft eines Friedrich Nietzsche oder Ludwig van Beethoven«, schrieb das US-Nachrichtenmagazin »Time« in der folgenden Ausgabe, »wirbelte ein Junge aus Leimen als Ungesetzter in Wimbledon das Tennis-Establishment durcheinander.«[1]

Björn Borg, mein schwedischer Kollege, hatte zwar in Wimbledon als Siebzehnjähriger Premiere, gewonnen aber hat er erst drei Jahre später. John McEnroe trat mit achtzehn an, den Pokal stemmte er aber erst als Zweiundzwanzigjähriger. Jimmy Connors war einundzwanzig, Rod Laver, einer der Größten unserer Zeit, zweiundzwanzig. Ich selbst war gerade mal siebzehn Jahre und zweihundertsiebenundzwanzig Tage alt und hatte noch nicht einmal den Führerschein. Ich schnitt mir die Haare selbst, und meine Mutter schickte mir »blend-a-med« nach, weil sie sich um meine Zähne sorgte. »Boy King«, jubelten Londons Zeitungen, »King Boris the First«. König Boris hockte währenddessen in der Badewanne und genoss das heiße Wasser – einen Masseur konnte ich mir damals noch nicht leisten.

Von diesem Tag an blieb in meinem Leben nichts, wie es war. Boris aus Leimen ist in Wimbledon 1985 gestorben und dort in neuer Gestalt wiederauferstanden. Er wurde beschlagnahmt, vereinnahmt, nationales Eigentum, eine Art volkseigener Betrieb.

Adieu Freiheit: Hände, die sich nach dir strecken, dir die Knöpfe von der Jacke reißen, wie bei James Dean oder Elvis Presley. Die ihre Fingernägel an deiner Haut entlangziehen, als wollten sie ein Stück Fleisch von dir. Ein Photo mit mir, mit ihr, eine Unterschrift, nein, zwei, drei, weil sie zwei Brüder haben. Boris, mein Boris. Unser Boris. Unser aller Bub.

Liebesbriefe, Bittbriefe, Erpresserbriefe. Leibwächter beim Golf und auf der Bayern-Tribüne. Sicherheitskameras in den Bäumen unseres Grundstücks, Paparazzi unterm Tisch oder im Klo – Becker beim Pinkeln, mal was Neues. Alles hat Folgen: ein Wort des Protests – Schlagzeile. Ein Küsschen in Ehren – Titelblatt. Eine Niederlage – »BILD« weint. Triumph – schwarz-rot-gold über alles. Unser Boris.

Meine Willenskraft habe den Erfolg gebracht, werden später die Experten schreiben, und »bumm, bumm« – mein Aufschlag. Aber an diesem Tag, bei meinem ersten Sieg in Wimbledon, waren Kräfte mit im Spiel, die darüber hinausgingen: ein Instinkt, der mich im entscheidenden Moment das Richtige tun lässt. Ein Herz, das eine Niederlage nicht zulässt, obgleich ich nicht immer gewinnen kann. Und eine Seele, die unerschütterlich ist, auch wenn der Körper manchmal schwach ist.

Auch die Probleme, mit denen ich seit 1999 konfrontiert war – der Tod meines Vaters, meine Scheidung, der Steuerprozess, meine uneheliche Tochter Anna –, sehe ich als Aufgaben, die mir gestellt worden sind, um mich zu prüfen und mich in meinem Leben weiter zu bringen. Ich glaube einfach daran, dass es jedem Menschen bestimmt ist, sein persönliches Schicksal zu leben. Niemand kann aus seiner Haut.

Ich bin nach wie vor auf der Suche nach dem Sinn des Seins, aber je mehr Türen ich öffne, desto größer werden die Räume und die Fragen. Ich hoffe, dass ich immer neue Türen zu immer größeren Räumen aufstoßen darf. Immerhin erlaubt mir diese Sicht, meinen ersten Triumph in Wimbledon einzuordnen.

Ion Tiriac, mein damaliger Manager, hat 1986 eine Audienz beim Papst organisiert. Er ist selbst gläubig und außerdem abergläubisch. Auf seine Frage »Willst du zum Papst?« habe ich geantwortet: »Ja, gern, warum nicht?« Ich nahm meinen Schläger mit, damit der gewissermaßen gesegnet würde. Was ist darüber damals für ein Mist geschrieben worden! Aber es war keine Puma-PR. In einer solchen Situation »commercial work« zu machen – lächerlich. Der Schläger ist mein Handwerksgerät, und ich war überzeugt, dass mir der päpstliche Segen Glück bringen würde. Vielleicht war es ja so. Das Szenario im Vatikan verliert allerdings sehr viel, wenn man es live erlebt. Ich hatte mir die Umstände persönlicher, intimer vorgestellt.

Weder der Mann im Mond noch der auf dem Heiligen Stuhl haben mir den Sieg gebracht – es war das Unbegreifliche, Unerhörte, das mich gepackt und in eine andere Umlaufbahn geschleudert hat. Damit kein Irrtum aufkommt: Weder Wimbledon noch irgendein anderes Sportereignis sind mit einem historischen Ereignis wie der Mondlandung zu vergleichen. Für mich aber war dieser Sieg ein großer Sprung, und für so manchen Deutschen wohl wenigstens ein kleiner Schritt. Sie hatten nämlich wieder einen Helden. Nicht ganz blond, aber auf jeden Fall blauäugig. Der Held provozierte gern und passte nicht so recht in das gängige Klischee. Doch es gab Vergebung für ihn, Nachsicht mit seinem Gerede, solange er gewann. Siegen sollte er, immer wieder siegen. Dann war er einer für alle.

Was ist der Sinn des Ganzen?

Am Vorabend des Finales essen wir im »Ponte Vecchio«, einem italienischen Restaurant an der Old Brompton Road, ein paar hundert Meter vom Spielerhotel, dem Gloucester, entfernt. Wie immer das gleiche Ritual: Tiriac bestellt, was ich bestelle. Wenn ich nichts will, verzichtet Bosch ebenfalls. Spaghetti für mich, Spaghetti für alle. »Wenn man uns nicht kennen würde«, meint Ion, »könnte man uns für Schwule halten.«

Ich war nicht nervös, sondern hochgestimmt: Endspiel, Centre Court, und ich erstmals als Hauptdarsteller auf einer Weltbühne. Ich hatte eine ruhige Nacht, nur geträumt habe ich – vom Finale. Wie bei einer Sportübertragung im Fernsehen liefen die Bilder vor mir ab, einschließlich der Siegerehrung. Ich hielt den Pokal, und dann? Der Wecker geht. Halb zehn, die Wirklichkeit.

Fünfundvierzig Minuten Autofahrt trennen Kensington, unseren Hotelstandort, vom Stadion. Gelegentlich blicke ich auf die Straßenszenen, die an uns vorbeigleiten. Jede Menge Antiquitätenläden an der New King's Road. Pubs, einstöckige Gebäude, von denen die Farbe abbröckelt. Vor uns ein roter Doppeldecker, hinter uns schwarze Taxen. Frauen in wallenden Gewändern schreiten neben Männern im schwarzen Gehrock, Glatzköpfige überholen turbantragende Greise.

Wir quälen uns über die eiserne Wandsworth Bridge. Stau, immer wieder Stau. Ion Tiriac, der unseren schwarzen Mercedes steuert, versucht mich mit Worten zu beruhigen, die er später immer wieder anbringen wird: »Du hast das Recht zu verlieren. Wenn du dir tausend Entschuldigungen ausdenken musst, dann vergibst du damit letztlich das Recht zu verlieren – du wirst zum mentalen Invaliden.« Und: »Bleib dir treu. Spiel dein Spiel – du schaffst das.«

Seit ich Pat Cash im Vorbereitungsturnier in Queens 6:4, 6:4 geschlagen habe, ist Tiriac von meinen Erfolgschancen überzeugt. Er war während des Matches gegen Cash mit dem Tennisprofi Guillermo Vilas in Argentinien, ist aber zurückgeeilt und hat meine Eltern alarmiert: »Sie sollten kommen.« Wir sind auf dem Weg, Tennisgeschichte zu schreiben, aber davon habe ich noch keine Ahnung. Günther Bosch, der hinter uns sitzt, sagt ein paar Worte auf Rumänisch zu Tiriac. Sprechen sie etwa über mich? Nein, Bosch regt nur eine Abkürzung an, so viele rumänische Brocken verstehe ich.

Meine Gedanken eilen voraus: Umkleideraum, wie immer, Schrank sieben, aus dem ich die schmutzigen Sachen vom Vortag noch nicht herausgeräumt habe. Wenn das meine Mutter wüsste! Einige Hemden und Socken liegen dort in Reserve. In Wandsworth werden die Häuser grauer, die Wettbüros und die Pubs häufiger – ein Arbeiterviertel, jenseits von Buckingham Palace, den königlichen Gärten, Pomp und Posaunen. Die Gegend wird hügliger, wir fahren wieder mal stop and go. Ich sehe den Straßennamen »Church Road«. Menschen stehen an, Tausende. Wie eine Girlande windet sich die Schlange über die Wiese. Das sind die wahren Fans – ohne Karte hoffen sie auf Einlass. Sobald ein Zuschauer das Stadion verlässt, kann einer der Wartenden nachrücken, vielleicht in vier Stunden, womöglich aber auch erst gegen achtzehn Uhr. Dann kommt das Gittertor für die Spieler, mein Bühneneingang.

Im Umkleideraum sitzt mein Gegner Kevin Curren bereits

auf einer der Bänke: »Hi.« Kein weiteres Wort. Weder zu ihm noch später zu einem anderen meiner Finalgegner. Ivan Lendl war unerträglich, er redete und quasselte sich die Nervosität aus dem Leib und erzählte Witze, über die nur er lachen konnte. John McEnroe schlug die Unruhe wohl auf die Blase, er marschierte vor den Spielen unentwegt aufs Klo. Ich habe Scheuklappen auf, wie man so sagt, sitze da wie ein Zombie. Das ist meine Art, mit dem Druck fertig zu werden, mich zu konzentrieren. Alles andere interessiert mich nicht. Ich muss mich in diesen Zustand bringen, mich total abkapseln. Ich bin dann wie in einem Tunnel und habe auch diesen Tunnelblick. Eine Ausnahme habe ich mit Michael Stich gemacht, meinem Landsmann. Das Ergebnis kennen wir: Ich habe geredet, er hat gesiegt. Heute, an diesem Julitag 1985, sitzt Stich in Deutschland vor dem Fernseher. Noch hat er seine Abiturprüfung nicht bestanden und auch noch nicht entschieden, ob er Profi wird. Mein Wimbledon-Finale wird ihn ermuntern, mir nachzueifern. In einem kalifornischen Örtchen spielt Pete Sampras, eines der großen Talente Amerikas, ein Jugendturnier. Auch er verfolgt das Finale im Fernsehen. Beckers Triumph, wird er später erzählen, treibt ihn an.

Ich beäuge meinen Gegner, schaue über die Spiegel, die an der Wand hängen, zu ihm hinüber. Lässt er Nervosität erkennen? Vor zwei Stunden habe ich mich eingeschlagen, mit Pavel Slozil. Blick auf die große Uhr. BBC sendet die Porträts der Finalisten. Ich schaue nicht hin. Den Becker kenne ich. Der Physiotherapeut legt mir einen Verband um jeden Knöchel, was nach dem Bänderriss von 1984 unerlässlich ist. Seitdem spiele ich nur noch beidseitig getapt. Wieder ein Blick auf die Uhr. Ein paar Schmetterlinge machen sich bemerkbar, tief im Bauch. Ich knabbere an einem Sandwich. Das Kribbeln nimmt zu. Gott sei Dank habe ich bisher nicht viel Zeit zum Nachdenken gehabt!

Wegen des Regens hatte ich das am Freitag begonnene Halbfinale gegen Anders Järryd am Samstag zu Ende spielen müssen. Nach dem Sieg war ich glücklich und kaputt. Der Ruhetag war also keiner, und deshalb habe ich meine Konzentration und Energie nicht verloren. Der »locker-room«-Steward, ein untersetzter Mann in weißem Kittel, nimmt meine Tasche, die fast größer ist als er. Sieben Puma-Schläger sind drin, in Plastikhüllen verpackt, Bespannungsdruck 29–27, 30–28, Schweißbänder, Hemden, aber keine Bananen. Die kommen erst bei späteren Turnieren dazu. Auch kein Talisman.

Ich bin nicht abergläubisch, hatte aber meine festen Rituale, an die ich glaubte, denen ich vertraute. Rechtzeitig vor Matchbeginn absolvierte ich bestimmte Atem-, Stretch- und Yoga-Übungen, um meine Konzentrationsfähigkeit aufzubauen und dann auf dem Platz diese Fokussierung abrufen zu können. Oder meine Schuhe: Was wurde alles hineininterpretiert in meine offenen Schnürsenkel, wenn ich den Platz betrat! Becker demonstriert Gelassenheit. Becker hat bei seinem ersten Match überhaupt vergessen, die Schuhe zuzubinden. Seitdem ist er abergläubisch. Dabei war dieses simple Ritual für mich Mittel zum Zweck. Ich musste immer zuerst ein geistiges und körperliches Gefühl für den Platz, das Stadion, die Zuschauer aufbauen, mich mit der Atmosphäre in Übereinstimmung bringen, den Raum atmen. Da bin ich eben mit offenen Schuhen auf den Platz gegangen, damit ich beim Binden auf der Bank ein paar Sekunden Zeit hatte, das Drumherum aufzunehmen.

Wir warten unterhalb der königlichen Ehrenloge auf das Einsatzzeichen. Unter einem auf Holz gemalten Vers des Schriftstellers Rudyard Kipling aus seinem Gedicht »If« werden wir das Stadion betreten: »Wer Triumph und Niederlage gleich gut gegenübersteht, mit beiden unwägbaren Seiten gleich gut umgehen kann, der ist ein wahrer Champion.«

Der Steward informiert uns: Die Royals sind anwesend, bitte nach dem Betreten des Platzes die Verbeugung nicht vergessen. Die ersten Schritte auf dem Centre Court sind beinahe spielentscheidend. Damals bin ich instinktiv selbstbewusst aufgetreten, geradezu unerschrocken. Später hat mir mein Verstand immer gesagt: Du musst als Erster auf den Centre Court, erhobener Kopf, Brust raus.

Angst spüre ich keine. Ich fühle mich eher wie ein Rennpferd in der Startmaschine. Ich bin so sehr bei dem Spiel, das noch lange nicht begonnen hat, dass ich gar nicht mehr nach hinten oder vorne schaue. Ein Blick hinauf zum Trainer, dessen Gegenwart beruhigt. Gelegentlich wurde ich wegen angeblichen »Coachings« durch meine Berater verwarnt, »code violation« heißt das. Keine Ahnung, warum. Die Diskussionen um das so genannte Coaching sind übertrieben. Sicher, ein Zeichen hier oder dort wird schon mal versucht. Aber was nimmt ein Spieler in der Hitze eines Matches letztlich wahr? Die Zuschauer verschwinden jetzt aus meinem Bewusstsein, obwohl ich die Atmosphäre noch spüre. Die Namen der Finalisten werden genannt.

Für wen klatscht das Publikum mehr? Das ist ein Barometer, ganz wichtig, vor allem für mein Selbstbewusstsein, wie der erste Beifall für den Theaterschauspieler. Die ersten Worte des Darstellers sind bei uns die ersten Aufschläge. Schiedsrichter David Howie notiert in klarer Schrift auf dem »scoring sheet«: »Warm up: 2.04. Play: 2.09.« Die Sonne scheint auf den Centre Court, auf den nach den Plänen der Architekten im Sommer bis neunzehn Uhr abends kein Schatten fallen darf. Das Thermometer in London steigt an diesem Tag auf achtundzwanzig Grad. Ich berühre die Linie mit meinem Schläger – auch eines meiner Rituale.

Kevin Curren, der Mann auf der anderen Seite, ist siebenundzwanzig Jahre alt und gebürtiger Südafrikaner. Er hat John McEnroe und Jimmy Connors aus dem Turnier geworfen, die Nummern eins und drei der gesetzten Liste. Curren scheint mir nervöser als ich. Meine Aufschläge kommen toll, meine Leute auf der Tribüne nicken zufrieden. Nach fünfunddreißig Minuten steht es 6:3 für mich. Es ist einer von möglichen fünf Sätzen – die erste Etappe zum Mount Everest von Wimbledon. Im Tiebreak des zweiten Satzes führe ich bereits 4:2, doch Curren siegt mit 7:4. Ein kleiner Nackenschlag. Plötzlich werde ich unsicher. Die Hitze setzt mir zu. Nur jetzt nicht nachdenken über den verlorenen Satz! Curren wird stärker. Ich bringe meine Aufschlagspiele nur noch schwer durch, er bekommt Oberwasser. Ich werde wütend, beginne zu schreien und mit dem Schläger zu schmeißen – genau das, was ich keinesfalls tun sollte. Ich rede mit mir selbst. Ich beleidige mich: »Warum lässt du das zu, Dummkopf, Schwächling, Vollidiot!«, um nur ein paar Kraftausdrücke zu nennen. Aber es hilft. Die Wut auf mich selbst setzt neue Energien frei. Das beleidigte Ich reagiert.

Becker, meldet der BBC-Kommentator John Barrett (heute sitze ich mit ihm in der BBC-Kommentatorenbox, habe 2002 mit ihm das Finale kommentiert), verfüge über einen Aufschlag wie »Donner und Blitz«. 7:6 im dritten Satz für mich. Erstmals werde ich sicherer, der Gipfel kommt in Sicht. In der Königsloge sitzen ein Feldmarschall und Juan Antonio Samaranch, der Chef des Internationalen Olympischen Komitees. Prinzen, Grafen und andere Hoheiten klatschen in die Hände, sobald der Herzog und die Herzogin von Kent in der ersten Reihe Begeisterung erkennen lassen. In der fünften Reihe hat das Protokoll Fred Perry platziert; er hat Wimbledon erstmals im Jahr 1934 gewonnen und im Finale 1936 Gottfried von Cramm besiegt, in einem der kürzesten Finale der Geschichte – vierzig Minuten. Ich sehe weder Perry noch Prinzen, ich stehe im letzten Satz und kurz vor dem Sieg. Matchball Becker.

Die 13118 Zuschauer verbinden sich in einem kollektiven

Aufschrei. Der erste Matchball ist vergeben. Mein Vater lässt seinen kleinen Photoapparat sinken. Meine Mutter schließt die Augen, wie später daheim vor dem Fernseher bei manchen meiner Spiele. Ich höre nichts mehr, zumindest nehme ich keine Stimmen wahr. Auch nicht die Rufe von denen, die von oben herunter »Boris« schreien. Aufschlag. Zehntausend Mal geübt. Er sitzt. Ein Schlag, der meine Welt verändern wird. »End: 5:26 hrs.«, notiert Howie in seinem Spielbericht.

Der Gipfel ist erreicht. Ich bin ganz oben, wie einst Edmund Hillary auf dem Mount Everest. »Er ist unglaublich talentiert«, diktiert Curren den Reportern griesgrämig in die Schreibblöcke, »aber lange nicht so gut wie McEnroe.« Hillary hat 1953 auf den letzten Metern vor seiner Mount-Everest-Bezwingung vorausgesehen, was er sich aufbürden würde. In seiner Biographie »View from the Summit« hat er notiert: »Was ist der Sinn des Ganzen? Ein Mann, der sich dies antut, muss ein Narr sein.«[1] Was die Gipfel so mit sich bringen, habe ich dann auch erfahren. Immerhin: Die ersten Problemchen waren gut zu ertragen.

Ich wusste: Die Wimbledon-Sieger werden am Abend beim Champions-Dinner zum Ehrentanz antreten, und natürlich würde es Walzer geben. Martina Navratilova und Boris Becker: »Darf ich bitten, Frau Kollegin?« Lieber Himmel! Ich würde Martina auf die Lackschuhe treten und so ihre Abneigung gegen Männer noch verstärken. Meine vorausschauende Mutter hatte gemeinsam mit Ion am Tag vor dem Finale vorgesorgt und mir flugs ein paar Walzerschritte beigebracht. Ion lieh für mich einen Smoking aus. Zu dem Zeitpunkt hatte ich noch nicht einmal mein Halbfinale gegen Anders Järryd, die Nummer sechs der Weltrangliste, abgehakt. Optimisten, diese Leute, aber sie behielten ja Recht.

Der große Manitu hat während dieses Wimbledon-Turniers so manches Mal seine schützende Hand über mich gehalten: Gegen Tim Mayotte, den Amerikaner, spielte ich auf einem der Nebenplätze. Dichtes Gedränge. Lärm. Plötzlich knicke ich um. Mein Knöchel schmerzt. Ich zögere. Aufgeben? Oder eine schwerere Verletzung riskieren? Ich gehe aufs Netz zu, will die Hand ausstrecken. Wo ist Mayotte? Noch zehn Meter entfernt. Ein Handshake zwischen ihm und mir hätte genügt, um das Match zu beenden. Winner: Mayotte. Ich wäre zwar mit Erreichen der vierten Runde immer noch erfolgreich gewesen, aber eben nicht jüngster Wimbledonsieger aller Zeiten geworden. Ion Tiriac erzählte mir später, wie er Günther Bosch aufrüttelte: »Bosch, tu was! Sag was! Er soll drei Minuten Auszeit nehmen! Den Arzt anfordern!« – »Boris«, mahnt Günther Bosch mit leiser Stimme, »Boris.« Und das bei 5000 Zuschauern! Tiriac springt auf und brüllt: »Boris!!! Drei Minuten. Drei!!« Ich drehe mich vom Netz weg und bitte den Schiedsrichter um den Arzt. Der arbeitet sich nur langsam durch die Menge durch. Ich warte. Drei Minuten. Vorbei, sagt der Schiedsrichter, »time is up.« Ich protestiere. Da der Arzt nicht rechtzeitig zur Stelle war, stehen mir die Behandlungsminuten zu. Der Oberschiedsrichter entscheidet – für mich. Ich spiele weiter. Nach zwanzig Minuten ist das Match vorbei. Ich bedanke mich in der Umkleidekabine bei Tiriac: »Das Ding hast du gewonnen.«

Oder vorher: In der dritten Runde spiele ich gegen Joakim Nyström. Der hat drei Matchbälle gegen mich, bei Aufschlag für ihn. Ich spiele jeden Return volles Risiko. Tiriac brüllt Bosch in die Ohren: »Der ist wahnsinnig! Wie kann er so spielen? Dieses Risiko!« Nyström steht am Netz. Matchball, wie ein Elfmeter. Er verschlägt. Zwei Punkte für Nyström, und es hätte die Legende Becker womöglich nie gegeben. Ich biege das Match um: 3:6, 7:6, 6:1, 4:6, 9:7. Tiriac ist noch immer verstört: »Im Leben gibt's eben Phasen, da läuft alles für dich oder alles gegen dich.« Achtzehn Jahre später übrigens erinnerte Ion in seiner Festrede bei meiner Berufung als zweitjüngstes Mitglied (Borg ist das jüngste) der internationalen Hall of Fame das Publikum und mich noch einmal an dieses Phänomen, das ihm vor allem bei mir immer wieder begegnet sei.

Mir ist diese Regel immer entgegengekommen, denn in solchen Phasen kann man nur noch aus dem Bauch handeln, und ich mache meist instinktiv das Richtige. Wenn das Gewitter am Freitag nicht zur Spielunterbrechung geführt hätte, wäre ich von Järryd vom Platz gefegt worden. Einen Tag danach war er so nervös, da hätte meine Großmutter gegen ihn gewonnen. Nur ein Zufall?

Vor dem Champions-Dinner jedenfalls hatte ich mehr Bammel als vor dem Finale. Ich löcherte den damaligen Wimbledon-Chef Reginald »Buzzer« Hadingham: »Wann muss ich tanzen? Muss ich wirklich?« Schon der Gedanke machte mich fertig. Dann kam die Erlösung: Es würde keinen Walzer mit Martina geben, diese Ehrenrunde war vor Jahren abgeschafft worden. Im Gloucester Hotel habe ich mir dann den Fernseher vorgenommen. Auf allen Kanälen die Meldung: Becker, Becker, das deutsche Wunderkind. Ich musste erst mal begreifen, dass die mich meinten. »Becker«, schrieb der »Daily Express«, »stand groß und aufrecht wie ein preußischer Gardist, den goldenen Cup wie einen glänzenden Helm auf dem Kopf. Kaiser Boris I., der Teenager-König von Wimbledon, wurde tatsächlich gekrönt. Jetzt fragt sich jeder, wie lange er regieren wird.«[2]

Am Morgen danach übernahm Tiriac das Kommando. »Hinter jeden Werbevertrag«, frohlockte er, »können wir jetzt eine Null hängen.« Ich weiß nicht, wie viele Fotografen uns auf dem Weg zum Flughafen folgten – es waren Dutzende. »BILD« kam zu mir nach Monte Carlo, es kamen die Ghostwriter, die für mich eine Kolumne (»Meine Siege, meine Träume«) verfassten. Selten habe ich die gelesen. Tiriac versicherte mir: »Die zahlen einen Batzen.« Thema abgehakt, kein Widerspruch. Das Vermarkten begann, und ich ahnte noch nicht, auf welchen Pfad ich da geraten sollte. »Vielleicht war er zu jung, um zu wissen, dass er zu jung war, um Wimbledon zu gewinnen«, kommentierte die »Washington Post« meine Lage. »Das Versprechen ist da, aber es ist noch viel zu früh, um es einzulösen. Auch wenn man der neue Mozart wird, muss man seine Melodie doch Note für Note spielen.«[3]

Die Wochen des kalten Schweigens

Ich kann nur wirklich gut sein, wenn ich diese gewisse Erregung in mir spüre, das Gefühl habe, wie es sich zwischen einem Bühnenschauspieler und dem Publikum entwickelt. Meinen Kontakt mit dem Publikum habe ich einmal als sehr erotisch bezeichnet und meinen Auftritt in New York vor 20000 Zuschauern mit einem Liebesakt verglichen: Sie wollen dich nicht nur sehen, sie wollen dich haben, aber auch hassen. Sie wollen die Demonstration deiner ganzen Kraft und Lust. Sie wollen deinen Körper und deine Seele. Und wie bei der Liebe fängt in einem großen Kampf die Lust mit dem Vorspiel an, mit dem ersten Blickkontakt.

Die Beziehung zu den Zuschauern wird zu einer Art Pingpong-Spiel. Wenn ich einen guten Ball schlage, dann hebe ich die Faust, oder ich tänzele. Die Zuschauer reagieren, gehen mit. Ich spüre ihre Reaktion – die Ablehnung oder Zustimmung. Je heißer das Spiel wird, desto feiner entwickelt sich dieses Gespür. Ich denke nicht mehr nach, lasse mich gehen, bis hin zum Hechtsprung am Netz. Den Schiedsrichter höre ich nicht, ich schaue nicht auf die Anzeigentafel – ich zähle selbst mit.

Wenn ich auf dem Höhepunkt dieses tranceähnlichen Zustands bin, den wir »the zone« nennen, nehme ich nur noch die Reaktionen der Zuschauer wahr. Mir ist es gleich, ob alle gegen mich sind oder mitgehen. So etwas ist nicht zu programmieren, der Funke springt über oder nicht, aber meist ist es mir gelungen, dieses Wechselspiel in Gang zu setzen.

Ich brauche den Kontakt zum Publikum, ein Match auf einem Nebenplatz, Wimbledon Platz vier etwa, ist für mich ein Trauerspiel. Ich brauche den Centre Court als meine Bühne, für diesen Kampf Mann gegen Mann. Für manche ist es wie der Auftritt moderner Gladiatoren. Das Wimbledon-Finale 1986 war so ein Match: Die Berge eines Tennislebens, hat Doris Henkel geschrieben, »stehen weit auseinander, und der Weg ins Tal ist oft mühseliger als der Grat zum Gipfel. Und viel später erst fällt einem dann auf, wo die Achttausender standen, welche jene Tage waren, an denen von A bis Z, vom Aufschlag bis zum Zaubervolley alles zusammenpasste.«[1] Das ist gut beobachtet. Es hat für mich immer wieder Täler gegeben, aber nie war eins so tief wie das erste Tal, damals nach meinem Mount Everest 1985. Zumindest habe ich es nie wieder so empfunden.

Der Druck, der sich nach dem ersten großen Triumph aufgebaut hatte, war unmenschlich. Ich durfte nichts mehr. Adieu Freiheit, nur noch das Spiel zählte. Tiriac und Bosch waren verbiesterter als ich selbst – die haben mich als Maschine missverstanden. Nach meinem ersten Wimbledon-Erfolg war Ion wie ein Schatten an meiner Seite. Ich fühlte mich abhängig, beobachtet – und habe sehr schlecht gespielt. Kurz vor Wimbledon 1986 kam es zum Krach: Das Vorbereitungsturnier in Queens war das vierte gewesen, das ich seit Mai 1986 in Folge im Viertelfinale verloren hatte, nach Paris, Rom und Forest Hills. Ich konnte mir das nicht erklären, und auch Bosch und Tiriac wussten nicht weiter. Ich war entmutigt, kaputt und erklärte meinem unvermeidlichen Duo: »Ich erhole mich jetzt ein Wochenende in Monte Carlo, die Wimbledon-Vorbereitungen müssen warten.« – »No way!«, tobte Tiriac. »Goodbye«, erwiderte ich. Ich brauchte Abstand, wollte mich wieder auf das konzentrieren, was mich stark gemacht hatte: mich selbst.

Montag früh kehrte ich wie versprochen zurück. Tiriac

und Bosch erwarteten mich auf dem Trainingsplatz. Es fiel kein Wort. Ich hatte in der Nacht zuvor kaum geschlafen, und sie quälten mich nun unbarmherzig auf dem Court. Ich habe, wie ich in solchen Momenten bin, die Zähne zusammengebissen und durchgehalten. Zwei, drei Tage ging das so weiter. Einige Erklärungen zu den Übungen, dann Schweigen. Schließlich war ich es leid: »So geht's nicht, Ion, mir reicht das Theater. Du kannst mich zur Anlage fahren, mehr nicht. Und du, Günzi, kannst die Bälle aufheben und mich in Ruhe trainieren lassen – so wie ich es mir vorstelle.«

Es herrschte Eiszeit während der ersten Wimbledon-Turnierwoche, kaltes Schweigen. Dann kam in der vierten Runde das Match gegen den Schweden Mikael Pernfors, gegen den ich einige Wochen zuvor im Viertelfinale bei den French Open verloren hatte. Ich habe ihn in neunzig Minuten mit 6:3, 7:6, 6:2 vom Platz gefegt. Tiriac fand seine Sprache wieder: »Toll, Respekt«, und zeigte sogar Emotionen – er klopfte mir auf die Schulter. Vielleicht war das der Durchbruch in unserer Beziehung.

Wir wohnten im Londonderry-Hotel, das einige Sterne mehr besaß als das Spielerhotel Gloucester vom Jahr zuvor. Am Samstagabend saßen wir wie immer im »San Lorenzo«, dem Italiener am Beauchamp Place – heute mein Lieblingsrestaurant in London –, Tisch neunundzwanzig, versteckt hinter der Treppe, abgeschirmt gegen Fans. Bosch, Tiriac, meine Schwester Sabine, meine Eltern, das gewohnte Umfeld, die gewohnten Gerichte: Salat, Spaghetti mit Tomatensauce, danach Zitronensorbet.

Vor dem ersten Wimbledon-Finale hatte ich mich wie ein Kind in einem gigantischen Spielzeugladen gefühlt – alles war möglich. Jede überstandene Runde war ein Riesenerfolg. Jetzt war alles anders: Das Training war konzentrierter, weniger entspannt, eine Art Ausnahmezustand. Das Endspiel gegen Ivan Lendl würde es beweisen: War Becker 1985 Zufall gewesen, oder ist er tatsächlich ein Mega-Talent? Selbst eine Halbfinal-Niederlage wäre als Enttäuschung gewertet worden. Beinah, so kam es mir vor, ging es um Leben und Tod. Ich definierte mich selbst nur noch übers Tennis, eine Niederlage bedeutete den Totalverlust meines Selbstwertgefühls, nur ein Sieg konnte mich retten. 1985 hatte ich mich gefreut, dass das Match losging, 1986 war ich froh, als es vorbei war. Der Druck war größer als je zuvor oder danach in meinem Leben. Das Wunderkind musste sich beweisen, und ich wusste ja selbst nicht mit Sicherheit, wie der erste Erfolg einzuschätzen war.

Lendl hatte noch nie Wimbledon gewonnen und hätte überdies beinahe das Halbfinale gegen meinen Freund Bobo Zivojinović verloren; nur weil Bobo im fünften Satz vom Schiedsrichter beschissen worden war, hatte Lendl gesiegt. Mir war Lendl als Gegner lieber. Bobo kannte ich zu gut, denn wir haben oft zusammen trainiert, und er konnte mir meinen, ich ihm seinen Aufschlag nicht abnehmen. Lendl saß bereits in der Umkleide, und es fiel kein Wort zwischen uns. Kein Witz, kein Spruch – nur Schweigen. Er war die Nummer eins der Weltrangliste, ich die Nummer sechs. Er war sechsundzwanzig Jahre alt und wollte endlich in Wimbledon gewinnen, ich war achtzehn und musste mindestens dieses eine Mal noch siegen.

Ich war überzeugt von meinem Triumph. Es klingt seltsam, aber in der Nacht vor dem Finale hatte ich wie im Jahr zuvor von meinem Sieg geträumt. Lendl schien mir verschreckt, wie gelähmt. Die ersten beiden Sätze gewinne ich mit 6:4, 6:3, eine Stunde ohne Stress. Im dritten Satz führt er 4:1, eine kleine Krise also. 5:4 für ihn, mein Aufschlag 0:40. Ich gehe mit der Einstellung ran: Gut, dann gewinnt er eben den dritten Satz, und ich bin im vierten wieder voll da. Dreimal zweiter Aufschlag, dreimal Reflex-Volley. Ich biege das Ding irgendwie um und gewinne das Aufschlagspiel.

5:5. Mir ist klar: Jetzt fällt er. Lendl schlägt auf – Break zum 6:5, Aufschlag für mich zum zweiten Wimbledon-Erfolg bei 40:30. Das Match-Ende spielt sich auf derselben Seite ab wie 1985. Lendl ist tief getroffen. »Well played«, sagt er. Ich schwebe auf Wolken, bin ungeheuer erleichtert.

Ich war, so empfand ich es, vom Jungen zum Erwachsenen geworden. Ich hatte das Tor zur Zukunft aufgestoßen und konnte mir jetzt selbst vertrauen. Der Sieg 1986 war der wichtigste meiner Karriere. 1985 hatte ich nicht gewusst, was ich tat, ein Jahr später wusste ich es ganz genau. Die Reaktionen in Deutschland waren überschwänglich, aber mich ließ das seltsam kalt. Vor einem Monat noch hatten sie mich ausgepfiffen.

Steril und stabil

Keine Burg, kein Berg überragt meine Heimatstadt Leimen, da ist nur das Zementwerk. Weimar hat seinen Goethe, Bonn kann sich mit Beethoven rühmen, uns Leimenern bleibt allenfalls die Nähe zum Heidelberger Schloss – Straßenbahn bis Bismarckplatz, dann umsteigen in den Bus zur Bergbahn. Das Rathaus des 24000-Seelen-Ortes hat Postkarten-Qualität, die Fachwerkhäuser sind ansehnlich, selten jedoch verirren sich ausländische Touristen in Leimens Gasthäuser.

Leimen ist ein Städtchen, in dem die Metzger ihre Kunden oft noch beim Vornamen nennen oder der Bäcker dieselbe Volksschulklasse besucht hat wie der Schalterbeamte bei der Post, der wiederum mit der Schwester des Malermeisters verheiratet ist, der seinerseits mit dem Bäcker in einer Fußballmannschaft spielt. Sonntags trifft man sich zur Messe in der Herz-Jesu-Kirche. Mein Vater ist in Leimen geboren worden. Mein Opa Franz, Maschinenschlosser bei der Heidelberger Straßenbahn, war, im Gegensatz zu seiner nüchternen Helene, ein Mensch, dem ich vertraute. Schließlich trage ich auch seinen Namen: Boris Franz Becker. Der Opa starb, während ich 1985 in Wimbledon spielte, und niemand hat es mir damals gesagt. Ich sollte nicht aus dem Gleichgewicht geraten.

Mein Geburtsort also ist deutsche Provinz: sauber und ein bisschen selbstgefällig, etwas steril, aber auch schön stabil. Ordnung und Ruhe ab zweiundzwanzig Uhr – so wie in Frankreichs Hinterland um Auxerre oder Nantes, in Englands Countryside, wie in der bürgerlichen Provinz weltweit. Unser Alltag entsprach dem Bild der Stadt – fleißige Leute waren meine Eltern, ich fuhr mit der Straßenbahn zum Helmholtz-Gymnasium, mit dem Fahrrad zum Training, und meine Schwester Sabine schmierte mir Nutellabrote. Wir wohnten in einem schmucken Haus, einen Kilometer von der Tennisanlage entfernt. Wenn es zehn Kilometer gewesen wären, hätte ich wahrscheinlich nie einen Tennisschläger angefasst, sondern mich auf Fußball konzentriert. Mein Vater verdiente für damalige Verhältnisse sehr gut. Ob BMW oder später Mercedes, ob Winterurlaub oder Sommerferien-Reise – uns ging es verdammt gut, aber Millionäre waren wir nicht. Pünktlichkeit und Disziplin waren ein wesentlicher Bestandteil meiner Erziehung, genauso wie das Einhalten von Regeln und Gesetzen. Der sonntägliche Kirchgang und der Job des Ministranten gehörten genauso zu meinem Leben wie Waldspaziergänge mit den Eltern und das »Aktuelle Sportstudio« mit Harry Valérien.

Als Kind verspotteten mich Klassenkameraden wegen meiner roten Haare, und wenn ich mich bei meiner Mutter darüber beklagte, empfahl sie: »Kind, benutz deine Ellenbogen.« Ich habe auf sie gehört; die Schule schickte häufig blaue Briefe wegen Prügeleien, in die ich verwickelt war. Ich habe die Schule weder gehasst noch geliebt. In Erinnerung wird mir vor allem mein Lateinlehrer Egon Pusch bleiben, der mich nach versäumten Stunden wegen meiner Teilnahme an Tennisturnieren vor der Klasse abfragte oder mich die Arbeiten nachschreiben ließ. Auf den Autofahrten zum und vom Turnier habe ich Latein gepaukt, weil ich dem Pusch die Chance nicht geben wollte, mich als hirnlosen Sportler vor den Kameraden bloßzustellen. Irgendwie mochte ich ihn, besonders seinen trockenen Humor. Trotzdem bekomme ich keine feuchten Augen, wenn ich heute an Leimen denke. Ich habe dort schöne Jahre verlebt, die mich geprägt haben. Doch wenn ich heute meine Mutter besuche oder am Grab meines Vaters stehe, sind es nur die Eltern, die mich zurück nach Leimen bringen.

Leimen ist nicht Heimat, sondern ein geographischer Punkt in meinem Dasein. Der Begriff Heimat ist für mich durch menschliche Gefühle besetzt, durch das Vertrauen in Menschen, meine Kinder, meine Familie, meine Freunde. Sie binden mich mehr an Deutschland als mein Pass. Ich habe mir nicht nur die fundamentale Frage gestellt, an der jeder knackt: Wer bin ich eigentlich? Sondern auch: Was bedeutet Deutschland für mich, meine Herkunft? Ich habe die Gnade der günstigen Geburt erlebt: Statt im Chaos von Uganda oder Kosovo wurde ich in ein stabiles Land hineingeboren, statt arm waren wir wohlhabend, statt Waise bin ich Kind außergewöhnlicher Eltern, statt Sklave ein freier Mensch. Ich bin Deutscher, aber mein Fühlen ging schon sehr früh über die Landesgrenzen hinaus. Vielleicht hängt das auch mit der Biographie meiner Nächsten zusammen.

Meine Mutter Elvira stammt aus dem ehemaligen Sudetenland. Ihr Heimatort war Ostrau, das heute Ostrava heißt und in Tschechien liegt. Sie wurde gemeinsam mit Millionen von Landsleuten vertrieben. Ihre Eltern, Großbauern, verloren alles Hab und Gut, auf einem Pferdewagen retteten sie sich in ein Flüchtlingslager nach Heidelberg. Meine Mutter hat diese Schreckenszeit nie vergessen. »Wir waren unserem Herrgott dankbar«, hat sie mir so manches Mal gesagt, »dass wir das alles überstanden haben.« Mit zwanzig weiteren Familien aus ihrem Dorf wurde sie schließlich in Leimen angesiedelt, wo sie meinen Vater kennen lernte. Meine Ex-Frau Barbara wurde in Heidelberg geboren, ihr Vater stammte aus Kalifornien und war Afro-Amerikaner. Seine Vorfahren waren aus Afrika verschleppt worden. Barbaras amerikanische Oma hat noch auf den Baumwollfeldern der Südstaaten gearbeitet. Meine Söhne sind Münchner, leben jetzt mit der Mutter in Miami. Und meine Tochter hat eine russische Mutter und lebt in London.

Meine innere Kraft, die meine Mutter gelegentlich als Sturheit bezeichnet, habe ich wahrscheinlich von ihr geerbt – diesen Drang zum Überleben und die Bereitschaft, mich durchzukämpfen, vermeintliche Katastrophen zu überstehen und daraus gestärkt hervorzugehen. Zu schaffen gemacht hat mir oft mein ausgeprägter Gerechtigkeitssinn. Schon als Kind hat mich Ungerechtigkeit mächtig aufgebracht. Meine Wut auf dem Platz hat sich später selten gegen meine Gegner gerichtet, sondern vielmehr gegen Schieds- und Linienrichter. Ich konnte Fehlentscheidungen nicht einfach wegstecken. Diese Leute wollten mir die Perfektion, um die ich mich bemühte, einfach nicht zugestehen.

Irgendwo habe ich einmal die Geschichte von einer spanischen Mutter aufgeschnappt, die zu ihrem Sohn sagte: »Solltest du Soldat werden, wirst du zum General befördert werden; falls du dich entscheidest, Mönch zu werden, endest du als Papst.« Der Mann wurde Maler – Pablo Picasso. Meine Mutter träumte ebenfalls von meiner Zukunft: Architekt sollte ich werden, wie mein Vater Häuser bauen, oder Akademiker, vielleicht Gynäkologe oder Jurist. Aber Tennisspieler? Arme Mutter. Ruhm und Reichtum würde sie noch heute eintauschen, wenn sie nur könnte. Sie wäre froh, wenn ich zwei Häuser neben ihr einziehen würde (zwischen uns meine Schwester Sabine mit Familie), mit Blick auf Leimen und das weite Baden, Mittagessen Punkt halb eins.

Leimen ist für mich Geschichte, Symbol für eine beschauliche Jugend, aber auch für provinzielle Selbstgerechtigkeit und Neid – Eifersucht auf den Nachbarn, dessen Auto viel teurer war oder dessen Sohn Schlagzeilen machte als Tennisspieler, der wie ein Nomade lebte und nur noch nach Hause kam, weil er für einige Tage einfach nur Sohn sein wollte.

Elvira Becker: Er ist mein Sohn

Meine Mutter war nie eine Frau der Öffentlichkeit. Es hat mich viel Überredung gekostet, damit sie einen Beitrag für dieses Buch schrieb. Sie hat es getan – Elvira pur.

Boris war etwa vierzehn, als die ersten Tennis-Agenten bei uns anklopften. Mein Mann war halb dafür, halb dagegen. Ich war strikt gegen die Profi-Pläne. »Karl-Heinz«, habe ich zu meinem Mann gesagt, »du weißt, dein Sohn ist sehr sensibel. Bisher hat er immer gewonnen, er weiß noch nicht, wie es ist zu verlieren. Er hat noch nicht einmal die Mittlere Reife und muss sich weiterentwickeln.«

Ja, wenn Boris Wimbledon viel später gewonnen hätte, dann wäre das Abitur für ihn möglich gewesen. Mir tut es heute noch Leid für ihn, dass er es nicht machen konnte. Er hatte die Voraussetzungen für ein Studium, aber es ging dann eben nicht mehr. Irgendwann haben wir uns geeinigt: Probieren wir's mit der Profi-Geschichte. Wenn es nicht klappt, kann er nach einem Jahr in die Schule zurück. Wir haben mit Ion Tiriac geredet, der uns als schlitzohriger Rumäne angekündigt wurde und angeblich furchterregend aussah. So habe ich ihn aber nicht empfunden. Er war ehrlich genug zu sagen: »Ich kann nichts garantieren.« Wir haben am 1. Juni 1984 in Monte Carlo den Vertrag mit Tiriac unterschrieben, ein DIN-A4-Blatt, mehr nicht. Auch Boris hat abgezeichnet. Es war sehr schwer für mich, Boris war so jung. Er hat mir sehr Leid getan, ich kann es nicht verheimlichen. Als er sich 1984 die Bänder am linken Knöchel riss, kam mir für einige Sekunden der Gedanke: »Gott sei Dank. Die Profi-Diskussion wird im Sand verlaufen. Er wird es nicht mehr schaffen.«

Er war kein Kind mehr, sicher, aber ein Jugendlicher, der noch an zu Hause hing. Zum Glück gab es Günther Bosch, der sich nicht wie ein Vater um ihn gekümmert hat, sondern wie eine Mutter. Boris war bei ihm in besten Händen. Ich habe meinem Sohn geraten: »Wenn was ist, geh zu Bosch. Wenn du Sorgen hast, öffne dich dem Günther und sag es ihm.« Bosch hat uns informiert, täglich telefonisch, ganz gleich, wo die beiden in der Welt herumsausten. Denn Boris hat eine Schwäche: Er hat uns während seiner Reisen nur selten angerufen. Später hat Waldemar Kliesing, sein Physiotherapeut, den Informationsdienst übernommen.

Wenn wir im Fernsehen gesehen haben, dass Boris verloren hatte, haben wir ihm ein Fax geschickt: »Sei nicht traurig, so ist das Leben.« Ich kenne ihn so genau: Wenn ich sah, wie er jammerte, wusste ich: »Aus – vorbei.« Nicht immer, aber oft. Wir haben wegen der Zeitverschiebung manchmal nachts oder frühmorgens vor dem Fernseher gesessen. Wenn ich dann mit ansehen musste, wie sich Boris gehen ließ, habe ich geheult. Wie oft habe ich ihn ermahnt – Beherrschung gehört zum Leben. Aber wenn er gemerkt hat, es läuft nicht, die Niederlage ist nicht abzuwenden, ist er ausgerastet. Er wollte meine Kritik nicht hören: »Red nicht drüber.« Manchmal war ich auch gar nicht traurig, wenn er verlor. Das gab ihm eine zusätzliche Erholungspause.

Ich kann nicht in Worte fassen, was das für ein Gefühl war, ihn 1985 auf dem Centre Court in Wimbledon zu sehen: Ach Gott, so ein junger Kerl! Ich wusste: Wenn er die Nerven nicht verliert, dann schafft er es. Wenn es nur nicht zu diesen Ausbrüchen kommt und er sich in die Wut hineinsteigert. Ich habe mit meinem Mann während des Finales kaum gesprochen, nur geweint habe ich nach dem Sieg; nicht nur der Freude wegen. Ich habe mich gefragt: Was wird nun alles auf ihn zukommen? Ich habe immer auch die Nachteile gesehen.

Unser Geschäft geriet nach dem Sieg in Wimbledon total durcheinander: Es kam Post, säckeweise. Geschenke. Auch Joghurt, Säfte, kartonweise. Die habe ich an den Kindergarten weitergegeben. Die Fans schickten einfach Briefe an »Becker – Leimen« oder sogar »Boris Becker – Deutschland«. Und das kam alles bei uns an. Er ist ein anständiger Kerl, mein Boris. Manche Kinder lassen die Eltern links liegen, wenn sie älter werden. Er nicht. Er ist treu.

Ich habe für ihn so manches Mal auf das Abendessen verzichtet, weil ich waschen musste oder einfach nur packen. Bei ihm ging durch die viele Reiserei, die Hektik so manches durcheinander. Einmal konnte er nach dem Turnier in Wimbledon seinen Ausweis nicht finden, wir haben bis morgens um drei Uhr gesucht. »Ach«, hat er dann gesagt, »ich reise mit meinem Monte-Carlo-Dokument, die Leute lassen mich auch ohne Pass rein«, und so war's. Ion Tiriac, der Urlaub auf Capri machte und sich eine Tasche von Boris ausgeliehen hatte, rief zwei Tage später bei uns an – er hatte Boris' Ausweis in der Tasche gefunden. So war es eigentlich oft. Einmal hat er seinen Wimbledon-Scheck, ich glaube, der war vom Sieg '89, in seinen Tennisklamotten vergessen; der Scheck geriet in die Waschmaschine. Danach war er natürlich unleserlich, und wir mussten einen neuen beantragen.

Ich habe mir immer vorgestellt, wie mein Boris irgendwo allein herumhockte, einfach schrecklich. Wenn es ihm richtig schlecht ging, hat er schon mal angerufen. Er hat gelitten. »Ich sitze wieder allein da!« Nach dem Bruch der Beziehung zu Karen Schultz hat mich Tiriac angerufen: »Könnt ihr nicht mal kommen, es geht ihm nicht gut.« Unter einem Vorwand sind wir nach Monte Carlo gefahren.

Er ist nicht fröhlicher geworden über die Jahre, selbstsicherer natürlich, keine Frage. Er war immer ein bisschen der Einzelgänger, Individualist. Er ist Kosmopolit. Boris kann in Monte Carlo leben, in London oder New York, aber ein bisschen ist er doch Leimener geblieben. Er sieht, was alles in dieser Welt zusammenfällt und auseinander kracht, und hat es später am eigenen Leib erfahren müssen. Er ist schon in jungen Jahren mit einem harten Leben konfrontiert worden. Das hat ihn verändert und reifer werden lassen, sehr früh bereits. Er war seinem Alter voraus. Gelegentliche Sturheit ist Teil seines Charakters. Ihm die Wahrheit zu sagen ist selbst für mich schwer, auch ich brauche manchmal ein paar Anläufe. Er ist, wie er ist. Er ist mein Sohn.

So isses

Ich stand vor ihm, er lag da, aber es gab ihn nicht mehr. Mein Vater. Der Mann, der vor mir aufgebahrt war. An diesem Tag im April 1999 erschien er mir wie ein Fremder. Ein Hosenbein seines Anzugs war über den rechten Knöchel gerutscht, und ich konnte auf der Haut einen Schriftzug erkennen – *Becker*. Mit blauem Filzstift geschrieben.

Ich zog die Hose über seinen Knöchel und küsste meinem Vater die Stirn. Ich erlebte zum ersten Mal den Tod eines Menschen, den ich von Herzen geliebt hatte. Eine traumatische Stunde. Gibt es so etwas wie Wiedergeburt, Wiederauferstehung? Kein Trost für mich, selbst wenn es so sein sollte. Dies war Abschied. Ich konnte nicht mehr weinen, nicht mehr sprechen. Mein Vater ist nur vierundsechzig Jahre alt geworden. Und nie wieder werde ich mich an ihm reiben, mit ihm streiten können, bis die Mutter als Friedensengel einschreitet: »Karl-Heinz – lass den Jungen!«

Ich war drei oder vier Jahre alt, als ich mir aus dem Kofferraum des Autos einen Tennisschläger meines Vaters geholt und Bälle gegen die Wand im Tennisclub geschlagen habe – oder auch gegen die Rollläden unseres Hauses, stundenlang. Mein Vater flüsterte meiner Mutter zu: »Der ist nicht ganz sauber«, was außerhalb Baden-Württembergs so viel bedeutet wie: »Der hat einen Knall.« Mein Vater hat mich am Kragen gepackt und vom Platz gezogen, wenn ich in einem Match bei den Clubmeisterschaften in Leimen mal wieder ausrastete. Ich glaube, ich war zehn oder elf. Er hat mich verprügelt, weil ich ihn mit dem Hitler-Gruß provozierte. Meine Mutter hat meinen Vater stets mit dem Argument verteidigt, er sei eben »ein wenig rustikal«. Er hat Barbara in den Arm genommen, ohne Wenn und Aber, sie lieb gehabt und mir in unserem letzten Gespräch zugeflüstert: »Beschütze deine Familie.«

In unserem Haus wurden keine rassistischen Witze erzählt, weder über Juden noch über Schwarze. Mein Vater liebte die Musik von Louis Armstrong und George Gershwin – und seine Frau, mit der er zweiundvierzig Jahre verheiratet war. Er war ein loyaler Mann, Leimen und seinen Freunden verbunden. Drei Jahrzehnte lang trat er jeden Freitagabend im Doppel an. Gegen mich hat mein Vater selten Tennis gespielt. Stattdessen habe ich Bälle mit Sabine geschlagen, meiner vier Jahre älteren Schwester.

Ion Tiriac ist für meinen Vater bis zum Schluss ein Held gewesen, und er hat sich in Ion nicht getäuscht. Eine Stunde vor der Beerdigung klingelte es an unserer Tür: Ion Tiriac. Eine Selbstverständlichkeit für ihn, aber auch für die Familie. Für mich hatte sich der Kreis geschlossen: Vor fünfzehn Jahren hatte Ion schon mal bei meinen Eltern geklingelt. Er wollte Boris Becker unter Vertrag nehmen, das Tennistalent. Es war kein Zufall, dass der Weltbürger Tiriac, der überall und nirgends zu Hause ist, mit meinem Vater eine Freundschaft knüpfte, die mehr war als ein Zweckbündnis. Hier der Kosmopolit und Ferrari-Sammler, dort der Heimatverbundene, der in fünfzehn Vereinigungen, Clubs, Gemeinschaften und Verbänden Ehrenvorsitzender, Kassenwart, Präsident oder Vizepräsident war. Tiriac konnte ihm vertrauen wie nur wenigen Menschen in seinem Leben. Wie oft waren sie zu Krisensitzungen zusammengekommen, weil Tiriac und ich, Bosch und ich oder wir alle drei Zoff hatten.

Mein Vater war für mich als Junge *die* Autorität. Ich habe seine konservative politische Meinung nicht geteilt, aber seine liberale Grundeinstellung geschätzt. Gleich, ob ich als Zehnjähriger in London im Nation Cup spielte (übrigens meine erste Auslandsreise) oder in Wimbledon siegte, die Einstellung meiner Eltern mir gegenüber hat sich nie verändert, der Alltag bei uns blieb, wie er immer war. Halb eins Mittagessen, halb sieben Abendessen. Fünf Minuten verspätet? Dann gab es kein Essen mehr. Zucht und Ordnung wurden groß geschrieben. Um die Erhöhung von fünf auf sechs Mark Taschengeld musste ich hart feilschen. Diskussionen, die meinem Vater missfielen oder für die ihm die Argumente fehlten, brach er einfach ab: »So isses.« Für mich war das eine Art Diktatur. Ich habe ihm das klar gesagt, und gelegentlich hat er dann ausgeholt – keine sehr christliche Geste. Dennoch musste ich am Sonntag um halb elf in die Kirche. Damals trugen viele meiner Kumpels Ohrringe, so wie McEnroe und Agassi heute. Ich wollte auch einen haben, aber das war mit meinem Vater nicht zu machen.

Ich habe über die Jahre oft mit meinem Vater gestritten. Häufig fiel dann monatelang kein Wort zwischen uns. Er hatte sich Rechte angemaßt, die ihm, wie ich fand, auch als Vater nicht zustanden. Er gab gerne Interviews und hat Autogramme geschrieben, obwohl meine Mutter ihn mahnte: »Der Boris mag das nicht.« Oder er sprach mit dem Fernsehen meine Jubelfeier in Leimen ab, obwohl ich ihm gesagt hatte, dass ich das nicht wollte. Ich musste dann mitmachen, damit er nicht das Gesicht verlor. Nach der ersten Feier dieser Art habe ich ihn gewarnt: »Papa, das war schön und gut, aber bitte nicht noch mal.« Von jedem herumgereicht zu werden war das Letzte, was ich nach einem Wimbledon-Sieg erleben wollte. Aber ich hatte meinen Vater unterschätzt.

Nach dem Sieg 1986 arrangierte er erneut eine Jubelfeier in Leimen. Eine riesige Diskussion folgte: »Absagen«, forderte ich. »Zu spät«, behauptete mein Vater. »Wie kannst du so etwas machen?«, habe ich ihn gefragt. »Du respektierst mich nicht!« Ich war nach Leimen zurückgekommen, weil ich dort meine Ruhe haben und nicht noch einmal der Presse erklären wollte, was dieser Sieg für mich bedeutete. »Schluss: Ich werde nach diesem Tag ein halbes Jahr nicht mehr mit dir reden.« Er hat es nicht geglaubt, aber ich habe es durchgehalten. Die Feier habe ich dann doch mitgemacht. Meine Mutter hatte mich gedrängt: »Junge, mach's, bitte, sonst müssen wir wegen dieser Peinlichkeit die Stadt verlassen!«

Hin und wieder habe ich meiner Mutter ein Problem anvertraut. Sie hat es meinem Vater nicht weitererzählt, weil sie wusste: »Er schwätzt so gern.« Er hat das alles nicht böse gemeint, der Stolz auf den Sohn hat ihn über die Grenzen des Vertrauens hinweggetragen. Er war immer bereit, sich ins Bild zu stellen, sobald er eine Kamera sah – vielleicht werde ich mich ähnlich verhalten, wenn meine Kinder Erfolg haben? Ich wünschte, ich hätte dann so viel Mut wie mein Vater, der meiner Karriere, nach einigen klärenden Gesprächen, nichts in den Weg gelegt hat: »O.k., ich vertraue der Sache, go.« Er hat mich nicht festgehalten, ist nicht zu den Turnieren mitgefahren, um mich zu kontrollieren. Ich hoffe, dass ich das auch könnte, aber ich bezweifle es. Ich würde mich mehr einmischen. Denn ich weiß ja nun, wie hart dieser Weg ist. Er ist zuweilen brutaler als das, was man in der Schule oder in einem normalen Beruf aushalten muss. Der Ball ist drin oder draußen, da gibt es keine Grautöne. Es gibt keine Verhandlung, es ist gewonnen oder verloren. Das erzieht, aber es gewährt auch größere Freiheiten, weil man früher erwachsen wird und entscheiden kann, in welche Richtung man gehen will, ohne Einfluss von außen.

Ich habe oft über Monate nicht zu Hause angerufen, ich wollte mein Leben selbst meistern, ich musste es schließlich. Mein Vater hat nie Geld von mir erwartet, ein entsprechendes Angebot empfand er als Beleidigung. Irgendwann konnte ich ihn überzeugen, von einem Dreihunderter auf einen Mercedes fünfhundert umzusteigen – ein Geschenk von mir. Meiner Mutter auch nur eine Uhr kaufen zu dürfen erforderte größere Geduldsarbeit. Wenn ich sie zu Turnieren einlud, gab es manches Mal Diskussionen zwischen meinen Eltern. Sie: »Wir fliegen Economy.« Er: »First Class.« Mein Vater war von der Welt da draußen fasziniert wie ein Kind von Nintendo-Spielen. Meine Mutter, diese bodenständige Frau, hat das eher irritiert.

Wenn ich heute daran denke, dass ich meinen Vater kurz vor seinem Tod noch einmal sprechen konnte, dann erscheint mir das nicht als Zufall, sondern als eine Fügung, als ein Eingriff von höherer Stelle. Es passte alles zusammen: Ich spielte in Hongkong mein letztes Finale gegen Agassi. Es regnete, wir konnten am Sonntag nicht antreten, sondern mussten Montagmorgen auf den Platz. Ich wusste, dass das nächste Turnier in Tokio zeitlich nicht zu schaffen war, weil ich dort am Dienstag schon wieder hätte spielen sollen. Also entschied ich mich, nach Deutschland zurückzufliegen. Am Dienstag war ich in Leimen.

Mein Vater war noch ansprechbar; um zwei Uhr sollte ein Krankenwagen kommen und ihn abholen. Wenn es nicht geregnet hätte in Hongkong, wäre ich an diesem Tag in Japan gewesen. Hätte ich vorher in Hongkong verloren, dann hätte ich garantiert in Tokio gesteckt. Ich hätte meinen Vater nicht mehr lebend gesehen. Wir waren zu dritt im Zimmer, meine Mutter, mein Vater und ich. Ich habe erzählt, vom Tennis, von Reisen, von Freunden, Projekten, Noah, der zweiten Schwangerschaft. Irgendwas, nur reden. Ich musste die Zeit überbrücken. Er wusste, dass es zu Ende ging, und ich könnte schwören, dass er mit dem Sterben bis zu meiner Rückkehr gewartet hat – bestimmt. Ich hatte am Sonntag aus Hongkong daheim angerufen und mitgeteilt, wann ich ankomme, und er hat gewartet.

Als wir ihn auf einem Stuhl aus dem Schlafzimmer an den Esstisch getragen hatten, an dem er noch einmal sitzen wollte, hat mein Vater auf die Fotos in den Silberrahmen geschaut, die auf einer Kommode im Esszimmer stehen: Sabine und Ehemann Mathias, Sohn Vincent, Barbara, Noah, ich. Er hat das alles noch wahrgenommen, aber er hatte abgeschlossen. Ich hatte das Gefühl, er wollte nicht mehr. Meine Mutter und ich haben ihn gestützt und ihn im Wohnzimmer auf die Couch gelegt. Der Krankenwagen kam eine Stunde zu spät. Ich saß meinem Vater gegenüber, er sah mich an, aber er sprach nicht mehr. Es war die längste Stunde meines Lebens.

Mir war klar: Wenn der Krankenwagen kommt, verlässt der Papa dein Dasein. Die Sanitäter schoben ihn in die Ambulanz, er hob einen Arm, ein letztes Mal. Meine Mutter war gefasst. Sie wusste seit einem dreiviertel Jahr, dass er sterben würde. Die Chemotherapie hatte das Ende aufgeschoben, aber den Krebs nicht besiegt. »Er kommt nicht zurück, stell dich darauf ein«, sagte sie – eine tapfere Frau, wie immer. Einen Tag bin ich noch bei ihr geblieben, dann musste ich in Monte Carlo antreten. Nach dem ersten Match habe ich in Leimen angerufen, die Nachrichten waren schlecht: »Dem Papa geht's überhaupt nicht gut. Du musst sofort kommen.« Ich habe mein nächstes Spiel abgesagt, aber als ich zu Hause ankam, war mein Vater bereits tot.

Zurück blieben lauter Fragen. Mein letztes Wimbledon stand bevor, nicht einmal zwei Monate nach seinem Tod. Kann ich dort noch einmal spielen? Darf ich das überhaupt? Hat das überhaupt einen Sinn? Habe ich die Kraft dafür? Damals ist mir klar geworden, dass ich meinen Vater oft missverstanden habe. Denn heute ertappe ich mich immer häufiger dabei, dass ich einiges von ihm übernehme, die strenge Erziehung meiner Kinder etwa. Seit ich selbst Vater bin, sehe ich die andere Seite der Medaille. Ich bin nach Vaters Tod mit Barbara stundenlang durch den Wald gelaufen, und wir haben geredet, über die Vergangenheit, die Zukunft. Meine Prioritäten, Kinder, Familie, waren danach so eindeutig wie nie zuvor.

Mir schien, dass jeder, der mit meinem Vater irgendwann einmal fünf Minuten gesprochen hatte, auf seinen Tod reagierte – Richard von Weizsäcker, Gerhard Schröder, der mir handschriftliche Zeilen schickte, Juan Antonio Samaranch, mein französischer Kollege Guy Forget, von dem ich zwei Jahre lang nichts gehört hatte, ehemalige Freundinnen wie Karen Schultz oder Bénédicte Courtin, mitfühlend allesamt. Für die Beerdigung hatten wir keine Einladungen verschickt. Sie sind einfach gekommen: Günther Bosch, Ion Tiriac, Freunde und Feinde, vereint vor dem Tod. Ich war wie betäubt und habe versucht, den Tag irgendwie zu überstehen. Jede Stunde habe ich auf die Uhr gestarrt und gebetet, dass bald Abend sei. Am Wochenende darauf war ich schon wieder bei einem Turnier in München gemeldet, eine Chance für mich, mal drei, vier Stunden nicht nachdenken zu müssen.

Zur Freiheit verurteilt

Endlich Ferien, endlich Weihnachten mit den Kindern. Ich hatte fast den ganzen Flug von Frankfurt nach Miami verschlafen. Am Abend vorher hatte ich ein kleines Fass aufgemacht und mit meinen Freunden in München Abschied gefeiert von diesem ganz und gar unerfreulichen Jahr. Im »P 1«, der Münchner In-Disco, waren schon die Lichter ausgegangen, als wir gingen. Wir hatten ordentlich einen drauf gemacht. »Auf die Freiheit«, war die Parole, »Champagner und Wodka für alle!«

Der Kater saß mir noch tief in den Knochen, und irgendwie habe ich überhaupt nicht verstanden, was dieser Officer am Immigration Pult von mir wollte. Ich hatte ihm wie immer meinen Pass gezeigt, freute mich auf die Kinder, die mit Barbara hinter der Tür auf mich warteten. Der Mann aber bedeutete mir, dass ich mich an die weiße Wand neben seinem Tisch stellen solle. Verdutzt befolgte ich die Anweisung. Die First-Class-Gäste waren längst durch, auch die Business-Klasse war abgefertigt, jetzt kam die Touristen-Klasse. Und ich stand immer noch an der Wand, wie bestellt und nicht abgeholt. Endlich, nach mehr als einer halben Stunde, kam ein weiterer Uniformierter und forderte mich auf, ihm zu folgen. »Was um alles in der Welt ist denn los? Was hab ich denn jetzt schon wieder gemacht?«, dachte ich. Ich wusste keine Antwort. »Ich muss Sie jetzt verhören. Bitte nehmen Sie Platz«, sagte der Mann kalt und bot mir einen Holzstuhl in seinem spartanisch eingerichteten Büro an.

»Ich weise Sie darauf hin, dass Sie die Wahrheit sagen müssen. Wie heißen Sie?« Das hatte ich das letzte Mal im Oktober in München vor Gericht gehört. Jetzt aber war ich in Miami – und meine Kinder warteten hinter der Tür.

Ich bin in meinem Leben schon oft in brenzligen Situationen gewesen. Deshalb habe ich mir angewöhnt, in solchen Momenten ruhig zu bleiben. Und wer schon einmal Kontakt mit amerikanischen Behörden hatte, der weiß, dass man jede Emotion unterdrücken sollte. Gebetsmühlenartig leierte ich meine Antworten herunter. »Ich heiße Boris Becker, lebe in München, war früher Tennisspieler, heute bin ich Geschäftsmann, und ich will meine Kinder besuchen.« Das ganze Prozedere dauerte eine weitere gute Stunde. Immer wieder versuchte ich herauszufinden, was los war und warum ich hier wie ein Krimineller verhört wurde. Als Antwort bekam ich aber immer nur neue Fragen.

Endlich griff der Typ zum Telefonhörer. Ein paar Minuten später kam sein Vorgesetzter herein. Der erkannte mich und sprach mich mit freundlicher, sonorer Stimme an. »Herr Becker, Sie haben ein Problem. Sie haben kein Visum.« – »Ein Visum? Ich bin in den letzten zehn Jahren immer ohne Visum in die USA eingereist!« – »Jetzt sind Sie aber vorbestraft. Und als Vorbestrafter benötigen Sie ein Visum.« Das war es also. Die hatten mein Steuerurteil im Computer. »Aber vor ein paar Wochen bin ich auch ohne Visum eingereist. Da gab es keine Probleme!« – »Das hätte nicht sein dürfen. Da wurde hier ein Fehler gemacht.« Die Stimmung wurde wieder kühler. »Und wie geht es jetzt weiter?« – »Sie müssen mit der nächsten Maschine zurück nach Deutschland. Ohne Visum kommen Sie nicht rein.« – »Was!?! Das ist nicht Ihr Ernst!«

Ich durfte Barbara vom Diensttelefon aus anrufen, Handy war verboten. Sie fiel aus allen Wolken. Inzwischen war es fast siebzehn Uhr. Seit drei Stunden hatte sie mit den Kindern draußen gewartet. Den Beamten selbst war es inzwischen auch peinlich. Früher habe man sich in solchen Fällen für hundertzwanzig Dollar ein Visum am Flughafen ausstellen lassen können, aber seit dem 11. September gebe es keine Ausnahmen mehr, auch nicht für mich. Sie suchten mir einen Flug mit der Air France heraus. Um Mitternacht! Mein Gepäck ließ die Lufthansa freundlicherweise zu Barbara nach Fisher Island bringen, und ich wurde in den Abschieberaum verfrachtet, als illegaler Einwanderer.

Stickige Luft, Schweißgeruch, kein Fenster. Venezolaner, Kolumbianer und ein paar Nutten aus Bogotá warten da auf ihre Ausweisung – und Mister Becker mittendrin. Ich schaue auf den Boden, ich schaue in die Luft, und ich schaue in die verängstigten Gesichter der Menschen um mich herum. Allmählich beginne ich mich mit der Situation zu arrangieren. Mein Schicksal ist ja noch zu ertragen, aber was würde diese Menschen erwarten, wenn sie wieder in ihrer Heimat landeten? Gefängnis, Schläge, womöglich Folter?

Ich war hundemüde, meine Klamotten rochen inzwischen genauso wie der Raum. Keine Zeitung, kein Fernseher, nur eine einzige Cola. Sieben Stunden Abschiebehaft. Festgehalten, eingesperrt, ohne Pass und Kontakt zur Außenwelt, wie der Dealer aus Medellín mir gegenüber oder der Schmuggler aus Costa Rica drüben, in der dunklen Ecke des Raumes. Gegen zweiundzwanzig Uhr kommt ein Federal Officer und setzt sich zu mir. Ein Baum von einem Mann. Er ist Tennisfan, kennt meine ganze Lebensgeschichte. Wir unterhalten uns. Er lebt gerade in Scheidung. Er ist ein Fremder, wird aber innerhalb von einer Stunde zum Freund. Wir tauschen unsere Telefonnummern aus. Es ist diese Atmosphäre, das Warten wie auf eine Hinrichtung, was fremde Menschen plötzlich seltsam tief verbindet.

Jetzt vergeht die Zeit wie im Flug. Um dreiundzwanzig Uhr dreißig bringt mich mein neuer uniformierter Freund zur Air-France-Maschine. Diskret steckt er dem Kapitän meinen Pass zu. Den darf ich erst in der Luft wiederbekommen, wenn sicher ist, dass der unerwünschte Eindringling tatsächlich das Land verlassen hat. Ein letzter, fester Händedruck, ein freundliches Lächeln – der Officer verschwindet im schummrigen Licht. Der Purser in der First Class lacht mich freudestrahlend an. »Herr Becker, wollen Sie Ihren Champagner und Kaviar vor dem Abflug oder erst in der Luft?« Goodbye Alptraum, willkommen in der Realität eines Wimbledon-Siegers. »Ich nehme den Champagner sofort, Kaviar später.«

Champagner? Kaviar? Wenn es nach einem Staatsanwalt in München gegangen wäre, hätte man mir besser Wasser und Brot servieren sollen. Der Job dieses Mannes ist es nämlich, Menschen hinter Gitter zu bringen; für mich hatte er dreieinhalb Jahre vorgesehen. Die Sache begann in der Woche vor Weihnachten 1996 zu eskalieren. Ich hatte kurz zuvor in München den Grand Slam Cup gewonnen und für vier siegreiche Matches zwei Millionen Dollar Preisgeld kassiert. Die Medien rechneten meinen Minutenlohn für den Finalsieg mit 19 578 Dollar aus.[1] »BILD« freute sich über das »Weihnachtsgeld für Boris«, und überall war nachzulesen, dass ich im abgelaufenen Jahr allein 4 312 007 Dollar an Preisgeldern verdient hatte; damit habe sich mein Karriere-Preisgeld auf 28 692 014 Dollar erhöht.

Mal Hand aufs Herz, lieber Leser: Wären Sie da nicht auch ein bisschen neidisch geworden? Jede Minute habe ich im Finale gegen den Kroaten Goran Ivanisevic bei dem Turnier in der Olympiahalle den Gegenwert eines Mittelklasse-Wagens verdient. Dreiundachtzig Autos an einem Sonntagnachmittag! Bei den Steuerfahndern, die mich seit 1991 im Visier hatten, müssen diese Zahlen wie Stiche ins Herz gewirkt haben. Denn kaum hatte ich mich nach dem Turnier in den Weihnachtsurlaub verabschiedet – in der Pressekonferenz nach dem Finale hatte ich das öffentlich angekündigt –, da stürmten sie mein Haus in München-Bogenhausen.

Es waren noch vier Tage bis Weihnachten. Ich genoss die warme Sonne Miamis und spielte vor unserer Wohnung auf Fisher Island Basketball mit Freunden. Da bekam ich einen Anruf meines Anwalts Axel Meyer-Wölden. »Boris, bleib jetzt ganz ruhig, die Steuerfahndung ist in deinem Haus. Die brauchen den Code für deinen Tresor.« Ich war wie vom Schlag getroffen, und ich merkte an Axels Stimme, wie ernst die Lage war. Eine Putzfrau hatte die Leute reingelassen. Jetzt wollten sie an meinen Tresor. Ich gab die Nummer durch, aber offenbar wurde sie falsch aufgenommen. Sie kriegten den Safe nicht auf. Ein neuer Anruf mit der Drohung, das Ding auseinander zu nehmen, wenn die Kombination wieder nicht passte. Hatten die etwa Schweißgeräte dabei? Ich wiederholte den Code – und plötzlich öffnete sich die Stahltür.

»Jetzt mach erst mal Ferien, feiere Weihnachten mit der Familie. Im Januar sehen wir dann weiter.« Axel hatte gut reden. Ich spürte, dass es jetzt ans Eingemachte ging, dass die mich fertig machen wollten. Neid und Missgunst sind die größten Plagen unserer Gesellschaft in Deutschland, und ich hatte zu viel Erfolg. Eine hübsche Frau, einen gesunden Sohn, Erfolg im Beruf, Ruhm und Ehre, Anerkennung in der Gesellschaft und mal so eben noch zwei Millionen vor Weihnachten – das reichte. Und als ich im Januar das Ausmaß der Durchsuchung überblickte, feststellen musste, dass sie sogar Nacktfotos von meiner damals schwangeren Frau mitgenommen hatten, wurde mir schlagartig klar: »Die wollen dich verknacken.«

Mein innerer Frieden war dahin, meine Privatsphäre zerstört. Mit dem Beginn meiner Zusammenarbeit mit Ion Tiriac hatte es immer wieder Überprüfungen von Verträgen und Gespräche mit den Finanzbehörden gegeben. Tiriacs

Anwälte und Berater hatten die Sache in der Hand und kümmerten sich, während ich erfolgreich Tennis spielte. Bis zur Hausdurchsuchung 1996 hatte ich neunundvierzig Turniere gewonnen, zweimal für Deutschland den Davis Cup geholt und zusammen mit Michael Stich Doppel-Gold bei Olympia in Barcelona erkämpft. Seit diesem 19. Dezember 1996 habe ich kein Turnier mehr gewonnen. Die Angst vor dem Ungewissen, vor der dunklen Bedrohung hatte begonnen, meine Seele und mein Selbstbewusstsein aufzufressen. Um einen Matchball im Finale zu verwandeln, brauchst du verdammt viel Selbstbewusstsein. 1997 habe ich dann in Wimbledon für mich ganz persönlich aufgehört. Ich sah keinen Sinn mehr darin, irgendwelchen Tennistiteln hinterherzujagen, während der deutsche Staat mein eigentlicher Gegner war.

Ich wusste nicht, was die wirklich wollten. Die Finanzverwaltung hatte im Zusammenhang mit der Einleitung des Strafverfahrens und der Durchsuchung meiner Villa die Behauptung aufgestellt, ihr seien wesentliche, für die Besteuerung maßgebliche Sachverhalte vorenthalten worden. Nach der Durchsuchung hieß es plötzlich, ich hätte einen Wohnsitz in München gehabt, obwohl ich offiziell in Monte Carlo gemeldet war. Meine Berater wurden den Eindruck nicht los: »Die wollen auf Teufel komm raus was finden.«

Eineinhalb Jahre später kam der nächste Schlag. Am 28. Juli 1998 schlugen die Fahnder in ganz Deutschland zu, bei Freunden, bei Vertrauten, bei meinen Eltern – bei allen gleichzeitig, Punkt neun Uhr morgens. Fast fünfzig Haushalte und Büros wurden untersucht, sechzig Zeugen vernommen, vermutlich waren rund hundertfünfzig Beamte im Einsatz. Das war eine Großrazzia, nicht etwa gegen restliche Elemente der Roten Armee Fraktion oder gegen Terroristen aus dem Nahen Osten. Nein, gegen Boris Becker.

Warum müssen meine Freunde sich Verhören aussetzen?

Karen, meine Ex-Freundin, wurde zwei Stunden lang verhört. Eric Jelen, meinen Tennis-Kumpel, haben die Fahnder auf der Autobahn gestoppt und gezwungen, in seine Wohnung zurückzufahren – zur Hausdurchsuchung. Die Beamten drangen in das Haus der Eltern meines Kumpels Carlo Thränhardt in der Eifel ein – und die glaubten sich von Einbrechern bedroht. Wohlgemerkt, es ging nicht um Mord oder Kindesentführung, sondern um die Jagd auf den bis dahin absolut unbescholtenen Bürger Becker.

Ich schämte mich gegenüber meinen Freunden, fühlte mich wegen dieses völlig überzogenen staatlichen Einbruchs in deren Privatsphäre schuldig. Der Behördenapparat hatte sie über Nacht zu Zeugen einer Anklage gegen mich gemacht. Wurden sie vielleicht sogar selbst beschuldigt? »Wie oft war er bei Ihnen in Hamburg?« wollten die Fahnder von Karen wissen. »Hat er in seiner dort erworbenen Wohnung jemals gewohnt?« – »Er war selten in Hamburg, gewohnt hat er in der Wohnung nie«, hat die tapfere Karen richtigerweise gesagt. Aber was muss sie in diesem Moment durchgemacht haben, gedacht haben!

Aus dem Bücherregal meiner Mutter haben sie jedes Werk gegriffen und keine Rücksicht auf meinen todkranken Vater genommen. Den wegen seines dramatischen Gesundheitszustands erforderlichen Termin für die Chemotherapie musste er wegen der Hausdurchsuchung absagen. Geschwächt litt er auf dem Sofa und sah hilflos zu. Küche, Keller, Mercedes – sie haben alles durchstöbert. Meine Mutter, die noch am nächsten Tag vor Aufregung zitterte, bemerkte, dass die Fahnder den Aschenkasten unter dem Kamin nicht durchsucht hatten, und wies einen der Beamten auf dieses unverzeihliche Versäumnis hin: »Den sollten Sie nicht vergessen – wer weiß, welche Akten darin versteckt sind!«

Sechs Jahre lang hat der Fahnder Walter F. nur ein einziges Ziel gehabt: Becker jagen, tagaus, tagein – in der deutschen Finanzgeschichte wahrscheinlich ein einmaliger Vorgang. Nachdem seine Kollegen mit den Tiriac-Verträgen nicht weitergekommen waren, klemmte sich F. hinter die Wohnsitz-Frage. Ende 1984 hatte mich Tiriac nach Monte Carlo umziehen lassen, 1991 hatte ich Barbara in München kennen gelernt. Im Januar 1994 bin ich dann offiziell wieder nach München zurückgekehrt; ich wollte in Deutschland leben, meine Kinder sollten hier geboren werden. Andere Stars aus Sport- und Showgeschäft hatten das Land längst verlassen, ich dagegen war zurückgekehrt. Zum Verhängnis wurde mir ein Zimmer in der Münchner Wohnung meiner Schwester, in dem ich bis dahin immer wieder übernachtet hatte. Die Finanzbehörden erklärten es zu meinem Wohnsitz, wodurch 3,3 Millionen Mark an Steuern für Einnahmen fällig wurden, die ich 1992 und 1993 als Auslandseinkünfte verbucht hatte.

Ja, ich wusste um das Risiko mit dem Zimmer, aber für mich war das keine Wohnung und schon gar kein Wohnsitz. Vor Gericht habe ich dafür trotzdem die Verantwortung übernommen, ein Geständnis abgelegt. Wahrscheinlich wäre mir das alles erspart geblieben, wenn ich 1996 konsequenter gewesen wäre. Bevor die Fahnder im Dezember in mein Haus kamen, hatte ich mich mit Barbara im Juli unmittelbar nach Wimbledon wieder aus Deutschland abgemeldet. Es war mir alles zu viel, zu eng geworden hier. An einem Freitagmorgen bin ich mit ihr zum Einwohnermeldeamt gegangen, habe eine Nummer gezogen, mich in die Schlange gestellt und uns abgemeldet. Ich hatte vorher mit guten Bekannten und Freunden gesprochen, die mir zu diesem Schritt rieten. Als ich danach aber meine Entscheidung mit Axel diskutieren wollte, flippte der völlig aus. Er war zu dem Zeitpunkt schon schwer von seinem Krebsleiden und den vielen Medikamenten gezeichnet. Er schrie, tobte. Da ich wusste, dass er nicht mehr lange zu leben hatte, wollte ich ihm nicht wehtun. Der Mensch Axel Meyer-Wölden war mir in dem Moment wichtiger. Er sollte nicht den Eindruck bekommen, dass ich ihn in seinen letzten schweren Wochen im Stich lasse. Am Montag ging ich wieder zum Einwohnermeldeamt und meldete uns erneut an.

So saß ich nun mit meinem Team am Vorabend der Verhandlung im Restaurant »Käfer« in München, bezeichnenderweise im so genannten »Banknoten-Zimmer«. Meine beiden Anwälte waren da, der Strafrechtsexperte Professor Dr. Klaus Volk und der Steuerexperte Dr. Jörg Weigell, außerdem meine Mutter und meine Schwester Sabine sowie mein PR-Berater Robert Lübenoff. Ich hatte bewusst mit Galgenhumor zur Henkersmahlzeit geladen, um die Spannung zu lösen. Verkrampfte Anwälte sind keine guten Anwälte. Ein schöner Cloudy Bay aus Neuseeland, dazu Kaviar mit Kartoffelschnee und ein Stück Babysteinbutt – das Ganze hätte auch eine Familienfeier sein können. Wir scherzten und lachten. Da kam der Verkäufer der Münchner »Abendzeitung« herein, ein Mann, der mir schon öfters im Münchner Nachtleben eine Zeitung in die Hand gedrückt hat. Als er mich in der Stube erkannte, wollte er gleich wieder gehen, um mir den Titel des Blattes zu ersparen. »Boris: Bin ich schon drin?«[2], lautete die Schlagzeile in Anlehnung an meinen AOL-Kultspot, dazu hatten sie auf einem Foto mein Gesicht hinter Gittern montiert. Allen gefror das Blut in den Adern. Der Abend war abrupt zu Ende.

Am Morgen des gleichen Tages hatte ich bereits den Gerichtssaal inspiziert. Zusammen mit meinen Anwälten und Robert ging ich die Wege ab, setzte mich auf die Anklagebank und fasste das Richterpult an. Ich habe das bei großen Turnieren immer so gemacht. Ich wollte eins werden mit der Atmosphäre, die Aura aufnehmen, damit ich dann, wenn ich zum Match antrat, nicht von den äußeren Umständen abgelenkt oder beeinträchtigt wurde. Ich fragte den Professor nach jedem kleinen Detail, wollte genau wissen, was wer wann wo machte und wer wo saß. Die Wachleute, die uns begleiteten, waren sehr nett. »Werd scho, Boris, des packst«, munterten sie mich in ihrem bayerischen Dialekt auf. Als sie mir aber die Zellen zeigten, wo die Schwerverbrecher in den Prozesspausen eingeschlossen wurden, wurde mir ganz anders. Und fast ein bisschen stolz meinten sie, mein Prozess werde sicher spektakulärer als der Prozess um den Mord an dem Schauspieler Walter Sedlmayr, der 1992 in diesem Saal verhandelt worden war. Was für eine Ehre! Der Hauptverdächtige ist damals zu lebenslanger Haft verurteilt worden.

In den Wochen vor dem Prozess war ich quer durch die Welt gereist. Ich schlug John McEnroe bei einem Schaukampf in New York, besuchte wieder meine Kinder in Miami, spielte mit Michael Jordan ein Charity-Golfturnier auf den Bahamas und unternahm eine zehntägige Geschäftsreise nach China. Bloß nicht nachdenken. Noch »four to go«, noch »three to go«. Ich strich die Wochen ab wie ein Gefangener in der Zelle. Angst und Nervosität hatten mich fest im Griff. Jetzt aber, an diesem Mittwochmorgen, war ich ganz ruhig. Ich war bereit für das Match, bereit für den Fight, egal, was kommen würde. So war es bei mir immer gewesen: Wenn es dann endlich so weit war und ich den Court betrat, war ich ruhig, die Nervosität war verflogen. »Ready to go.»

Fünf Stunden Schlaf habe ich dann doch bekommen in der Nacht. Ein stilles Frühstück mit meiner Mutter im Hotel Palace. Doc Weigell und Robert holten mich ab, wir fuhren mit meiner silbernen M-Klasse. Der Doc fuhr, mehr schlecht als recht, ich saß alleine hinten und hatte eine CD von Anastasia eingelegt: »Paid my dues« – irgendwie passend. Dutzende von Fotografen und Kameraleuten warteten hinter der Absperrung vor der Eingangstür zum Sitzungssaal im ersten Stock. Wir kamen um viertel nach neun per Lift aus der Tiefgarage. Mit den Wachleuten hatte ich tags zuvor ausgemacht, dass sie mich durch das Zeugenzimmer ließen. So gab es nur zwei Meter im Blitzlichtgewitter. Im Gerichtssaal wartete die zweite Armee von Fotografen. Die durften so lange ihre Bilder schießen, bis um halb zehn die Richterin kam. Also gingen wir erst um neun Uhr achtundzwanzig raus. Ich wollte die Initiative behalten, agieren, solange es ging. Was ich dann aber erlebte, war selbst für mich Frontschwein eine neue Erfahrung: Weil ich keine Fotos von mir auf der Anklagebank haben wollte, stellte ich mich vor den braunen Holztisch mit den orangefarbenen Stühlen. Von unten und von oben, bis auf fünf Zentimeter nahe am Gesicht, feuerten die Fotografen aus allen Rohren. Wie ein Stück Freiwild tigerte ich da im Kreis herum, jeder Intimsphäre beraubt. Die Richterin beendete dann nach fünf Minuten endlich das Spektakel.

»Zum Aufruf kommt die Strafsache gegen Boris Becker«, beginnt die Richterin das Match. Nachdem meine Personalien geklärt sind, verliest Staatsanwalt Musiol die Anklage. Er steht mir sechs Meter gegenüber. Eigentlich nicht unsympathisch, der Typ. »Boris Becker hat eine Wohnung in der Gaußstraße zur Verschleierung von seinen Eltern anmieten lassen. Dort hat er sich Ende 1991 an neunundfünfzig Tagen, 1992 an achtzig Tagen und 1993 an fünfundneunzig Tagen aufgehalten. Sein im Ausland erzieltes Einkommen hat er aber weiterhin als in Deutschland nicht zu versteuern angegeben und damit dem Fiskus rund 3,08 Millionen Mark an Einkommenssteuer – und weitere vierhundertachtzigtausend Mark an Vermögenssteuer entzogen.« So die Anklage.

Zwanzig Minuten lang ließ die Richterin Huberta Knöringer, eine resolute, aber gerechte Vierundfünfzigjährige, mich über mein Leben erzählen, von Leimen über Wimbledon bis Miami. Dann machte sie eine Anmerkung, die die Stimmung im Saal plötzlich gefrieren ließ: Es habe Vorgespräche mit Staatsanwaltschaft und Verteidigern über die Eckdaten der Strafzumessung gegeben, aber eine Einigung sei nicht erzielt worden. Die Vorstellungen über das Strafmaß gingen einfach zu weit auseinander. Wochenlang hatten die Medien von einem abgesprochenen Deal berichtet. Der Prozess sei nur eine Show für die Öffentlichkeit, alles im Hintergrund längst abgesprochen. Von wegen! Jetzt merkte auch der letzte Journalist unter den einhundertsechsunddreißig Prozess-Beobachtern, dass es bitterernst war, dass es hier für mich wirklich um Freiheit oder Gefängnis ging. Ein Raunen ging durch die Reihen. Und als die Richterin fragte, wer denn nun Stellung beziehen wolle zur Anklage, sagte ich: »Das mache ich selbst.«

Mir war, als ruhten Millionen von Blicken auf meinem Gesicht, während ich meine Erklärung verlas:

»Das Steuerverfahren gegen mich dauert nun schon seit sechs Jahren. Und die Steuerfahndung ermittelt bereits seit zehn Jahren. Herausgekommen ist dabei nicht viel. Die Anklage wirft mir vor, ich hätte eine Wohnung in München verschwiegen. Demnach hätte ich 1992 und 1993 zu wenig Steuern bezahlt. Das ist alles.

Man wirft mir nicht vor, man kann mir auch nicht vorwerfen, dass ich Einnahmen verschwiegen hätte, dass ich Geld versteckt hätte, dass ich Schwarzgeld angenommen hätte oder dass ich andere kriminelle Machenschaften dieser Art begangen hätte.

Ich habe die Beträge, um die es jetzt geht, alle vollständig erklärt. Wenn man als Deutscher im Ausland wohnt, ist man in Deutschland beschränkt steuerpflichtig. Man muss manche Einnahmen versteuern, andere nicht. Ich habe unterschrieben, dass ich im Ausland wohne und dass es sich bei den hier genannten Summen um Einkünfte aus dem Ausland handelt, die in Deutschland nicht zu versteuern sind.

Mit einer Wohnung in München wäre ich in Deutschland unbeschränkt steuerpflichtig und hätte alles Geld, das ich irgendwo auf der Welt verdient habe, in Deutschland versteuern müssen. Darum geht es und um sonst nichts.

War also der Raum, in dem ich von Herbst 1991 bis Herbst 1993 bei meinen Besuchen in München übernachtete und mich aufgehalten habe, eine Wohnung oder nicht? Das ist Ansichtssache.

Eine Wohnung, wie ich mir eine richtige Wohnung vorstelle, war das nicht. Das war immer nur notdürftig eingerichtet, so dass man dort übernachten konnte. Es gab ein Bett, es gab eine Sitzbank, aber noch nicht einmal einen Schrank, keine Küchenzeile, noch nicht einmal einen Kühlschrank.

Aber die deutschen Finanzämter sehen das anders, sehr viel enger.

Ich gebe zu, dass man mich davor gewarnt hatte. Ich habe das in den Wind geschlagen und es darauf ankommen lassen. Das war falsch, und deswegen stehe ich heute hier.

Der einzige Punkt der Anklage, über den man streiten kann, ist die Frage, ob ich eine Wohnung hatte. Ich will darüber nicht streiten und erkläre noch einmal, dass ich damals schon wusste, dass man das so sehen kann, und dass ich das in Kauf genommen habe.

Sie dürfen mir glauben, dass mich das Verfahren sehr belastet hat. Seit seinem Beginn vor sechs Jahren habe ich kein großes Turnier mehr gewonnen. Und letztendlich meine Karriere als Tennisspieler beendet.

Ich stehe zu meiner Verantwortung für einen Fehler, den ich vor zehn Jahren begangen habe. Und ich weiß, dass ich dafür büßen muss.«

Ich hatte mich im Vorfeld sehr schwer getan mit diesem Geständnis. Nach all den Jahren der Verfolgung, den Presseberichten, ich müsse mal zwanzig, mal fünfzig Millionen

Mark Steuern nachzahlen, ging es am Ende darum: Ist ein Zimmer eine Wohnung? Kompromisse oder außergerichtliche Einigungen waren jetzt nicht mehr möglich, nur das Eingestehen einer Tat konnte die Gerichtsbarkeit milde stimmen. Die vom Finanzamt definierte Steuerschuld für die Jahre 1991 bis 1995, insgesamt 3 021 759 Euro, hatte ich ohnehin noch vor Prozessbeginn beglichen. Und was bei all den Anschuldigungen fast völlig unterging: Während andere Stars dieser Republik im Ausland Anerkennung und Steuererleichterung fanden, hatte ich nach meiner offiziellen Rückkehr aus Monte Carlo fünfundvierzig Millionen Mark Steuern an den deutschen Fiskus überwiesen!

Zur Mittagspause ging ich wieder an den Zellen für die Gewaltverbrecher vorbei. Mir hatten die Wachleute angeboten, in ihrem Aufenthaltsraum zu warten. Durch einen Nebeneingang hatten wir silberne Tabletts mit Kanapees von Käfer reingeschleust, die Cola dazu kam aus dem Getränkeautomaten der Wachleute. Der Professor und der Doc waren zufrieden mit dem bisherigen Verlauf. Robert telefonierte mit einigen Journalisten, um zu hören, wie sie die Lage einschätzten. Und weil er uns ein bisschen aufheitern wollte, erzählte er, dass am nächsten Tag in »BILD« ein Frisör das Geheimnis meiner neuen Sturmfrisur verraten und ein Psychologe erklären werde, warum ich im dunkelgrauen Anzug mit weißem Hemd und silbrig-grauer Krawatte vor Gericht erschien. Gelacht hat keiner.

Der Professor hatte die Richterin kurz in der Kantine abgefangen. Sie bat, dass ich diesmal den Gerichtssaal durch den Haupteingang betreten möge, weil die Medienvertreter verärgert gewesen seien über meine morgendliche Abkürzung durch das Zeugenzimmer. Ihr Wunsch war mir Befehl. Später stand in der Presse: »Selbst vor Gericht sucht Becker immer noch den Show-Auftritt.«

Unzählige Seiten wurden aus irgendwelchen Ordnern verlesen. Dann hatte der Staatsanwalt seinen Auftritt. Nachdem er die Dinge aus seiner Sicht noch einmal zusammengefasst hatte, kam dieser für mich unfassbare Satz. »Ich beantrage eine Freiheitsstrafe von drei Jahren und sechs Monaten.« Der Mann begründete seine Forderung mit der Höhe der nicht entrichteten Steuersumme und sagte: »Das ist genauso schlimm, als wenn jemand Schwarzgeld in einer Plastiktüte über den Tennisplatz trägt.« Eine Anspielung auf den »Fall Peter Graf«: Der Vater von Steffi war 1997 zu drei Jahren und neun Monaten verurteilt worden, weil er angeblich fünfzehn Millionen Mark Steuern hinterzogen haben sollte.

Zorn stieg in mir auf, meine Instinkte wurden wach. Am liebsten wäre ich über den Tisch gesprungen, um den Staatsanwalt zu schütteln und ihn zu fragen, ob er noch ganz bei Trost sei. Dreieinhalb Jahre – da gibt es keine Bewährung mehr! Ich versuchte mich zu beruhigen. Der Mann machte auch nur seinen Job. Mein Kopf brannte, mein Gesicht aber war aschfahl. Jetzt war mein Team dran. Erst der Doc, der noch einmal die steuerliche Seite und Vorgehensweise der Fahnder aus unserer Sicht analysierte. Dann der Professor, der mit einem starken emotionalen Auftritt den Schlusspunkt setzte. Der Prozess wurde auf den nächsten Tag, wieder neun Uhr dreißig, vertagt.

Meine Mutter hatte im Hotel die Forderung des Staatsanwalts aus dem Radio gehört und war in Tränen aufgelöst. Auf allen Bildschirmen flimmerten die Neuigkeiten. Selbst bei CNN war die Headline: »Becker on trial. The prosecutor is asking for three and a half years.« Und im Internet titelte schon »BILD« vom nächsten Tag: »Staatsanwalt fordert 3½ Jahre Gefängnis! Boris unter Schock.« Das war ich auch. Wie oft hatte man mir versichert, dass Gefängnis kein Thema sein werde. Boris Becker hinter Gittern? Auf keinen Fall!

Was, wenn die Richterin heute einen schlechten Abend

hatte, Stress mit ihrem Mann, eine schlechte Nachricht aus der Familie oder sie sonst irgendetwas störte? Das Spiel war gelaufen, ich war in ihrer Hand. Kein zweiter Aufschlag. Sie hatte Matchpoint. Wie heißt es so schön: »Vor Gericht und auf hoher See bist du in Gottes Hand.« Ich suchte in meiner Suite alle Kreuze zusammen, die ich fand, hielt einen Rosenkranz fest in der Hand und begann zu beten. »Bitte hilf mir, noch einmal. Ich werde es dir zurückzahlen. Versprochen.« Doch immer wieder gingen mir diese Bilder durch den Kopf. Ich sah Zellen, ich sah Wärter, und ich sah mich als Gefangenen in gestreifter Sträflingskleidung. Ich fing an, das schlimmste aller Szenarien für mich durchzuspielen. Währenddessen flimmerte das Champions-League-Spiel meines geliebten FC Bayern in Mailand über den Bildschirm. Oliver Kahn musste mit einer Muskelverletzung vom Platz. »Oh, Oliver, wie gerne würde ich mit dir tauschen, jeden Schmerz der Welt, jede Verletzung auf mich nehmen, wenn ich nur morgen als freier Mann das Gericht verlassen könnte!«

Über dem Münchner Friedensengel hing bleich und schlaff der Morgenmond, als wir drei uns wieder auf den Weg ins Gericht machten. Der Professor wartete in der Tiefgarage, nickte aufmunternd: »Ich habe ein gutes Gefühl.« Was, um Gottes willen, hieß das? Was wusste er, was ich nicht wusste? Keine Zeit für Fragen, keine Zeit für Antworten. Ein Paparazzo hatte versucht, sich in den Lift zu schmuggeln.

Wie in Trance bahne ich mir den Weg durch die Medien-Meute zu meinem Stuhl. Um neun Uhr einunddreißig verliest die Richterin im Sitzungssaal A 101 des Landgerichts München I das Urteil, »Im Namen des Volkes«. Endlos lang, mit Tausenden von Begründungen, so kommt es mir zumindest vor. Ich höre gar nicht richtig hin, warte ständig, dass einer meiner Anwälte rechts oder links mir aus Freude einen Schubs gibt. Nichts passiert. Einmal gibt es Beifall von der

Tribüne. Ich schaue nach rechts, nach links – der Doc und der Professor folgen konzentriert den Worten der Richterin. Dann dürfen wir uns setzen. »War das jetzt o. k., was sie gesagt hat?«, frage ich vorsichtig. »Ja, das war o. k.«, antwortet der Doc. Was aber heißt o. k.: Freispruch? Bewährung? »Zwei Jahre auf Bewährung und dreihunderttausend Euro Geldstrafe«, sagt der Professor, »aber Sie verlassen das Gericht als freier Mann.«

Ich gab allen die Hand, der Richterin, den Schöffen, selbst dem Staatsanwalt. Er hatte sein Bestes gegeben. Beim Tennis gratuliert man auch dem Unterlegenen für ein gutes Match. Während Robert und die Anwälte vor dem Saal mit den Presseleuten sprachen, stahl ich mich hinten raus, wieder an den Zellen vorbei, die mir erspart geblieben waren, ab ins Auto und raus aus dem Gericht. Aus dem CD-Player dröhnt der Tupac-Song »Me against the world«. Tränen laufen mir übers Gesicht. Es sind Tränen der Freiheit. Ich rufe meinen Freund und Berater Hans-Dieter Cleven an, der über Monate das Verfahren strategisch begleitet hatte: »Frei, ich bin frei!« Sekunden später hat mich die Realität wieder. Aber die mich verfolgenden Paparazzi bekommen nicht meine Tränen zu sehen, sondern ein breites Grinsen. Ich habe lange genug Schwäche zeigen müssen, Hiebe eingesteckt. Jetzt heißt es wieder: »Aufschlag Boris Becker.«

Sekundenlang halte ich meine Mutter und meine Schwester im Arm. Sie hatten mit Prosecco im Hotel auf mich gewartet. Mir aber ist nicht nach Feiern zu Mute. Ich rufe meinen Freund Joe an. »Du, pack die Schläger ein, wir spielen Tennis!« Schon beim Verlassen des Hotels gibt es das erste Schulterklopfen wildfremder Menschen. »Wir haben es gerade im Radio gehört, Glückwunsch, wir freuen uns für Sie!« Eineinhalb Stunden lang dreschen wir die Bälle übers Netz. Der Schweiß schwemmt die ganze Anspannung und Belastung aus meinem Körper. Noch aber ist das Match mit der Öffentlichkeit nicht vorbei. Möglichst allen möchte ich meinen Standpunkt vermitteln, erklären, warum es so weit kam und was das alles für mich bedeutet.

Am Flughafen wartet schon die Privatmaschine. Vor dem Abflug ein Interview mit »BILD«-Reporter Rolf Hauschild, der am nächsten Tag titelt: »Boris spricht in BILD: Das war mein größter Sieg! Noch wichtiger als Wimbledon.«[3] Danach geht es nach Hamburg zu Reinhold Beckmann. Der sendet zwar normalerweise nur montags, aber die Story ist der ARD ein Special am Mittwochabend wert. Der Deal: sechzig Minuten – und es wird gesendet, was ich sage. Kein Cut, keine Worthülsen. Dafür war mir die ganze Sache zu wichtig. Ich wollte das Face to Face mit einem Journalisten, der trotz Freundschaft auch verdammt kritisch fragen konnte. Wir hatten schon ein paar dieser Nummern gedreht – und es war immer eine Herausforderung gewesen, aber gut. O-Ton Becker, ungeschminkt.

Zwölf Stunden nach dem Urteil ist Beckmann im Kasten. Der Ober im Restaurant des Hotel Atlantic bringt mir einen halben Hummer und anschließend eine gebratene Nordseezunge. Dazu gibt es einen Chablis premier cru. Ein letztes Interview mit »Bunte«-Autor Paul Sahner, eine letzte Antwort an diesem Abend: »Zum ersten Mal seit zehn Jahren fühle ich mich frei, wirklich frei. Jetzt greife ich wieder an.«

Der Mann, der meine Mutter war

»Wenn jemand einem anderen selbstlos und treu gedient, wenn er ihm sein Leben gewidmet hat und seine eigenen Wünsche, Sorgen und Freuden dabei zurücktraten, dann sagt man wohl von ihm, er sei fast ein ›Eckermann‹ gewesen. Aus dem Namen dessen, der einmal gelebt hat und ein knappes Jahrzehnt hindurch Goethes Helfer war, ist ein Begriff geworden. Sein Name steht schlechthin für das Selbstlose, für die Beständigkeit im Dienst, für schlichte, menschliche Treue.«[1]

Sieben Schläger habe ich in diesem Match zertrümmert, und nicht nur Ion Tiriac bestätigte mir nach der Niederlage gegen den Australier Wally Masur, ich hätte mich »wie ein Bekloppter« aufgeführt. Die Zerstörung meines Handwerkszeugs war an sich nichts Neues – in meiner Jugend gab es häufig Bruch, wenn mir mein Spiel nicht passte. Den Rekord, glaube ich, habe ich 1984 in Barcelona aufgestellt: Acht Schläger sind in der Kabine zu Kleinholz geworden, weil ich in der ersten Runde gegen einen Kanadier namens Martin Wostenholme eingegangen war. Aber nicht wegen dieser Idiotie geriet ich in Melbourne in die Schlagzeilen, sondern der 21. Januar 1987 war der Tag, an dem ich mein Vertrauen in Günther Bosch verlor – beinah hätte ich gesagt, an dem Bosch zum Verräter geworden war. Er erinnert sich an die Geschichte anders, so wie es immer ist bei Kontroversen und Scheidungen. Deutsche Fußballpatrioten sind ja auch nach wie vor überzeugt, dass bei Englands drittem

Treffer im WM-Finale 1966 gegen Deutschland der Ball die Torlinie nicht überschritten und der sowjetische Linienrichter uns verraten hat ...

In dem Spiel gegen Masur wäre ich beinahe vom Platz geflogen – mein Auftreten dort entsprach meiner Gemütslage. Ich war unglücklich über die Niederlage, vor allem aber unzufrieden mit Günther Bosch. Ich musste mich entscheiden, ob und wie ich mit ihm weiterarbeiten wollte. Drei Jahre war er Vaterersatz gewesen, er hatte sehr viel für mich geopfert. »Morgens beim Aufwachen«, hat mein Vater gescherzt, »stand neben ihm Günther, und wenn er abends die Augen zumachte, war das Letzte, was er gesehen hat, auch wieder Günther.« Bosch war Günzi, ich habe ihm in meiner Jugend restlos vertraut. Der Deutsche Tennis Bund hatte ihm damals eine Gruppe von vier Jugendlichen zugewiesen: Tore Meinecke, Udo Riglewski, Christian Schmidt und Boris Becker. Weil ich der Beste unter diesen Talenten war, reiste er schließlich mit mir allein. Im Januar 1984 schaffte ich die ersten ATP-Punkte in deutschen »Satellite«-Turnieren, peu à peu habe ich mich nach oben gespielt. Im Frühjahr 1984 hat Bosch den DTB verlassen und nur noch mit mir gearbeitet, weil Tiriac, mein neuer Manager, und meine Eltern das so wollten.

Nach dem Fünf-Satz-Desaster von Melbourne gegen Masur habe ich Tiriac erklärt: »So kann es nicht weitergehen, Günzi nervt mich, er bringt mir nichts mehr. Ich brauche kein Kindermädchen, sondern einen Kerl, der mich fordert!« Bosch hat mich an der langen Leine laufen lassen, und in meiner pubertären Phase war das sicherlich die richtige Entscheidung. Er wollte, dass es mir gut geht, war überzeugt: Wenn Boris guter Laune ist, spielt er auch gut Tennis. Er ist mit mir nachsichtig umgegangen und hat den kritischen Tiriac immer wieder beruhigt: »Lass den Jungen, lass ihn. So ist er nun mal.« Bosch war mehr Psychologe als Trainer, eher

Beichtvater als Berater. Er hat mit mir gelitten und durch mich. Als ich mir 1984 die Bänder riss, in meinem ersten Profi-Turnier, war er außer sich. Ich wurde in München operiert, und er saß am Bett, war auch in der Reha dabei. Der gute Eckermann.

An jenem Tag im Regent-Hotel in Melbourne habe ich Tiriac über zwei Stunden lang erklärt, warum meine Zusammenarbeit mit Bosch in dieser Form nicht mehr möglich sei. Tiriac plädierte allerdings für eine weitere Zusammenarbeit, und aus Leimen meldete sich mein Vater: »Überleg's dir noch mal.« Bosch war ein Mann ohne Konturen und Härte, trank nur gelegentlich ein Gläschen Wein, rauchte nicht und war seiner Frau Rodica treu verbunden. Ein Problem für seine Frau war, dass Bosch nicht Tiriac sein konnte. Sie hätte so gern aus ihrem Ehemann einen großen Tennismanager gemacht. Bosch aber konnte sich in einer solchen Rolle nicht wohlfühlen, weil er weder die Substanz noch das Auftreten dafür hatte. Rodica hat ihren Mann oft begleitet, weil er sich das leisten konnte, und ich habe das akzeptiert und geschluckt. Ich bin mit ihr einige Male aneinander geraten. Spitze Kommentare von ihr, spitze Antworten von mir. Sehr bald haben wir kein Wort mehr miteinander gesprochen. Bosch lebte für den Sport, und ich stand im Zentrum seines Lebens. Wir reisten zusammen, aßen zusammen, über Monate. Auch als mich Frauen begleiteten, blieb es wie zuvor: Wir reisten zusammen, wir aßen zusammen, statt zu zweit nun zu dritt. Ich wollte Bosch nicht allein dasitzen lassen, zugleich aber nervte es mich, jeden Abend mit ihm und meiner Freundin zu verbringen.

Er würde in mir für alle Ewigkeit den Boris sehen, Weltranglistenplatz zweihundert, der Ende 1984 in Melbourne auf Rasen die erste Runde überstand und sich wie der Erfinder des Tennissports fühlte. In der zweiten Runde besiegte ich den Amerikaner Tim Mayotte in vier Sätzen (6:4, 7:6,

2:6, 6:4) und kam bis ins Viertelfinale. In der Weltrangliste rückte ich auf Platz vierundfünfzig. Bosch und ich stießen auf den Durchbruch an – mit Mineralwasser. Wenige Wochen zuvor in Südafrika, nach einer Niederlage bei den Qualifikationen, hatte ich mir noch gedacht, dass es wohl doch nichts werden würde mit der Profi-Laufbahn. In Melbourne 1984 lichtete sich der Nebel. Ich wusste nun: Du hast das Talent, oben mitzuspielen. Im Januar 1985 siegte ich dann in Birmingham gegen Stefan Edberg im »Young Masters«. Edberg galt unter den Jugendlichen als unschlagbar. Ich spielte gegen ihn mein erstes Match über drei Gewinnsätze überhaupt: Sieg mit 4:6, 6:3, 6:1, 4:6, 6:3.

Bosch blieb auch danach, wie er war – immer nachsichtig, immer gütig. Ich habe ihn provoziert. Ich habe mich wie ein Flegel benommen. Ich habe ihn bloßgestellt. Seine Reaktion war für mich enttäuschend: Er griff nicht zum Hammer, wehrte sich nicht, ließ das einfach mit sich machen. Er hätte irgendwann sagen müssen: »Jetzt reicht's.« Stattdessen schwieg er, und ich verlor mehr und mehr den Respekt. Günther Bosch hatte leider nicht realisiert, dass der junge Becker irgendwann zum Kerl geworden war, er hatte versäumt, sich selbst mitzuentwickeln. Er war eben so. Bosch war »Mädchen für alles«, im besten Sinne. Er bemühte sich um Flugbuchungen, Hotelreservierungen, die Vorhand, Trainingspartner, und er hielt Kontakt zu meinen Eltern. Ich konnte mich immer hundertprozentig auf meinen Eckermann verlassen. Er saß auf dem für Trainer reservierten Platz, und ich blickte hinauf, automatisch, ganz gleich, ob der Ball schlecht oder gut gespielt war. Es war ein Reflex geworden. Über Jahre, eigentlich schon nach meinem ersten Wimbledon, hatte ich mir überlegt, ob ein Trainerwechsel nicht nützlich sei. Auch Tiriac war mit Boschs Methoden nicht mehr einverstanden – die beiden waren wie Schwarz und Weiß. Vor einem Finale in Sydney gegen Ivan Lendl wollte Tiriac von ihm wissen: »Wie spielt Boris denn?« – »Er weiß, welche Taktik er anwenden muss«, antwortete Bosch. »Du musst es ihm sagen, verdammt noch mal!«, knurrte Tiriac. »Siehst du«, habe ich Tiriac dann gesteckt, »er erzählt mir nichts.«

Tiriac rief Bosch an jenem 21. Januar 1987 in seinem Hotelzimmer an und sagte: »Wir müssen reden – jetzt. Boris hat sich beklagt über die Zusammenarbeit, so wie's jetzt läuft, kann's nicht weitergehen.« Bosch war hörbar überrascht. »Ich hab's doch nur gut gemeint«, verteidigte er sich, »ich will ja nur helfen. Ja, warum hast du nichts gesagt?« »Ein dreißig Jahre älterer Mann muss mir einfach sagen, was abläuft«, erwiderte ich. »Ich bin mit dir fürchterlich umgegangen, und du hast es hingenommen!« Die Diskussion wurde erregter, Bosch war mal laut, mal weinerlich. »Ich verstehe, die Niederlage schmerzt, warum sagst du mir alles erst jetzt?« – »Nein, mit dem Match hat die Debatte nichts zu tun, das sind grundsätzliche Fragen, es geht um die Beziehung zwischen Coach und Spieler. So geht's für mich nicht weiter.« Ion Tiriac, einmal mehr Schlichter, schlug vor, die Zusammenarbeit zu verändern. Bosch solle nur noch zu wichtigen Turnieren anreisen, die tägliche Betreuung könne entfallen. Bosch beharrte jedoch auf dem bisherigen Modus – entweder ganz oder gar nicht.

Wir einigten uns, die Alternativen zu überdenken und uns später noch einmal zusammenzusetzen, nach dem Motto: Lasst uns eine Stunde rausgehen, Dampf ablassen, etwas trinken, dann kommen wir zurück, und inzwischen ist uns vielleicht eine Lösung eingefallen. Tiriac forderte Bosch in meiner Gegenwart auf: »Wie auch immer wir uns entscheiden – keine Presse. Keine schmutzige Wäsche.« Ich war überzeugt, Tiriac übrigens auch, Bosch würde die neue Form der Zusammenarbeit letztlich akzeptieren. Denkste.

Bosch teilte offenbar dem Ex-Profi Hans-Jürgen Pohmann, der als angesehener Fernsehjournalist arbeitet und gelegentlich für Zeitungen schreibt, unmittelbar nach unserem Gespräch mit, er werde sich von Boris Becker trennen. Pohmann war damals immer sehr kritisch mit mir umgegangen, und Bosch wusste das. Genau den Mann hatte er sich ausgesucht. Ich ahnte von diesem Kontakt natürlich nichts. Dann informierte er von Melbourne aus telefonisch seinen Vertragspartner »BILD« in Hamburg, für den er als Kolumnist tätig war. Bosch blieb bei seiner Entscheidung: Trennung. Ich war sehr überrascht. Vielleicht hatte er schon zuvor geahnt, dass es mit uns so nicht mehr lange weitergehen würde, und sich innerlich darauf vorbereit: Im rechten Augenblick wollte er mir den Vertrag vor die Füße schmeißen und sich wie ein Sieger fühlen. Und Deutschland würde sagen: »Armer Bosch, böser Becker.« Die Fans hätten dieses Trio am liebsten für alle Zeiten so belassen: Tiriac, der Dracula, Boris, die naive Jungfrau, Bosch, die liebende Mutter.

Ich gab Bosch die Hand und ging wortlos. Tiriac und er wollten gemeinsam einige Sätze für die Mitteilung formulieren. Bosch drängte: »Ich will die jetzt, sofort.« Dann dieser Text: *»Nach gründlicher Überlegung ist eine Zusammenarbeit mit Boris nicht mehr möglich, weil die Meinungen über Vorbereitung, Turnierplanung und das ganze Drum und Dran mit meiner Auffassung nicht mehr übereinstimmen. Ich kann zwar seine Abnabelung als Mensch akzeptieren, die habe ich sogar gefördert, aber seine Abnabelung im sportlichen Bereich kann ich nicht gutheißen. Ich kann seinen Vorschlag nicht akzeptieren, nur ab und zu dabei zu sein. Er ist noch kein vollkommener Spieler und muss noch viel lernen, auch im menschlichen Bereich. Eine Betreuung nur von Fall zu Fall halte ich für nicht möglich. Deswegen habe ich die Konsequenzen gezogen, denn ich möchte ihm nicht den Weg blockieren, sondern ihm die Freiheit geben, sich weiter so zu entwickeln, wie er das als richtig empfindet. Ich wünsche ihm von Herzen alles Gute und werde weiterhin wie bisher mit ihm fiebern, auch wenn ich Tausende von Kilometern entfernt bin.«*[2]

Abends ging ich mit ein paar Freunden in ein Lionel-Richie-Konzert. Bei »Dancing on the Ceiling«, meinem damaligen Lieblingssong, wollte ich erst einmal den ganzen Stress vergessen. Ich brauchte Ablenkung. Eine gewisse Lisa tröstete mich. Sie hat später einen amerikanischen Milliardär geheiratet, der monetäre Aufstieg ist ihr also geglückt. Nach dem Konzert traute ich meinen Augen nicht: Die Presse, das Fernsehen warteten auf mich, vor dem Hotel, vor dem Aufzug. Thema Bosch. Ich war wie vom Blitz getroffen. Noch war unsere Meldung in Deutschland nicht in die Zeitungen gerückt worden. Wer hatte hier in Australien die Presse informiert? Wer wohl?

Ich hatte geglaubt, Bosch zu kennen, dieser Zug aber war mir neu. Ich war gerade neunzehn, und ich hatte trotz unterschiedlicher Auffassungen und Meinungen eine faire Lösung angestrebt. Denn selbstverständlich war mir auch in diesem Moment bewusst, was dieser Mann alles für mich getan hat. Als nun die Reporterscharen auf mich warteten, konnte ich nicht glauben, dass er mich so verarscht hatte. Ich war wütend auf mich selbst. Warum hatte ich mich nicht schon früher von ihm getrennt? Warum hatte ich mich von seinen tränenfeuchten Augen und seiner sensiblen Art blenden lassen? Und aus Dankbarkeit trat er mir jetzt in den Hintern. Tiriac hat einmal gesagt: »Der Becker macht Fehler nur einmal.« Ein zweites Mal ist mir eine solche Geschichte dann auch nicht widerfahren.

Tiriac bot Bosch an, am nächsten Tag auf der Pressekonferenz im Kooyong-Stadion seine Gründe für die Trennung zu nennen. Er lehnte mit der Begründung ab, er habe am Abend zuvor bereits mit Journalisten gesprochen und sei falsch zitiert worden. »Es ist nicht einfach für Günther«, sagte Tiriac dann in der Konferenz, »nicht für Boris und nicht für mich.«[3] Ion selbst wollte Bosch nicht ersetzen, eine enge Zusammenarbeit mit mir wie zuvor mit Vilas schien ihm nicht möglich. Ich sei ein Mann mit einem sehr starken Charakter, sagte er und »deshalb ist er heute da, wo er ist, und so wird er sterben«.[4] Er könne drei Bücher über meinen fantastischen Erfolg schreiben, sagte er, aber auch mehrere über meine Fehler.

Treue zeigt sich in Krisen. Günther Bosch hat mein Vertrauen verkauft. Von Melbourne war er direkt nach Mainz ins »Aktuelle Sportstudio« geflogen, um entgegen jeglicher Absprache unser sehr privates Verhältnis öffentlich zu Markte zu tragen. Und später hat er Kolumnen geschrieben, in denen er Sätze absonderte wie: »Er lebt in dem Wahn, etwas ganz Besonderes zu sein. Er hat den Kontakt zum richtigen Leben verloren.«[5] Oder: »Es tut mir Leid, einen so großen Spieler wie Boris Becker so verlieren zu sehen. Es erinnert mich daran, dass es vielen ehemaligen Tennisgrößen nicht gelungen ist, würdig abzutreten.«[6] An solchen Sätzen allein ist zu erkennen, dass er den Mann, über den er sprach, überhaupt nicht mehr kannte.

1990 hatte Sat.1 die Tennis-Übertragungsrechte aufgekauft, und plötzlich trat wieder das Nachtgespenst Bosch in mein Leben. Bei diesem Sender urteilte er noch fast ein Jahrzehnt nach unserer Trennung über meinen Alltag, meine Leistungen, als sei er immer noch der Insider. Zumindest die Zuschauer mussten glauben, was ihnen Bosch erzählte, und das hat mich auf den Sender sauer gemacht. Ich habe meine Zusammenarbeit erheblich reduziert, allerdings nicht nur wegen des ewigen Becker-Besserwissers Bosch, sondern auch wegen der anderen TV-Reporter, die damals vom Tennis noch nicht so viel verstanden wie heute. Ich habe Bosch ignoriert und mehr als fünf Jahre kein Wort mit ihm gesprochen.

Günther Bosch hat anständig verdient mit mir. Trotz der – einseitigen – Kündigung hat Tiriac, der damals noch mit dem Münchner Anwalt Axel Meyer-Wölden verbunden war, eine Abfindung mit Bosch ausgehandelt. In drei Wimbledon-Jahren war Bosch mein Betreuer, zweimal habe ich in dieser Zeit das Turnier gewonnen. Er hat seinen Teil dazu beigetragen, einen großen wahrscheinlich, und ich bin dafür dankbar. Ob ich auch ohne seine Gegenwart gesiegt hätte? Das steht in den Sternen. Wichtig ist der Erfolg. Ich bin nach unserer Trennung in Wimbledon erneut Champion geworden, bin ohne Bosch auf den ersten Rang der Weltrangliste vorgerückt, habe die US Open und die Australian Open gewonnen und noch einige Titel mehr. Meine Karriere hat sich sehr gut entwickelt, von einigen Enttäuschungen abgesehen. Trainer wie Bosch träumen davon, Spieler zu finden, die man wie eine Pflanze in den Garten setzt und hegt und pflegt, und die irgendwann ihre Blüte erreicht. »Das ist die schönste Art«, hat er einmal gesagt – aber es ist auch die seltenste. Mich hat es gewundert, dass er sich nach der Trennung nicht von Boris Becker gelöst, sondern in der Vergangenheit festgebissen und mein Leben noch immer zu seinem gemacht hat. Er ist in jede Talkshow gegangen – wo ein Mikrofon stand, saß auch Herr Bosch und redete über Boris Becker.

Einmal, im Frühjahr 1993, habe ich ihn zufällig getroffen, auf einem Flug von Nizza nach Madrid. Bosch saß einige Reihen vor mir, und ich habe mich neben ihn gesetzt, einfach so. Er schien überrascht, zumal ich ihm auch gleich sagte, warum ich mit ihm reden wollte – wegen seiner Kolumne in der »Welt am Sonntag«. Da standen manchmal Geschichten drin, die einfach aus der Luft gegriffen waren, die er wider besseres Wissen oder bar jeder Kenntnis zusammengedichtet hatte. Seine Reaktion zeigte deutlich: Er war immer noch der Alte. Bosch verteidigte seine Artikel nicht, sondern versicherte mir, ich sei der Beste, er wolle nur mein Bestes und er schreibe über mich nur das Beste. Ich hatte eine ganz normale Frage gestellt und erwartete eine Antwort, aber keine Rührseligkeit. Seit dieser Begegnung tut er mir ein bisschen Leid. Günther Bosch ist für mich heute eine Figur aus einem anderen Leben. Kein Schmerz, kein Groll – alles ist so weit entfernt wie der Mond. Er war eben doch kein Eckermann.

Die Last des Ruhms

»Boris soll immer alles sein: Triumphator, Wunderknabe, Märchenprinz, Herzensbrecher. Boris soll immer für alle da sein, für seinen Trainer, seinen Manager, seine Sponsoren, sein Volk. Boris soll Herrscher sein und lieber Junge, Boris soll die Welt mit dem Tennisschläger erobern und dabei der Heimat treu bleiben. Boris darf nie der einfache Bürger Becker sein, denn Boris wird als der inszenierte Mensch präsentiert.«[1] So bewertete die »Frankfurter Allgemeine Zeitung« im Juli 1986 die Last, die ich zu tragen hatte. Ich musste mich also gar nicht selbst beklagen, andere beschrieben schon, was auf meinen Schultern lag.

»Genial wie Einstein«, eine »Lichtgestalt mit globaler Strahlkraft« war ich in den Siegerwochen, ein »Rembrandt des Tennis«, der alle Farben auf seiner Palette hatte. Aber wehe, es waren ein halbes Dutzend Doppelfehler zu viel, oder der eins einundneunzig große, neunzig Kilo schwere Mensch rutschte auf Sand aus! Dann wurde es dunkel für den »Germanischen Lichtgott«, wie mich die Schweizer »Weltwoche« nannte.[2] »Von diesem vorwitzigen Burschen schwärmten Menschen von Yokohama bis Patagonien«[3], beobachtete »Sports«. Ich stand plötzlich auf der Bühne und war der Solist des deutschen Volkstheaters - nicht nur Darsteller, sondern Regisseur, Kulissenschieber und Dramaturg in einem. Lediglich die Eintrittskarten haben andere verkauft.

Bundesliga-Fußballclubs mussten ihre Anstoßzeiten verlegen, weil Boris Becker spielte. Ich war sprachlos. Selbst so anerkannte Schriftsteller wie Martin Walser hoben Tennis in spirituelle Höhen, »der hin- und herfliegende Ball ist so attraktiv, dass für ihn nicht missioniert werden muss«. Auf dem Tennisplatz fanden »Dramen ohne Worte« statt, schrieb Walser und machte sich Gedanken über den jungen Star.

»Es mag sein, dass man, wie ich, in seiner Kindheit viel mit Engeln zu tun gehabt haben muss, um Boris Becker so verehrungswürdig zu finden. Fra Angelico hat diese Engelswesen gemalt. Man muss, um die Boris- oder Steffi-Altarbilder malen zu können, Wimpern malen können, rötliche und rein blonde; und die oberen verhaken sich fast in die unteren. Dann muss man diesen Boris-Blick malen können, der immer alles zugleich enthält: Unschuld, Frechheit, Kälte, Hitze, Grinsen, Wut und Trauer. Der eher übermäßige Mund entscheidet, was jeweils dominiert. Wenn Boris Becker gewinnt, sieht er aus wie ein Sohn von Kirk Douglas und Burt Lancaster. Wenn er verliert, sieht er aus wie er selbst. Das Faszinierende an den Tennisgottheiten: Es gibt bei ihnen, an ihnen, keine Spur Höheres, sie sind total irdisch, so trivial wie Frank Sinatra, Marilyn Monroe, VW und du und ich. Und sie sind, wie wir, alles andere als ewig.«[4]

Ein etwas schwieriger Mensch also, dieser Becker. Was, so geht es mir heute durch den Kopf, erwartete damals ein Volk von einem Siebzehn-, Achtzehnjährigen, über den eines der wichtigsten deutschen Blätter schrieb: »Der Weg zum Übermenschlichen ist nicht mehr fern«[5]? Ich habe die Deutschen und die ganze Welt nicht mehr verstanden, und ich wusste nicht, wie ich dieser Umklammerung entkommen sollte.

Der Bundespräsident will mit mir plaudern, der Papst segnet mich, Neugeborene werden nach mir benannt. Sogar mein Vater ist außer sich und unsagbar stolz auf seinen Sohn. Er ist glücklich, dass Deutschland wieder einen Helden hat – einen neuen Max Schmeling, einen Menschen zum

Anfassen wie Fritz Walter oder Franz Beckenbauer. Meinem Vater gefielen diese Vergleiche. Mein Sohn, mein Volk, mein Deutschland.

Max Schmeling, den Namen hatte ich schon gehört. Ein Boxer, der den Favoriten, den schwarzen Amerikaner namens Joe Louis, k.o. geschlagen hatte. »Wann war das?« wollte ich von meinem sportbesessenen Vater wissen. »1936.« Zu Zeiten Adolf Hitlers also, in jenem Jahr, als der Führer das Olympiastadion vorzeitig verließ, weil er dem vierfachen Goldmedaillen-Gewinner Jesse Owens entkommen wollte, einem dunkelhäutigen Amerikaner. In einem Jahr, in dem deutsche Generäle vielleicht über Angriffspläne nachdachten und die Nazis womöglich über die Farbe der Sterne, die sie den Juden ans Revers heften wollten. War Max Schmeling womöglich vor allem deshalb ein Held der Deutschen, weil er einen Schwarzen in der zwölften Runde niedergeschlagen hatte? Aber mein Vater konnte mich beruhigen. Schmeling hatte sich zum Beispiel geweigert, sich von seinem jüdischen Manager Joe Jacobs zu trennen – eine Forderung der Nazis. Mehr noch: Er schien über seine K.o.-Niederlage 1938 gegen Louis (diesmal lag er unten, obendrein schon in der ersten Runde) richtig erleichtert gewesen zu sein. Ein weiterer Sieg hätte ihn »vielleicht zum Parade-Arier des Dritten Reiches« gemacht, wie er später sagte, und das wollte der Max nicht. Leider haben wir uns nur einmal getroffen, bei einem Werbetermin. Ich war damals noch zu jung, um diesem Mann die richtigen Fragen zu stellen. Eine verpasste Chance, die mich heute ein bisschen traurig macht.

Fritz Walter war mir natürlich schon ein Begriff. Welcher Kicker hatte nicht von ihm gehört? Weltmeister 1954, bescheiden, anständig, auf immer verheiratet mit seiner Italia. Keine Show, keine Skandale, immer nur der pfälzische Fritz. Franz Beckenbauer hat das Fritz-Walter-Erbe übernommen, aber er gehörte einer anderen Generation mit einer anderen Einstellung an. Profi, Karriere beim FC Bayern, Karriere in New York bei Cosmos, Scheidung, Weltmeister, Europameister, Kinder und immer wieder Kinder. Erfolg als Spieler, als Trainer, als Mann. Und on top: Er hat die Fußball-WM 2006 nach Deutschland geholt. »What a man!«

Vor einigen Jahren habe ich über Franz gelästert, ich hätte ihn noch nie ungekämmt und unrasiert gesehen, nie erlebt, dass seine Krawatte mal falsch sitzt oder die Farbe des Sakkos nicht zu den Socken passt. Daran hat sich seither nichts wirklich geändert, er ist immer noch wie aus dem Ei gepellt. Der Franz könnte wahrscheinlich neunzig Minuten in der Sauna Gymnastik machen und wäre weiterhin ganz cool. Das ist der erste Eindruck, den man von ihm haben kann. Der freilich täuscht, wie ich gelernt habe. Franz Beckenbauer hat eine Brücke aus der Vergangenheit in die Zukunft geschlagen. Er ist ein nachdenklicher Typ, keineswegs so oberflächlich, wie es manchmal aussieht. Im Kern ist er ein Rebell. Er versucht zwar, seinem Image gerecht zu werden, aber er ist kein Angepasster. Immer wieder auf der Suche nach dem nächsten Schritt, für sich. Die anderen folgen. Franz ist ein Leader. Ein grenzüberschreitender Deutscher, Boss der Bayern AG in München, wohnhaft in Österreich. OK-Chef für die Fußball-WM, DFB-Vize – sicherlich einer der einflussreichsten Menschen unserer Gesellschaft. Und doch sind es die eigenen Ziele, die für ihn Priorität haben. Er lässt sich nicht fremdbestimmen.

Beim Fußball benötigen die Zuschauer Geduld, Tore brauchen ihre Zeit. Mit mir war das Jubeln einfach. Aufschlag für Deutschland, bumm, bumm. Niederlagen waren nicht eingeplant. Ich habe damals nicht geahnt, welche Sehnsüchte der Deutschen ich umsetzte: Ich war kein Angepasster, kein Aktivist der Drückeberger-Generation, sondern ich habe den Centre Court betreten, scheinbar furchtlos, habe die Faust gen Himmel gestreckt und gerufen: »Jaaaaaa-aaaa!« Und es sah dann so aus, als hätten die Leute nur darauf gewartet, dass so ein Typ kommt. Auf die Nebenwirkungen eines Wimbledon-Sieges wird man nicht auf einem Beipackzettel hingewiesen. Ion Tiriac hat mir zwar verkündet: »Leimen existiert nicht mehr. Ich erkläre dir jetzt, wie du vom Leimener zu einem der berühmtesten Menschen der Welt aufsteigen kannst, umjubelt von Fans, umringt von Fotografen. Trust me.« Die Hysterie war schlimmer als erwartet, und wäre ich nicht aus einem soliden Elternhaus gekommen, hätten mich meine Vertrauten nicht aufgefangen, wäre ich in dieser Brandung, in der ich das Schwimmen lernen musste, ertrunken.

Nur durch glückliche Umstände habe ich es geschafft, wieder Boden unter die Füße zu bekommen. Ich war häufig nahe daran abzusaufen, dicht davor zu schreien: »Ich kann nicht mehr!« Was der Bub aus Leimen zu verkraften hat, notierte die »Frankfurter Rundschau«, »kann eigentlich nur ein ›Supermann‹ aus dem Kino ohne Blessuren überstehen«[6]. Und 007 war ich nicht, den Job hatte damals bereits Sean Connery. In einem Interview habe ich einmal angemerkt, im Nachhinein gesehen wäre es mir lieber gewesen, ich hätte den Matchball gegen Kevin Curren 1985 verschlagen. Der Reporter wollte es nicht glauben und fragte, ob das mein Ernst sei. Ich meinte das wirklich.

Ich hätte mir gern mehr Zeit gegönnt – Zeit für die Entwicklung meines Tennisspiels und meines Charakters. Wenn ich mit dreiundzwanzig oder fünfundzwanzig statt mit siebzehn Wimbledon gewonnen hätte, wäre ich ein besserer Tennisspieler geworden. Wenn man auf Sieg spielt, muss man sich auf das Vertraute verlassen, Experimente sind nicht mehr möglich. Man lebt von Sieg zu Sieg. Es bleibt kein halbes Jahr für die Entwicklung einer neuen Technik oder die Verbesserung der Beinarbeit. Die Frage war immer nur: Gewinnt Becker das nächste Spiel? Aus der Schule erinnere ich mich an ein Stück von Max Frisch, »Ein Spiel«. Ich habe es noch einmal gelesen. Darin wird einem Mann eine ungeahnte Chance gegeben: das Leben neu anzufangen. »Sie haben die Genehmigung, nochmals zu wählen, aber mit der Intelligenz, die Sie nun einmal haben.«[7] Ein schöner Gedanke!

Ich wäre gern Basketball-Profi in Amerika geworden, ein weißer Michael Jordan. Tennis ist auch deshalb so anstrengend, weil es ein Einzelsport ist. Die Angst vor dem Auftritt muss der Spieler allein verarbeiten. In einer Mannschaft weinen und feiern die Spieler zusammen, Niederlagen werden kollektiv verdaut. In einem Team zu spielen, das man sich praktisch selbst zusammenstellen kann, wenn man auf den Höhen eines Michael Jordan schwebt, ist wahrscheinlich angenehmer, als solo um die Welt zu ziehen und mit diesem ewigen Auf und Ab fertig zu werden.

Vier Wochen nach Wimbledon 1985 habe ich für Deutschland Davis Cup gespielt, auf Sand gegen die USA. Wir haben in Hamburg gesiegt, erstmals in der Geschichte. Großer Jubel, Becker obenauf. Drei Tage später musste ich in Kitzbühel antreten. Ich war kaputt, müde, aber bereit zu kämpfen. Prompt kam der Einbruch. Das Wunderkind aus Wimbledon unterlag doch tatsächlich in der ersten Runde dem Uruguayer Diego Perez, 3:6, 1:6. Die Österreicher, vor den politischen Turbulenzen um Jörg Haider weltweit wegen ihres Küss-die-Hand-Charmes gerühmt, reagierten wie Sizilianer: Sie schleuderten ihre Sitzkissen auf den Platz, und danach folgten die Stühle. Damals kannte ich den treffenden Spruch von Günter Grass noch nicht: »Ruhm ist etwas, das anzupissen Spaß zu bereiten scheint.« Ich war getroffen, verwirrt. Was ging denn hier ab? Vor einer Woche war ich noch der Mozart des Tennis, und nun, von einer Stunde auf die andere, degradierten die mich zum Stehgeiger und warfen mir Sachen an den Kopf.

Eine Niederlage, vor allem in frühen Runden, wurde mir selten verziehen. Ende 1986 schrieb der Londoner »Observer«: »Um mit den absurden Erwartungen seines Landes klar zu kommen, muss Becker über eine unglaubliche Entschlossenheit und Unverwüstlichkeit verfügen.«[8] Günther Bosch hat einmal gesagt, alle, die im engsten Kreis von Boris Becker arbeiteten, fühlten sich wie in einem Raumschiff, man schwebe schwerelos im All und suche einen Halt. Wie muss ich mich da erst gefühlt haben? Ich war zu einem »Propheten im eigenen Land« geworden, notierte der französische »L'Express«.[9] Meine Privatsphäre war dahin – ich lebte so, als säße ich vor der ganzen Welt auf dem Klo. In Taxen wurde ich nach Niederlagen gelegentlich angemacht: »Hast wohl keine Lust mehr, was?«, »Zu viel Weiber, zu viel Kohle, oder?«. Ich wurde ausgepfiffen, einfach so, oder beim Einkaufen angepöbelt. Bei meinen Eltern trafen die ersten Drohbriefe ein, Erpresser meldeten sich. Später wurde mit der Entführung meines Sohnes Noah gedroht. Unbekannte verfolgten mich mit ihren Autos. Polizisten schützten mich in den Stadien, Bodyguards begleiteten mich zum Einkaufen, zum Arztbesuch. In meiner Wohnung oder in der Hotelsuite war ich immer noch der ganz normale Boris, doch während der zehn Schritte vom Fahrstuhl bis zur Haustür verwandelte ich mich in den »offiziellen« Becker, von dem alle ein Stück wollten.

Zur Klarstellung: Ich habe bei all dem viel Geld verdient, auf die Siege war ich, wie die Leute auch, selbst versessen, und meine Niederlagen konnte ich nicht ausstehen. Aber der Preis dafür erschien mir manchmal zu hoch, und es gab Zeiten, da wäre ich am liebsten in der Versenkung verschwunden. Der Hollywood-Veteran Marlon Brando hat sich angeblich bei seiner Ankunft mit dem Flugzeug immer einen Strohhut vors Gesicht gehalten, in der Hoffnung, niemand werde ihn erkennen. In München habe ich mir gelegentlich, eher aus Gaudi, eine schwarze Perücke aufgesetzt. Ich habe mir einen Bart wachsen lassen, um mich zu verstecken. Ich habe Mützen getragen und sie tief ins Gesicht gezogen – endlich anonym, wie ich glaubte.

Wenn es mir sportlich gut ging, war es um mein Privatleben oft schlecht bestellt. Das ewige Training, die wochenlange Vorbereitung auf einen Grand Slam – fürchterlich, wie im Gefängnis. Zeit abschinden, die Monotonie verkraften. Tausend Vorhände, tausend Rückhände, bis man nicht mehr überlegen muss, sondern zur Maschine wird. Die dummen Gefühle rausprügeln, die Mechanik rein, immer wieder. Wenn man nichts anderes im Kopf hat, als Bälle zu schlagen, dann mag dieses Einerlei nicht stören. Aber was ist, wenn man Antworten sucht auf Fragen, die über die Grundlinie hinausgehen? Ich konnte mit niemandem reden. Tiriac fiel nur die berühmte »Kehrseite der Medaille« ein, wenn mich mein Dasein drückte, und: »Du bist ein Mann« – fuck them all. Ich habe versucht, in Biographien Antworten zu finden, habe Bücher nur so verschlungen. Ich war auf der Suche nach Menschen, denen es ähnlich ergangen war wie mir, den Stars der Nachkriegszeit. Das Filmplakat des James-Dean-Filmes »Denn sie wissen nicht, was sie tun« hing schon über meinem Bett, als ich noch in Leimen gegen meinen Vater aufmuckte. Ich konnte nachvollziehen, wie Elvis Presley, was Dean gelebt haben, aber ich habe nie versucht, ihren Lebensstil zu kopieren – Uppers, Downers, Drogen, Homosexualität. Wäre ich Schauspieler gewesen, hätte ich diesen Weg womöglich gewagt. Ich war jedoch Profisportler, und die Grenzen waren für mich deutlich markiert.

Klar, ich bin ein Mann. Es gab Zeiten, in denen die Frauen jede Nacht anders hießen, weil ich die Einsamkeit ausfüllen wollte. Mein Gemütszustand hat sich dadurch nicht wesentlich gebessert. Wahrscheinlich haben mich letzten Endes meine fünfzehn Jahre in Leimen gerettet, oder es war die ernsthafte Arbeit an mir selbst, mein stetes Nachfragen, vielleicht auch die Beschäftigung mit fernöstlichen Lehren, von denen ich einiges lernen konnte.

»Wer andere kennt, ist klug. Wer sich selber kennt, ist weise«, hat der chinesische Philosoph Laotse vor nahezu 3000 Jahren geschrieben. Oder: »Wer andere besiegt, hat Kraft, wer sich selber besiegt, ist stark. Wer sich durchsetzt, hat Willen. Wer sich genügen lässt, ist reich. Wer seinen Platz nicht verliert, hat Dauer. Wer auch im Tode nicht untergeht, der lebt.«[10] Heather MacLachlan, die heute mit dem ehemaligen US-Senator Mitchell verheiratet ist und sich vor Jahren bei Tiriac um mein Management bemühte, hatte mir dieses Buch geschenkt. Sie wusste: Ich war, wie viele junge Menschen, auf der Sinnsuche, und eine bessere Vorhand konnte mir dabei nichts bringen. Auf dem Tennisplatz konnte ich das, was ich suchte, nicht finden, egal, ob ich in Wimbledon gewann oder auf Platz eins der Weltrangliste stand. Ich war auf der Suche nach dem Boris, den ich mit fünfzehn Jahren zurückgelassen hatte, samt den Wertvorstellungen, die danach auf der Strecke geblieben waren. Ich wollte die Kontrolle über mein Leben nicht verlieren. Es war ein Leben aus dem Koffer geworden. Ich reiste fünfundvierzig Wochen im Jahr wie ein Vagabund um den Globus, mit drei Tennistaschen, zwei Anzügen, Jeans, Lederjacke und einer Menge Tennishemden, weil die aus der Hotelwäsche meist eine Nummer kleiner zurückkamen. Freundschaften waren selten, die Zeit war immer knapp.

Carl-Uwe Steeb und Patrik Kühnen, ebenfalls Tennisprofis, lebten damals einen ähnlichen Rhythmus und verstanden, wie mir manchmal zumute war. Ich habe bereits mit ihnen Tennis gespielt, als die Schläger fast noch größer waren als wir selbst. Bei den beiden konnte ich mich fallen lassen, mein Seelenleben offenbaren – aber wann waren die schon mal da? Wenn die Medien mich quälten, wenn Bosch mich nervte und Tiriac immer noch nicht einsehen wollte, warum ich keine Werbung für Kondome machen wollte, musste ich das allein verarbeiten. Besonders heftig empfand ich die Drangsal nach der Niederlage gegen Masur und der Bosch-Kündigung. Das Vaterland war in Aufruhr. Dieser Lümmel Becker, hieß es dann, und ich konnte es wieder einmal nicht begreifen. »Sind die denn alle verrückt geworden?«, habe ich Tiriac damals gefragt. In den Wochen danach habe ich allen Ernstes daran gedacht, abzutauchen und meine Identität zu wechseln, wieder bei Null anzufangen. Ein alberner Gedanke. Wohin hätte ich gehen sollen? Vor mir selbst wollte ich ja überhaupt nicht weglaufen, ich fand mich gar nicht so schlecht. Die Realität, mein Tennisleben, holte mich ohnehin immer wieder ein. Nach Niederlagen musste ich mich jedes Mal neu motivieren. Nach Boschs Abgang brauchte ich einen neuen Trainer, aber Tiriac war gegen meine Wahl, den Australier Bob Brett. »Der Zwerg, was soll der dir schon sagen, der war noch nie in einem Wimbledon-Finale. Vor dem hast du keinen Respekt!« Doch Brett war hart, genau das, was ich wollte. Er hat mir deutlich erklärt, was er von mir erwartete: Bereitschaft, Disziplin, Willen, Pünktlichkeit. Drei Stunden Training morgens, drei Stunden nachmittags. »Was du danach machst, interessiert mich nicht.« Es war eine reine Geschäftsbeziehung.

Brett behandelte mich wie einen Erwachsenen, und in seine Trainerzeit fielen rauschende Erfolge: 1988 gewann ich sieben Endspiele, im Masters schlug ich erstmals Ivan Lendl. Die Sportwelt jubelte: Wiederauferstehung. 1989 war dann das beste Jahr meiner Karriere. Ich habe zwölf Turniere gespielt, in Wimbledon gesiegt, bei den US Open, im Davis Cup und bin nach diesen Erfolgen die Nummer eins der ITF-Weltrangliste geworden. Für die Deutschen war ich wieder der Außerirdische, aber natürlich ging es irgendwann auf den Boden der Tatsachen zurück.

Ende 1990 war ich die Nummer zwei der ATP-Weltrangliste, Edberg stand auf Platz eins. In Paris-Bercy stand ich gegen ihn im Finale und hätte ihn verdrängen können. Im ersten Satz stand es 3:3, aber dann – Muskelfaserriss. Und acht Tage später sollte das Masters in Frankfurt beginnen! Sechs Tage lang bekam ich von meinem Arzt Hans-Wilhelm Müller-Wohlfahrt Spritzen, Kälberblut-Extrakt, Aminosäuren. Acht Tage lang konnte ich weder laufen noch trainieren. Edberg musste in Frankfurt nur das Finale erreichen, um die Nummer eins zu bleiben; sein Ausscheiden vor dem Halbfinale würde mir nützen, vorausgesetzt, ich käme selbst weiter. Sieg für mich über Andres Gomez (4:6, 6:3, 6:3), der in meiner Gruppe spielte. Edberg verlor gegen Emilio Sanchez den ersten Satz, gewann dann aber mit 6:7, 6:3, 6:1. Ich siegte im zweiten Match gegen Thomas Muster in zwei Sätzen (7:5, 6:4). Edberg gewann wieder, diesmal gegen Andre Agassi in drei Sätzen (7:6, 4:6, 7:6). Verdammt noch mal!

Abends konnte ich nur noch auf allen vieren ins Hotelzimmer kriechen. Edberg gewann auch gegen Pete Sampras (7:5, 6:4) und spielte im Halbfinale gegen Lendl, vor meinem Match gegen Agassi. Der Schwede gewann 6:4, 6:2, erreichte also das Endspiel, blieb die Nummer eins, ich verlor 2:6, 4:6 – und war wieder mal am Ende. Ich duschte nicht. Zum ersten Mal in meinem Leben versäumte ich eine Pressekonferenz. Ich war leer, erledigt. Meinem Sicherheitsbeauftragten Hans drückte ich meine Tasche in die Hand und sagte: »Ich gehe zu Fuß.« Ich lief fünfundvierzig Minuten in der Dunkelheit zum Hotel, nur in Shorts und mit kurzärmligem Tennishemd. Es war November in Frankfurt, und es regnete. An einer Tankstelle kaufte ich eine Cola und Schokolade. Hans fuhr, ohne dass ich es wusste, immer in zwanzig, dreißig Metern Entfernung hinter mir her.

Am nächsten Morgen erklärte ich Brett: »Ich muss hier weg, ich kann diesen ganzen Wirbel, der jetzt in den Zeitungen wieder auf mich zukommt, nicht ertragen.« Aufbruch also nach Australien. Ich hatte nur noch eines im Kopf: endlich auch die Nummer eins der ATP-Liste zu werden. Das ganze vergangene Jahr war ich immer um einen Sieg davon entfernt gewesen. Fünf Jahre oben, aber nie ganz oben. Ich habe dann so hart wie noch nie zuvor im Leben trainiert, sieben Wochen lang, bis zu den Australian Open.

Am 1. Januar spielte ich ein Vorbereitungsturnier in Adelaide – Aus in der ersten Runde, 6:7 gegen Magnus Larsson im dritten Satz bei zweiundvierzig Grad im Schatten auf einem Hartplatz. In der folgenden Nacht leerte ich mit meinen Kumpels Carlo, Patrik und Alexander Mronz den »Corona«-Vorrat in der Bar, bis in den frühen Morgen. Am nächsten Tag spielten wir in der Hitze achtzehn Löcher Golf. Am Abend wieder »Corona«-Bier, zu viel davon. Und dann teilte ich Brett mit: »Ich flieg nach Hause, ich kann nicht mehr.« Den Rückflug hatte ich für Samstag gebucht, das Ticket war bereits gekauft. Am Morgen habe ich noch ein wenig trainiert, nachmittags meine Taschen gepackt. Aber plötzlich habe ich gestoppt, einfach so. Boris, sagte ich mir, du bleibst. Wohin willst du? Wo ist zu Hause? Zu Hause ist dein Koffer. Deutschland? Diese Kälte. Und dann wieder am Flughafen den Reportern Rede und Antwort stehen. Ich rief Brett an: »Wir trainieren weiter.«

In der dritten Runde der Australian Open musste ich gegen den Italiener Omar Camporese fünf Stunden und vierzig Minuten kämpfen, es stand 14:12 im fünften Satz. Wir fingen um fünfzehn Uhr auf Platz zwei an und hörten um zwanzig Uhr vierzig auf, auch das bei vierzig Grad. In einem solchen Spiel weiß man irgendwann nicht mehr, wo man ist, ob in Melbourne oder in Memphis, ob es windig ist oder dunkel. Man hat seinen Rhythmus und seine Routine, geht zum Balljungen, holt sich sein Handtuch, immer das Gleiche. Kein Blick zum Gegner, keine Emotionen. Nach fünf Stunden bist du wie in Trance. Dich interessiert nichts mehr außer dem nächsten Punkt. Vor zwei Wochen hatte ich abreisen wollen, nun wusste ich: Mein innerer Schweinehund ist besiegt. Kurzfristig bleibt man high nach solch einem Match. Das ist wie bei Marathonläufern, die irgendwann an die imaginäre Mauer kommen und entweder einbrechen oder weitermachen. Ich habe Sternchen gesehen, war aufgedreht und erhitzt. Am Ende wurde ich belohnt: Triumph in Australien, 1:6, 6:4, 6:4, 6:4 gegen Lendl im Finale. Ich schwebte ein paar Handbreit über dem Boden. Ich vergaß alles, die Siegerehrung, die Zuschauer, lief durch ein Stadiontor in einen Park und wollte weg, in mein Hotel, Ruhe haben und Abstand. Einer der Offiziellen folgte mir im Laufschritt: »You've to go back, everybody is waiting for you, you've got to accept the trophy.« Er hat mich behutsam am Arm genommen und ist mit mir gemeinsam zum Stadion zurückgelaufen. Ich war endlich die Nummer eins.

Aus dem australischen Sommer musste ich in die deutsche Kälte zurück – Davis-Cup-Match gegen Italien. Vorher bekam ich von Müller-Wohlfahrt wieder Spritzen, anders waren die Schmerzen nicht zu ertragen. In der ersten Nacht in Dortmund schlief ich in zwei Schlafanzügen – geplagt vom Jetlag, müde, voll gespritzt. Am Dienstagnachmittag beim ersten Training fühlte ich mich, als hätte ich zwei Jahre kein Tennis gespielt – vollkommen steif. Drei Tage später ging es gegen Paolo Cane. Ich gewann in vier Sätzen (3:6, 6:1, 6:4, 6:4) und danach in fünf Sätzen, einmal mehr, gegen Camporese (3:6, 4:6, 6:3, 6:4, 6:3). Körperlich war ich völlig am Ende, aber unser Team gewann mit 3:2. Es war noch mal gut gegangen, ich musste nicht in ein Auto flüchten.

Nach Niederlagen legte ich oft U2 auf, den Super-Song »Where the streets have no name«, und gab Gas. So habe ich versucht, ein Stückchen meiner Privatheit zurückzuerobern.

Im Auto wurde ich nicht beobachtet, sondern konnte Musik hören, schreien, weinen. Das Auto war mein Fluchtpunkt, mein Refugium, wenn wieder einmal alles drunter und drüber ging.

Ich bin damals zum Einzelgänger geworden. Vielleicht hatte ich immer schon etwas davon, aber der Druck, unter dem ich ein gutes Jahrzehnt lang stand, hat diesen Zug in mir erheblich verstärkt. Das Wechselbad der Gefühle, das mir die Öffentlichkeit immer wieder bereitete, hat mich misstrauisch gemacht, Gnadenlosigkeit, Unnachgiebigkeit und Intoleranz, die meine Karriere oft begleiteten, haben mich erschreckt. Die Pfiffe und Häme sind mir tief unter die Haut gegangen. Damals habe ich begonnen, mich abzuschotten, habe die Seele hinter einer Mauer in Sicherheit gebracht. Nur deshalb habe ich überlebt.

Und alles löst sich endlich auf in Schlaf

Es war eine kühle Oktobernacht, als ich meine Frau aufforderte, mich zu erschießen. Fast nackt stand ich auf der Terrasse meines Münchner Hauses und konnte diese Achterbahnfahrt in meinem Schädel nicht mehr ertragen. Am Abend war ich auf dem Oktoberfest gewesen. Hier eine Maß, da ein Schnäpschen, so wie die Münchner auf der Wies'n eben feiern. Drinnen im engen Festzelt, umnebelt von Rauch, Bierdunst und Schweißgeruch, fühlt man sich noch großartig. Wehe aber dem Gleichgewichtssinn, wenn man draußen frische Luft einatmet!

Ich war zum ersten Mal in meinem Leben so richtig blau, und nichts, weder kalte Umschläge noch Aspirin oder Mineralwasser brachte mir in der Nacht Erlösung. Ich bin wirklich kein zartes Pflänzchen, ich kann durchaus einiges ertragen und vertragen. An jenem Abend aber war ich zu weit gegangen, und es war nicht das erste Mal, dass mir der Alkohol Probleme bereitete. Dabei war ich eigentlich ein braver Junge, der mit Trinken und Rauchen nichts im Sinn hatte. Als Jugendlicher hatte ich schon mal ein Gläschen Wein probiert, das mein Vater mit Wasser verdünnt hatte, und ich habe auch mal versucht zu rauchen. Dieses Experiment in der Garage ging allerdings fast schief: Ich ließ ein Streichholz fallen, Sägespäne entzündeten sich – überall Flammen. Die Feuerwehr rückte an, zum Glück stand kein Auto in der Garage, sonst wäre mein Leben wohl mit vierzehn Jahren zu Ende gewesen. Danach gab es kräftig was hinter die Ohren.

Mein Vater hat mir später, vielleicht um mich zusätzlich zu bestrafen, eine Zigarre angeboten, und mir war danach kotzübel – tagelang.

Grundsätzlich war ich jedoch ein junger Sportler, der auf sich achtete. Keiner meiner Tenniskumpels rauchte oder trank, der Druck der Gruppe bewahrte mich vor der Versuchung. Heute trinke ich gerne ein Gläschen Rotwein, ich habe mir sogar einen kleinen Weinkeller angelegt. Aber in den ersten Jahren meiner Karriere habe ich überhaupt nichts geschluckt, keinen Tropfen. Ich habe auch keinen Psychoanalytiker konsultiert, was sollte der mir schon sagen? Ich habe keine Beruhigungstabletten genommen, weil ein Spieler nervös sein muss, um Leistung zu bringen, extrem nervös sogar. Und Angst muss er haben vor den Grenzen, die er immer wieder überschreitet, den psychischen wie den physischen. Gerade deshalb wird mit den so genannten legalen Hilfsmitteln nicht geknausert – so auch bei mir.

Ich stand auf dem Platz und hustete, weil ich zu schnell atmete, zu langsam oder zu nervös war und wie ein Hecht nach Luft schnappte. Die Leute rätselten darüber, ob das bloß ein Tick sei oder ob ich vielleicht krank sei. Ich war krank. Schlaftabletten waren mein Problem. Erst 1992 würde Barbara meine letzte Packung aus dem Fenster ihrer Wohnung werfen.

Im Frühjahr 1987 konnte ich den Druck nicht mehr aushalten: Ich fing mit Schlafmitteln an – scheinbar ganz harmlos. Unser damaliger Davis-Cup-Arzt, Professor Joseph Keul, fragte uns irgendwann: »Probleme mit dem Schlafen?« Die hat gelegentlich jeder Athlet. Um topfit zu sein, braucht man acht, neun Stunden Schlaf. Also probierten wir alle ein Medikament aus – Planum. Bei mir wirkte es ziemlich stark. Ich war danach zwar richtig ausgelaugt, schlief aber traumlos, wie tot, ausgeknockt. Die Angst war erst einmal weg, und daran gewöhnt man sich. Die meisten von uns blieben bei dem Mittel hängen. Morgens gibt es einem nämlich immer noch ein angenehmes Gefühl. Man ist noch nicht ganz wach, bleibt in einem Dämmerzustand, etwas benebelt. Die Nervosität ist weg. Alles ist einem scheißegal, und das macht einen völlig locker. Allerdings dauert es eine Weile, bis man wirklich wach ist und klar denken kann.

Über Jahre habe ich mit diesem Zeug gelebt. Zum Schluss bin ich mitten in der Nacht aufgewacht, weil die Wirkung nur noch drei, vier Stunden anhielt. Ich musste dann noch mal zwei Tabletten nachwerfen – die doppelte Dosis. Keiner wusste von der Chemie, die mich betäubte. Ärzte haben mich auf die Nebenwirkungen hingewiesen, im Beipackzettel waren die Risiken klar beschrieben: »Die Anwendung kann zur Entwicklung einer physischen Abhängigkeit führen: Bei Beenden der Therapie können Entzugs- und Rebound-Phänomene auftreten.« Ich wollte die Wahrheit nicht wissen. Zeitweise konnte ich ohne Schlafmittel überhaupt nicht mehr die Augen zumachen. Drei, vier Turniere in einem Monat, Jetlag, Stress, dann eine Woche frei. Die erste Nacht: Rückenlage, Bauchlage, linke Seite, rechte Seite – nur auf dem Kopf stand ich nicht bei der Suche nach der Köstlichkeit Schlaf. In meinen schlimmsten Phasen kam dann auch noch Whisky hinzu, der die Wirkung der Tabletten verstärkte.

Ich war wild entschlossen, mich aus dem sportlichen Tief von 1987 zu befreien. Ich wollte ganz nach oben, wieder gewinnen, und zwar um jeden Preis. Also suchte ich für jedes Problemchen ein Gegenmittel: gegen die schwache Vorhand zwei Stunden Vorhandtraining, gegen einen schwächeren Aufschlag hundert Aufschläge täglich. Gegen die Schlaflosigkeit gab es Planum, gegen Schmerzen ein paar andere Tabletten. Gegen das Alleinsein halfen Frauen, Whisky oder beides. Ich musste mein Turnierpensum reduzieren, weil ich zwischendurch Zeit brauchte, um mich ein wenig von den

Tabletten zu lösen. Manchmal habe ich vier Wochen lang nicht gespielt, um wieder einigermaßen normal zu werden. In diesen Zwischenphasen habe ich keine Schlaftabletten genommen. Die ersten beiden Wochen des Entzugs waren die Hölle. Wenn man sich wochenlang an diese Dosis gewöhnt hat, geht ohne die Medikamente in den ersten zehn Tagen überhaupt nichts. Ich versuchte müde zu werden, habe wach gelegen bis morgens um fünf, sechs und war dann wie tot. Habe Antworten gesucht und keine gefunden auf die Frage: »Wie komme ich heil aus diesem Labyrinth?« Die Nebenwirkungen der Schlaftabletten waren alles andere als erfreulich: Das Mittel machte mich melancholisch.

Ich schaute aus dem Hotelfenster, nahm nichts wahr, war traurig, gedämpft. Wenn ich spielte, war ich am Anfang immer noch verpennt, so wie 1991 in Stockholm, im Finale gegen Stefan Edberg. Erster Satz im Nebel, 3:6. Dann ein toller Fünf-Satz-Sieg. Und danach? Ich war tieftraurig, obwohl ich eigentlich vor Freude hätte singen müssen. Stockholm ist ohnehin im Herbst problematisch für sensible Naturen. Diese Dunkelheit! Trotz der schönen Blonden mit den blauen Augen bleibt es Nacht am Tag. Im strömenden Regen lief ich im Morgengrauen allein durch die Stadt, deprimiert trotz des traumhaften Sieges gegen die damalige Nummer eins. »Wo bin ich nur hingekommen?«, fragte ich mich – der große Katzenjammer. Die Chemie der Tabletten hatte das Gespenst Depression lebendig gemacht.

Vor den Spielen musste ich natürlich die Dosis runtersetzen, es zumindest versuchen. Die Folge: Ich konnte überhaupt nicht mehr schlafen. »Und alles löst sich endlich auf in Schlaf, so Freud als Schmerz«, besagt ein Vers aus Goethes »Prometheus«, den ich in der Schule gelernt hatte und nun als blanken Hohn empfand. Ich wanderte auf einem schmalen Grat – in meiner Freizeit konnte ich die Chemie vollständig absetzen. Mir war ganz klar: Wenn ich übertrieb, war meine Karriere ernsthaft in Gefahr. Aber je länger man sich auf eine Krücke stützt, desto abhängiger wird man: Erst eine Pille, dann zwei. Die Wirkung wird geringer, also muss die Dosis verstärkt werden.

Es gab schlimme Nächte für mich, obwohl ich selten aus dem Ruder lief, in der Öffentlichkeit sowieso nicht. Es passierte immer in meinem Zimmer, wenn ich allein war. Meine Trainer haben das nie gemerkt. Ab zweiundzwanzig Uhr, nach dem Essen, habe ich mit Planum angefangen, zwei Heineken nachgelegt und, um die Wirkung zu verstärken auch mal einen Whisky. Ich hatte gelesen, was Elvis Presley so alles an Psychodrogen im Leib hatte, als er starb. Seine Biographen sprachen von »russischem Roulette mit Drogen«[1]. So weit war ich nie, aber in meiner schlimmsten Phase, von 1990 bis 1991, bin ich schon manchmal morgens aufgewacht und wusste nicht, wo ich war. Vor einem Spiel gegen Miloslav Mecir 1990, bei den Australian Open, wachte ich beispielsweise erst gegen zehn Uhr morgens aus dem Planum-Schlaf auf – zu früh. Ich schmiss noch eine rein und döste dann bis fünfzehn Uhr – fünfzehn Stunden hintereinander chemisch umnebelt. Mein Match war für den Abend angesetzt, also hatte ich noch einige Stunden, um mich zu sammeln. Für siebzehn Uhr war das Training vereinbart. Mein Kopf war klar, aber die Füße konnte ich kaum heben – die schliefen noch.

So war es auch im Match. Die ersten Sätze verlor ich 4:6, 6:7, noch im Halbdämmer. Den dritten bog ich irgendwie hin. Im vierten war ich plötzlich hellwach, gegen dreiundzwanzig Uhr kam das 6:1. Im fünften Satz war ich topfit: wieder 6:1. Und in der Nacht erst! Es war wie am helllichten Tag. Um acht Uhr morgens schlief ich endlich ein. Um zwölf Uhr ging es wieder zum Training. Die Pillen haben mitgespielt, und gegen Mats Wilander haben wir gemeinsam im Viertelfinale 4:6, 4:6, 2:6 verloren – die Pillen und ich.

Das Wimbledon-Finale gegen Stefan Edberg im selben Jahr hätte ich buchstäblich fast verschlafen. In der Nacht vor dem Match nahm ich eine Dosis, aber um vier Uhr morgens war ich trotzdem noch wach. Das Training war für elf Uhr angesetzt, also hatte ich noch Zeit für einen Planum-Nachschub. Um halb elf wachte ich auf, benommen wie immer, und das am Tag des Wimbledon-Finales! Also runter in den kleinen Garten vor dem gemieteten Haus, joggen, joggen: »Mach den Kopf frei, Junge, lauf dir die Chemie raus!« Zum Training kam ich zu spät, das Match begann ich wie ein Schlafwandler - nicht auf Wolke sieben, sondern mittendrin, völlig verhangen. 2:6, 2:6. Dann erwachte ich endlich, auf dem Centre Court von Wimbledon. Good morning, ihr Briten! Ich gewann die nächsten beiden Sätze und verlor dann doch alles, auch den Schlaf der folgenden Nacht.

Peu à peu stieg ich dann von Chemie auf Natur um. Mit der Geburt meines ersten Sohnes Noah war der Spuk ganz vorbei. Ich hatte jetzt einen wunderbaren Grund, wach zu bleiben, wollte mich nicht mehr in den Schlaf flüchten, musste nicht mehr diese Seele und Herz zerreißende Einsamkeit bekämpfen. Noah hat mich befreit. Heute kann ich in jeder Pose und zu jeder Gelegenheit schlafen: Ob im Flugzeug oder bei Rot an der Ampel - ein kleiner Power-Nap ist immer drin. Und wenn ich meine Familie in Miami besuche, steige ich in Frankfurt ein und wache in Miami wieder auf. Ich nehme heute allenfalls ein Schlückchen Cloudy Bay, einen wunderbaren Wein aus Neuseeland - aber nur für den Genuss, oder um ein gutes Stück Fisch angemessen schwimmen zu lassen.

Ein paar spezielle Matches, nämlich die mit mir selbst, musste ich damals auch noch so nebenbei austragen. Alpträume, Schlafstörungen, Jetlag, Mattigkeit nach langen Interkontinentalflügen - wer kennt das nicht? Bei mir, dem großen Blonden, der scheinbar unerschütterlich auf den

Platz stolzierte, kam noch Verschiedenes obendrauf. Vor allem plagte mich seinerzeit Klaustrophobie. Im Flugzeug vermied ich den Blick aus dem Fenster auf die Wolken oder auf schneebedeckte Bergspitzen und ließ mir immer einen Platz am Gang geben.

Eingeengt zu sein war für mich ein fürchterliches Gefühl. Ich musste mich dann mächtig zusammenreißen, um nicht auszuflippen. Einmal passierte mir das nach einem Konzert der drei Tenöre Luciano Pavarotti, Plácido Domingo und José Carreras im Münchner Olympiastadion. Nach dem Auftritt trafen Barbara und ich die Sänger hinter der Bühne. Gemeinsam wollten wir in ein Großraum-Restaurant gehen, in dem sich tausend geladene Ehrengäste trafen, sozusagen die engsten Freunde. Wir standen ungefähr zu zehnt im Fahrstuhl des Olympiastadions – der Dirigent, die Sänger, Ehefrauen, Freundin. Da blieb der Fahrstuhl stecken! Nicht zwei Minuten, sondern eine halbe Stunde. Auf Grund meiner Länge hatte ich oben Luft und Platz. Domingo, meine Frau, Pavarotti, alle hielten Händchen und hofften, dass es bald vorbei sei. Plötzlich fing Pavarotti an, das »Ave Maria« zu summen. Ich sagte nichts, sondern kümmerte mich um mein eigenes kleines Leben. Ich wollte nicht ausrasten. Allein der Gedanke daran, was wohl mit mir passieren würde, wenn nicht bald jemand kam, machte mich fast wahnsinnig. Die Tenöre stimmten ein Lied an, noch eins, und alle summten mit. Angst mit Arien, ein unglaublicher Augenblick. Dann ein Rucken, ein Zucken – die Rettung. Unser Fahrstuhlkonzert war beendet.

Mit zwei Rumänen in Monte Carlo

Durch das Fernglas, das auf der Terrasse der Wohnung im »L'Estoril« installiert ist, hätte ich auf die Schönen am Strand blicken können. Sie entsprechen zu dieser Nachmittagsstunde zumeist den Altersvorstellungen des Hausherrn Ion Tiriac – Frauen über dreißig sind für ihn bereits im Greisenalter. Zumindest vertrat er diese Überzeugung, bevor er seinen sechzigsten Geburtstag feierte. Seine Schwester stellte uns eine Kanne Tee auf die Spitzendecke und ließ uns allein.

Tiriac wollte mit mir reden, wie so oft, wenn wir uns in Monte Carlo vom Turnierstress erholten. Auf dieser Terrasse hat sich ein beachtlicher Teil meines Lebens abgespielt, und es war nicht der schlechteste. Gespräche über Himmel, Hitler, Gott und die Welt, Deutschland, Kollegen, Kaviar, Kinder – und sein Leben in einem kommunistischen Staat. Ein faszinierendes Thema.

Als Ion ein Kind ist, besitzt sein Vater einen Krämerladen, das Leben im rumänischen Brasov, dem ehemaligen Kronstadt, ist erträglich. Nachdem die Sowjettruppen 1944 in das Land einmarschiert sind, wird der Vater wegen seines Ladens als Kapitalist beschimpft. Er stirbt, als Ion gerade elf und seine Schwester sieben Jahre alt ist. Die nahezu blinde Mutter ist »unglaublich stark«. Trotz der begrenzten Schulbildung ist sie eine »tolle Rechnerin«, erinnert sich Ion, und im Kopf »schneller als eine Maschine« – wahrscheinlich hat sie ihre Eigenschaften auf den Sohn vererbt. Und sie war eine strenge Frau, seufzte er, »God bless her. What a lady«. Tiriac und ich sprachen meist englisch miteinander.

In der Ferne steigt ein Hubschrauber von einer weißen Luxusjacht auf, vielleicht muss der Pilot Kaviar oder Champagner aus Nizza heranfliegen. Eine Jacht nimmt Kurs auf den Hafen. Die Liegegebühr für eine Achtzig-Meter-Jacht kann im Hafen von Monaco in der Sommersaison am Tag etwa so hoch sein wie die Monatsmiete für eine Villa in München-Grünwald. Während des Formel-1-Rennens verdoppeln sich die Preise. Ich habe mir vor zehn Jahren zum Spaß auch mal so eine Jacht gechartert. Vor Monte Carlo gerieten wir in einen Sturm, das Schiff ging nach vier Tagen kaputt. Einer meiner Freunde brach sich eine Rippe, ein anderer den Finger, weil die See so wild war. Und ich hing die ganze Zeit über der Reling und habe gekotzt – es war meine letzte größere Bootsfahrt.

Ion, mein Lehrmeister, ist in die Vergangenheit zurückgekehrt: *In Kronstadt unterhalb der Stadtmauern gibt es Tennisplätze. Sobald das Thermometer, wie so häufig im Winter, zehn oder auch zwanzig Grad Minus anzeigt, übergießen die Kinder sie mit Wasser und bauen sich eine Eisbahn. Sport ist Ions Leben, wie für viele seiner Generation. Das Land ist arm. 1967 übernimmt Nicolae Ceauşescu als Staatsratsvorsitzender die Führung und lässt sich als »Conducator« huldigen – ein größenwahnsinniger Diktator. Am 5. Mai 1955, vier Tage vor seinem 16. Geburtstag, nimmt Ion erstmals einen Tennisschläger in die Hand. Vier Jahre später spielt er Davis Cup für Rumänien gegen Neuseeland. Tennisstunden? Lehrgänge? Tiriac sammelt für die Oberen von Kronstadt Bälle auf, für zehn Pfennig pro Tag sowie die gelegentliche Benutzung eines Schlägers.*

»Ich war nie ein Talent«, meint er, »aber ich habe hart trainiert, härter und noch härter. Ich hätte von Hamburg nach Nizza laufen können.« *Nebenbei spielt er Tischtennis, Basketball und läuft in den nahen Hügeln Ski. Für die Olympiaauswahl im Eishockey wird Ion als Verteidiger aufgeboten. Toll, aber nebenbei muss er in einer LKW-Fabrik arbeiten, zuständig für Kugellager. Als Hilfsarbeiter verdient er etwa fünfundzwanzig Mark im Monat.* Heute fährt er Ferrari, Mercedes und eine Harley-Davidson, hat einen Haufen Geld, und ich gönne es ihm.

1989 wurde Ceauşescu von einem Militär-Sondergericht zum Tode verurteilt und zusammen mit seiner Frau Elena erschossen - die Fernsehbilder, die damals verbreitet wurden, erschreckten mich. Der wirre Diktator, seine verstörte Frau und ein Prozess, der keiner war. Eine Hinrichtung wie im schlimmsten Hollywoodfilm. Tiriac, der von 1980 bis zum Aufstand gegen die Diktatur nur vier Stunden in seinem Land verbracht hatte, kehrte nach Bukarest zurück.

Er erwarb die drittgrößte Bank, die zweitgrößte Versicherungsgesellschaft, neunzehn Prozent am populärsten Fernsehsender, und obendrein ist er Generalimporteur von Mercedes sowie »Presidente« des »Comitetul Olimpic Român«, also Chef des Nationalen Olympischen Komitees - Ion hat auch nach dem Ende unserer Zusammenarbeit ein großes Rad gedreht. Politiker will er dennoch nicht werden. Sein Freund Ilie Nastase, mein ehemaliger Arbeitskollege, hat 1996 für das rumänische Parlament und das Bürgermeisteramt von Bukarest kandidiert - und verloren.

Die Reisen mit dem Eishockey-Team nach Sofia, Moskau und Leningrad oder mit der Tennistruppe ins französische Vichy beleben offensichtlich Tiriacs Geschäftssinn. Mit fünf Flaschen Cognac im Gepäck reist er aus, im Gegengeschäft bringt er einen Fotoapparat mit, den er in zehn Paar Tennisschuhe umsetzt, die er wiederum gegen dreißig Flaschen Cognac eintauscht. Besonders reizt Ion Amerika. Sein Eishockey-Team bereitet sich auf einem gefrorenen See in zweitausend Metern Höhe auf die Olympiade vor, der Anmarsch erfolgt zu Fuß. Aber die Mühen sind vergebens, Bukarest sagt die Teilnahme in den USA ab. Für Ion ist dieser Beschluss der Regierung »die größte Tragödie meines Lebens«.

Einer der Nachbarn der Familie Tiriac in jenen Jahren war ein gewisser Günther Bosch, ein Tennisspieler, zwei Jahre älter als Tiriac und damals materiell etwas besser gestellt.

Bosch wurde später mein Trainer und sogar mein Wohnungsnachbar in Monte Carlo. Tiriac hatte ihn beauftragt, mit mir jeden Tag Schach zu spielen, wegen des mentalen Trainings, und mich anzuhalten, täglich eine Zeitung zu lesen. Bosch, der inzwischen für den Deutschen Tennis Bund als Trainer arbeitete, hatte Tiriac auf mich aufmerksam gemacht. »Das werde ich dem Bosch nie vergessen«, betont Tiriac immer, wenn wir über die Vergangenheit sprechen, und er vergisst auch nicht, dass Bosch auf meine Eltern eingewirkt hat, einen Vertrag mit ihm abzuschließen.

Aus heiterem Himmel, so wie es nach Ions Erfahrungen bei den Kommunisten üblich ist, wird er ins Davis-Cup-Team berufen – gegen Neuseeland. Der Fabrikarbeiter holt den entscheidenden Punkt. Ion Tiriac wird zum Nationalhelden – mit zwanzig.

Einmal hatte ihn der staatlich gelenkte Verband allerdings lebenslänglich gesperrt, weil Tiriac nicht so wollte, wie es sich die Funktionäre von einem Mitglied der Arbeiterklasse vorstellten. An Republikflucht dachte er trotzdem nicht, sagt er. »Ich war ein Privilegierter« - zumindest für rumänische Verhältnisse. An der Uni, an die er delegiert wurde, war Tiriac der erste Student, der sich ein Motorrad und dann einen roten Škoda leisten konnte.

1964 hat Tiriac dann endlich seine erste Begegnung mit Amerika: Er spielt bei den Olympischen Winterspielen in Innsbruck im Team Rumäniens, das gegen die USA 2:7 verliert. Danach fasst er nie mehr einen Eishockeyschläger an. Er ist vierundzwanzig Jahre alt und will US-Dollar verdienen. Im Tennis werden in jenen Jahren »under the table«, wie es so schön heißt, hundert Dollar pro Turnierauftritt an die Top-Spieler gezahlt.

Neunzehn Siege verbucht Tiriac in der Saison 1968/69. Nach einem verlorenen Finale gegen den australischen Wimbledon-Sieger Roy Emerson in Stuttgart kauft sich Ion für 4950 Dollar seinen ersten Mercedes – die Einkünfte eines Jahres. In Wimbledon spielt er im Doppel auf dem Centre Court, einmal kommt er als Einzelspieler unter die letzten sechzehn. »Ich habe alles versucht, alles gegeben«, sagt er, als wir wieder einmal auf seiner Terrasse sitzen, »ich war einfach nicht gut genug.« *1968 ist er immerhin die Nummer acht der Weltrangliste und zusammen mit dem sieben Jahre jüngeren Nastase einer der besten Doppelspieler der Welt.*

Tiriac bedauert es noch heute, dass er nie den Davis Cup gewonnen hat, obwohl er doch in dreiundvierzig Matches für sein Land angetreten sei: »Ich hätte meinen Kindern gerne den Cup gezeigt und gesagt: ›Den hat euer Vater gewonnen.‹« *Nach einem verlorenen Davis-Cup-Finale gegen die USA erlebt Ion Tiriac in Washington einen persönlichen Höhepunkt: Präsident Richard Nixon, der erklärte Kommunistengegner, empfängt die rumänische Mannschaft im Weißen Haus. Tiriac bezahlt die burgunderfarbenen Stoffe und den Schneider, der die Team-Jacketts nähen muss. Er finanziert vom eigenen Konto sogar die Hotelübernachtungen für seine Mannschaft. Im Vorzimmer der Macht warten auch die US-Spieler auf das Rendezvous mit dem Präsidenten, unter anderem der schwarze Tennisprofi Arthur Ashe, der 1975 in Wimbledon gewann.*

»Negrone«, scherzt Nastase, »verdammt noch mal, wie bist du angezogen? Bist du verrückt geworden? Die schmeißen dich hier raus.« Ashe trägt ein Sweatshirt und weiße Tennishosen: »Richie ist einer meiner Freunde«, antwortet Negrone, wie Ilie Arthur immer nennt. Nixon geht tatsächlich auf Ashe zu und empfängt ihn mit den Worten: »Arthur, wie geht es dir?« – »Toll, Richie, mein Junge!« Ein seltsames Land, dieses Amerika. Zwanzig Minuten verbringen die Rumänen, deren Außenminister für die seltene Audienz von einem New Yorker UNO-Besuch herbeigeeilt ist, mit dem Staatschef, neunzig Minuten mit dem Nixon-Berater und Sportfan Henry Kissinger, den Ion 1998 bei den Fußball-Weltmeisterschaften in Paris wiedertreffen wird.

Zu Tiriacs Zeit reisen die Profis noch in Gruppen: Gegner auf dem Platz, Freunde in der Pizzeria. Seit man in den USA versucht, über Team-Tennis die Massen anzulocken, verdient Ion erstmals richtiges

Geld. Er spielt bei den »Boston Lobsters«. Seine Gage für drei Monate: etwa fünfzehntausend Dollar. Dieses Geld, so Tiriac, habe damals sein Agent, der allmächtige Mark McCormack, ausgehandelt. Ion aber war mit der »Lobster«-Gage nicht zufrieden. Er handelte den Vertrag selbst neu aus und einigte sich mit den Teameignern auf fünfundsiebzigtausend Dollar. Nach diesem Deal wusste er, dass er das richtige Gefühl für das Business hatte.

Tiriac ist Spieler, Coach, Manager, Turnierveranstalter. Er spielt mit Björn Borg drei Jahre Doppel, er nervt die Amerikaner, die in Bukarest gegen Nastase und Tiriac im Davis Cup antreten müssen. Es sei das erste Mal gewesen, witzelt der US-Spieler Stan Smith über seinen Einsatz 1972, dass er Familienmitglieder seiner Gegner auf dem Platz wiedergetroffen habe – als Linienrichter. Die USA siegen dennoch 3:2. Später arbeitet Tiriac mit Nastase (der heute wieder in Bukarest lebt), dem Franzosen Henri Leconte und mit Adriano Panatta, dem lebenslustigen Italiener. Von dem trennt sich Ion nach den französischen Meisterschaften in Paris. Der Grund: Panatta weigert sich, im Juli und im August zu spielen – wegen der geplanten Ferien auf Sardinien. »Du hast offenbar vergessen, dass Wimbledon im Juli und die US Open im August gespielt werden!« – »Nein, nein, aber Leben ist mir lieber.« – »Dann leb mal schön«, verabschiedet ihn Ion.

Vilas war ein anderer Typ. »Gaucho« nannten die Kollegen den Argentinier. Die Schecks, die er verdiente, stopfte er sich hinter den Gürtel. »Nie, niemals«, und dabei sah mich Tiriac mit seinen dunklen Augen noch bohrender an als sonst, »war ein Spieler bereit, derart hart zu arbeiten wie Vilas.« Tiriac hatte ihm erklärt, was er als Coach und Manager von ihm erwartete: »Du musst tun, was ich dir sage. Ohne Widerspruch.« Das versuchte er auch mit mir, aber bald musste er einsehen: »Becker hört zu, dann macht der doch, was er will.« Vilas aber versprach: »Wenn Sie sagen, ich soll in einen leeren Swimmingpool springen, dann mach ich's.« Vor einem US-Open-Finale gegen Connors schlug Tiriac Vilas in der Hitze New Yorks zweieinhalb Stunden lang ein. »Und dann hat Vilas Connors getötet«, frohlockte mein Meister. Gemeinsam gründeten sie ihre holländische Firma, Tivi B.V., die mich später unter Vertrag nahm. 1985 erkannte Tiriac, dass Vilas ausgebrannt war, erledigt auch von dem Stil, den er spielte. Ich erinnere mich an das Training mit ihm in Hamburg, als Tiriac vor der Vertragsunterzeichnung mit mir testen wollte, ob ich das Profitempo mithalten konnte. Ich konnte.

Nach meinem ersten Sieg in Wimbledon haben Tiriac und ich in Monte Carlo vier Wochen lang beinahe nur geredet, meist auf seiner Terrasse. Es ging um das, was auf mich zukommen würde. Tiriac wollte mich schützen, und das hat er getan. Ich erinnere mich an eine Szene in Cincinnati, da platzte ihm irgendwann der Kragen, als ich ihn wieder mal provozierte. Ich war siebzehn. Tiriac zerschlug eine volle Bierflasche an der Wand des Hotelzimmers und hielt mir die scharfen Kanten an den Hals: »Wenn ich dich einmal mit Drogen erwische, dann passiert dir was.« Wenn ich abends in Monte Carlo unterwegs war, wusste er am nächsten Tag garantiert die Details meiner Nachtwanderung, obwohl ich sehr schnell war. Meine Eltern sprachen oft mit ihm, er hatte eine gewisse Fürsorgepflicht mir gegenüber, und das war gut so. Die Mädchen wollte er mir zwar ausreden, aber er kannte mich schon ziemlich genau und wusste, wenn er mir etwas verbot, machte ich es erst recht.

Nach diesen Terrassen-Gesprächen zeigte mir Tiriac oft die angenehmen Seiten des Lebens: Seezunge »Müllerin« im Szene-Restaurant »Rampoldi«, dazu ein weißer Burgunder, Kerzenlicht, erlesene Drucke an der Wand, Diamanten an den Dekolletees der Damen, die wirklich welche waren oder die dafür bezahlt wurden. »Jimmy'z«, die Edeldisco, war drei Autominuten entfernt. Tanzen bis zum Morgengrauen, beschwipst vom Rhythmus, nicht vom Alkohol. Danach ins »Tip Top« zum Frühstück, Dampf ablassen. Und bloß keine zufällige Begegnung mit Bosch im Fahrstuhl! Das hätte mir gerade noch gefehlt, der weinerliche Blick des Vorwurfs.

Im Schnitt habe ich in Monte Carlo nur wenige Monate im Jahr verbracht – die restliche Zeit war ich auf Reisen. Und wenn ich Pause hatte, war es meist November, Dezember, Monate, in denen der Winter am Mittelmeer sehr lang und trüb sein kann. Der Tourismus, der Trubel ist vorbei, die jungen Leute sind weg, und dann kann es dort ziemlich einsam werden. Nachts brauste ich gelegentlich mit meinem Porsche 959 oder dem Carrera Turbo auf die Autobahn. Als Teenager fuhr ich fürchterlich schnell, überall – in Monte Carlo, in der Stadt, auf der Autobahn. Eigentlich bin ich ja ein Angsthase, die Formel 1 wäre nichts für mich. Meinen ersten Führerschein habe ich in Kalifornien gemacht, mit sechzehn, den zweiten in Nizza, in diesen kleinen Gassen und auf der Promenade des Anglais, die sich an der Küste entlangzieht. Fahrstunden und Prüfung waren auf Französisch, aber ich bestand auf Anhieb. Mit meinem Kumpel Patrik fuhr ich einmal auf die dreispurige Autobahn, um zu sehen, wie schnell der 959er war – wir brachten ihn auf 326 Stundenkilometer. Durch das Tempo glaubte ich mich auf einem Waldweg, der engsten Straße, auf der ich je Auto gefahren bin – ein berauschendes Gefühl.

Im »Jimmy'z«, nicht weit vom gestrengen Tiriac und seiner Terrasse entfernt, sah ich Bénédicte zum ersten Mal. Ion war dabei. Ich stieß ihn an: »Look at her, die ist toll!« – »Nichts für dich«, meinte Ion, ohne wirklich hinzusehen; Frauen sollten aus meinem Leben ausgesperrt bleiben. »Die ist vergeben.« Bosch, der eine glückliche Ehe führte, hatte auch etwas gegen Umgang mit Frauen, aber aus anderen Gründen. Er wollte mit mir »verheiratet« sein, und jede Frau, die in mein Leben trat, stand dieser Idee im Weg. Tiriac hingegen war überzeugt, dass eine Frau beim Tennis störe. Bosch wusste zwar, dass die Schönen mich nicht vom Tennis abhielten, aber sie störten unsere Zweisamkeit.

Ich sprach Bénédicte an und tanzte mit ihr. Danach war ich wieder allein. Oft bin ich in solchen Situationen zu der Steingruppe vor dem Larvotto-Strand von Monte Carlo gewandert. Dabei fragte ich mich in den Jahren nach den ersten Wimbledon-Erfolgen so manches Mal: »Was soll das alles? Wohin bringt dich das?« Schon damals träumte ich von einer Familie, von Kindern, Garten und einem Haus. Ich sah all den Wohlstand rundum und sagte mir: »So möchte ich nicht leben.« Für mich war das Dasein in Monte Carlo immer wie ein großes Theaterstück.

Ein paar Tage nach meiner Begegnung mit Bénédicte traf ich sie beim Zahnarzt wieder. Sie hatte eine Sonnenbrille auf und trug die Haare anders, und sie sprach mich an. Mir war das etwas peinlich, denn ich hatte sie nicht gleich erkannt. So begann eine Beziehung, die zwei Jahre lang hielt. Bénédicte war eine Schulkameradin von Stéphanie von Monaco, sie waren befreundet, und Bénédicte ging im Palast ein und aus. Trotzdem war sie recht bodenständig. Sie hat mir Monte Carlo gezeigt, wie es nur die echten Monegassen kennen. Ihre Eltern, die mir noch heute wohl gesonnen sind, leben in einer Gasse in der Nähe des Palastes. Steile Treppen führen zu ihrer Wohnung in der obersten Etage. Ihre Tochter heiratete später einen anderen, wurde Mutter zweier Kinder – und ist heute leider auch geschieden.

Die Beziehung mit Bénédicte war keine oberflächliche Glitzer-Glamour-Geschichte, sondern eine glückliche Partnerschaft. Tiriac war überzeugt, dass ich Bénédicte in den nächsten zwei, drei Jahren heiraten würde. »Nein, keine Ehe vor fünfundzwanzig«, hielt ich dagegen. Wir haben gewettet, um ein Auto unserer Wahl. Ich habe gewonnen, und Tiriac wollte mir einen seiner vielen Ferraris anbieten. Ich entschied mich für ein Mercedes Cabriolet, Baujahr 1969, und heiratete ein Jahr später Barbara.

In Monte Carlo musste ich keine Erklärungen abgeben über den selbst gekauften Porsche, den ich mit achtzehn fuhr, über die neueste Uhr, die Klamotten, die Schuhe. Die Jugendlichen in Monte Carlo hatten das alles auch, mit dem Unterschied, dass ich mein Geld selbst verdient hatte und sie ihres von den reichen Eltern bekamen. Aber ich habe nicht danach gefragt und sie auch nicht. Im Übrigen war ich nicht wegen der Steuerersparnis mit sechzehn Jahren nach Monte Carlo gezogen. Als Tiriac mir vorschlug, ans Mittelmeer umzusiedeln, war Wimbledon nur ein Traum. In Monte Carlo wollte ich mir ein Stückchen Unabhängigkeit sichern, ungestört trainieren, am Strand joggen. Monte Carlo war mein Refugium. Vor 1985 war Boris Becker ein Unbekannter. Ich wohnte in einer kleinen Wohnung im »Château d'Azur«. Meine Mutter unterschrieb den Mietvertrag, weil ich noch minderjährig war. Meerblick? Vier-Sterne-Küche? Nichts davon. Eher Pizza im »Le Baobab« am Strand, eine Cola im »Norok«, der Bar, die Björn Borgs erste Ehefrau Mariana betrieb, eine ehemalige rumänische Tennisspielerin.

Als ich die ersten Werbeverträge abschloss, waren mir Millionenbeträge gleich. Noch ein Jahr zuvor hatte ich bei meiner Mutter Taschengeld eingefordert, fünf Mark für den Kinobesuch. Tiriac schloss sich mit meinen Eltern kurz, die auch noch nie so viel Geld gesehen hatten. Zahlen sind ohnehin abstrakt, und je mehr man verdient, desto mehr nimmt das Gefühl für Werte ab. Natürlich kann man sich an Kaviar gewöhnen, aber irgendwann schmeckt auch der gewöhnlich. Und protzen muss ich auch nicht. Bei einer Südafrika-Visite zum Beispiel waren Barbara und ich einige Tage mit Andre Agassi und seiner Frau Brooke Shields zusammen. Plötzlich, im Safari-Camp, wollte Andre eine Zigarre und schickte seine Privatmaschine los, um den Humidor mit den Havannas aus dem Hotel in Johannisburg zu holen. Sein Geld, sein Vergnügen. Aber ein Flugzeug mit den Initialen B. B. am Heck? Nichts für mich. Wenn mich überhaupt etwas Kostspieliges fasziniert, dann sind es Immobilien.

Meist habe ich in meiner Wohnung in Monte Carlo nur geschlafen, die restliche Zeit verbrachte ich bei Tiriac auf seiner Terrasse. Monaco war aber nicht nur Freizeit – mir saßen zwei Rumänen im Nacken, die in ihrer Jugend hartes Brot gebissen hatten und mich in Erinnerung daran noch heftiger über den Platz jagten. So zumindest schien es mir. Morgens zwei, drei Stunden, nachmittags noch mal. Mittagessen bei Tiriac oder im Monte Carlo Country Club. Mit jedem erfolgreichen Jahr konnte ich mir eine schönere Wohnung leisten, weiter oben, mit Blick auf Meer und Sonnenuntergang. Fünf Mal bin ich umgezogen – Casa Bianca, San Juan, Le Trocadéro. Die Freiräume, die mir Monaco immer geboten hat, genieße ich nach wie vor. Ich muss mich mit einem Porsche Cabriolet oder einem orangefarbenen Lamborghini – falls ich so einen haben wollte – nicht verstecken. Im Fürstentum gibt es keinen Neid. Ich muss mir auch keine Sorgen machen, ob mich vielleicht ein Paparazzo im Casino am Roulettetisch abschießt. Selbst bei hohen Verlusten bleiben die Croupiers so ungerührt wie Sargträger und so blass wie die – wahrscheinlich ist ihnen Sonnenlicht vertraglich verboten. Sie erkennen mich, rufen »rien ne va plus« und schweigen. Ich bin kein Dostojewski, der in seinem »Spieler« schreibt: »Ein wirklicher Gentlemen darf sich nicht aufregen, selbst dann nicht, wenn er sein ganzes Vermögen verspielt.«[1] Ich habe immer nur bestimmte Summen ins Casino mitgenommen – fünfhundert Francs –, kleine Einsätze gespielt, und wenn das Geld weg war, war es weg.

Kein Wort auch in der Presse über einen Bar-Besuch im ehrwürdigen Hôtel de Paris oder darüber, wie viele Whisky

Sour ich dort getrunken habe. Boris Becker war einfach einer von sechsundzwanzigtausend Fremden, die in Monte Carlo mit einer Aufenthaltsgenehmigung lebten. Von Beruf war er nicht Erbe, sondern Tennisspieler. Und auch mit der lokalen Prominenz ließ sich zwanglos verkehren. Den Prinzen Albert zum Beispiel spreche ich nicht mit »Durchlaucht« oder »Exzellenz« an, der war schon sehr früh einfach »Albert« für mich. Ich habe mit ihm mal ein paar Bälle geschlagen, zufällig nach einem Training. Er ist ein guter Typ.

Nach jeder Katastrophe, jeder Enttäuschung mit einer Frau, der Niederlage 1987 in Wimbledon in der zweiten Runde oder der Handverletzung 1996 tauchte ich in Monte Carlo ab, aber auch, wenn ich einfach ungestört sein wollte. Karen Schultz lud ich nach unserer ersten Begegnung bei den Internationalen Meisterschaften am Hamburger Rothenbaum nach Monte Carlo ein. Ich konnte die Reporter allerdings nicht daran hindern, das zu tun, was sie als ihre Arbeit bezeichnen: den küssenden Becker zu fotografieren oder dessen nackten Oberkörper.

Schöne Tage habe ich mir trotz dieser Störer erkämpft. Mit Bénédicte etwa wohnte ich oben auf dem Felsen an der Place du Palais Nummer drei. Ich hatte die oberste Etage einer rosafarbenen Villa mit Holzfenstern und Blumenkästen, Blick auf den Palast und aufs Meer, ganz in der Nachbarschaft des Fürsten. Es gibt keine Neubauten in diesem Teil Monacos, sondern Villen, rosa, gelb, himmelblau, Kopfsteinpflaster und exotische Gärten, Kakteen, Agaven, Palmen – ein schönes Fleckchen.

Vor einem kleinen Brunnen deckte der Wirt vom »Pinocchio« oft für mich einen Tisch, zwei Schritte von seinem Restaurant entfernt, in dem Bilder der prominenten Gäste die Wände schmücken. Eines meiner Porträts, erzählte er mir bei meinem letzten Besuch, sei gestohlen worden. Ein Feind oder ein Fan, dieser Dieb? Dorfatmosphäre überall – die

Polizisten grüßen, der Zeitungsverkäufer reicht mir jeden Morgen den »Nice Matin«. Ich trinke meinen Espresso, »avec un petit peu de lait s'il-vous-plaît«. Ja, mein Französisch habe ich dramatisch verbessert! C'est vrai. Auf Englisch kann ich Witze erzählen, zwischen den Zeilen lesen. Mit den Franzosen zu fraternisieren ist allerdings immer noch schwierig, die Sprache ist dann doch eine Barriere.

Am Eingang zum Hauptgebäude des Monte Carlo Country Club ist mein Name in grauen Stein gemeißelt, dahinter das Datum: 1984. Also doch ein Sieg auf rotem Sand? Ja! Aber leider nur bei einem Jugendturnier. 1985 schied ich in Monte Carlo in der zweiten Runde aus, 1987 und 1988 jeweils bereits in Runde eins. Gegen Thomas Muster führte ich 1995 im Finale schon mit 6:4, 7:5 und hatte im vierten Satz zwei Matchbälle in Folge. Ich verlor, und nur der Himmel weiß, warum ich in meiner Profi-Karriere nie ein Sandplatz-Turnier gewonnen habe. Ich empfand wegen dieser Niederlage körperliche Schmerzen, war verzweifelt. Wahrscheinlich war dies die bitterste Niederlage meiner Karriere überhaupt. Ich hatte versagt vor mir selbst, vor meinen Freunden in Monte Carlo. Vielleicht war es die Botschaft von oben, dass es für mich Grenzen gibt. Mit einem Sieg hätte ich womöglich meine Demut, meine Bodenständigkeit völlig verloren.

1988 beschlossen Bénédicte und ich, uns zu trennen. Es lief nicht mehr harmonisch zwischen uns, das letzte Gespräch in unserer Wohnung auf dem »Rocher« war sachlich. Als sich die Tür hinter ihr geschlossen hatte, hörte ich im Radio das Lied von Brian Ferry »Slave to Love«. Ein Wink des Schicksals? Meine künftige Bestimmung?

Nach solchen traurigen Ereignissen saß ich dann wieder bei Ion Tiriac auf der Terrasse und hörte mir seine Lebensweisheiten an.

Ion Tiriac: bitterer Nachgeschmack

Ion Tiriac war eine ganz entscheidende Person in meinem Tennisleben. Mit seinem persönlichen Beitrag für dieses Buch beschreibt er eine außergewöhnliche Beziehung.

Er ist ein Deutscher, ein Sauerkraut. Boris Becker wird als Deutscher sterben. Warum auch nicht? Ich lebe seit 30 Jahren in Monte Carlo und bin noch immer Rumäne. Boris ist ein sehr sensibler Mann und weitaus introvertierter, als die Leute glauben. Er ist nicht schüchtern, aber empfindlich und nachtragend. Ich habe Fehler gemacht, einige. Er auch. Nur: Er erkennt sie nicht. Oder er erkennt sie und will sie mir gegenüber nicht zugeben.

Boris Becker hatte absoluten Vorrang in meinem Leben, er war wichtiger als meine Familie, als mein Sohn. 1984, als ich ihn unter Vertrag nahm, wusste ich nicht, ob er jemals einen Pfennig verdienen würde. Er war sechzehn, es war mein Risiko. Ich wollte ihn aufbauen, führen. Wir haben beinahe erreicht, was wir wollten, aber er hat seine Möglichkeiten nicht voll ausgeschöpft. Er hätte mindestens dreimal so viel gewinnen müssen, mehr als Borg. Der Schwede war in der Kindheit Vorbild für Boris. Borg verfügte über eine unglaubliche Beinarbeit, er konnte alles erlaufen, er sah den Ball sehr früh und konnte ihn aus jeder Position zurückbringen, mehr war da nicht. Er war der einfachste Spieler überhaupt. Boris ist auch mit Connors nicht zu vergleichen: Connors war wie

Michael Jordan, bereit, alle zu töten, die ihm im Weg standen. Beide kannten auf dem Platz weder Vater noch Mutter, Freund oder Feind, nur den Erfolg. Becker war sentimentaler, menschlicher, er ließ seinen Gefühlen freien Lauf.

McEnroe war talentierter als Becker. Er hatte nicht die Power, aber er spielte wie ein Schachexperte. McEnroe war zerebral, Boris instinktiv. Mac hat seinen Zug programmiert, Boris spielte natürlich. Auch Sampras ist technischer als Boris, ein Amerikaner eben. Weniger emotional als Becker. Der ist zwar in Deutschland geboren, seine Eltern sind Deutsche, aber irgendwie müssen seine Vorfahren aus Italien, Frankreich oder vom Balkan stammen. Woher sonst können diese Emotionen kommen? So manches Mal gab es Streit zwischen uns. Ein Beispiel: Er: »Ich trainiere nur noch vierzig Minuten.« Ich: »Du musst mindestens drei Stunden arbeiten.« Er: »Dann habe ich morgen keine Kraft mehr.« Ich: »Wenn du mehr trainierst, wird es im Match einfacher.« Er trainierte vierzig Minuten, spielte fünf Stunden – und siegte. »Siehst du, ich habe Recht behalten.« Finale gegen Connors in Queens. Ich rate ihm: »Spiel serve und volley. Geh ans Netz, so oft du kannst.« Er: »Ich schlage ihn von der Grundlinie.« Das war eine der Stärken von Connors. Boris spielte von der Grundlinie – und siegte. »Na, wer hat Recht behalten? Von der Grundlinie, Ion, von der Grundlinie! Hast du das gesehen?«

Herbst 1984, Südafrika. Ich kam gerade rechtzeitig für die letzte Runde der Qualifikation. Boris stand im dritten Satz und verlor. Der Grund? Ein Sonnenstich. Ich fragte: »Du bist jetzt sieben Wochen von zu Hause weg. Kannst du durchhalten, willst du weiter nach Australien?« Er: »Ich kann auch sieben Jahre fortbleiben, aber ich gewinne nichts. Scheiße, Scheiße, Scheiße!« – »Bosch hat mir gesagt, wie hart du gearbeitet hast, also kein Problem. Ich bleibe eine Woche länger, und wir trainieren hier zusammen.« Während ich mit

Vilas trainierte, hörte ich vom Nachbarplatz: »Scheiße, Scheiße, Scheiße!« Drei Stunden nur »Scheiße«. Boris trainierte, trotz Sonnenstich. Danach versprach ich ihm: »Wenn du willst, garantiere ich dir schriftlich, dass du bei diesem Trainingseinsatz in zwei Jahren unter den Top fünfzehn bist!« Bosch und Becker reisten nach Australien, Becker erreichte das Viertelfinale. Ich besuchte meine Freunde Elvira und Karl-Heinz Becker in Leimen und verkündete ihnen: »Euer Sohn ist auf dem richtigen Weg. Er hat den Durchbruch geschafft.«

Ich ließ mich von Harry Hopman, einem der großen Trainer unserer Zeit, beraten, wie wir den Aufschlag von Boris für das Rasenspiel noch verbessern könnten. Anschließend erklärte ich Boris, was der Australier gesagt hatte. Die Antwort: »Ich habe den besten Aufschlag der Welt, warum soll ich was daran ändern?« Er fragte und fragte, er wollte immer auf alles eine Antwort. Hartnäckig, neugierig. Zwei Stunden später kam Bosch zu mir: »Du wirst es nicht glauben. Ganz hinten auf dem letzten Platz übt Boris den Aufschlag.« Wie oft habe ich ihm auch geraten: »Spiel beim Breakpoint nicht auf die Linie, lass deinen Gegner den Ball spielen!« – »Nein. Ich spiel voll drauf. Ich kann's.«

In Portugal spielte er einmal Exhibition. Da die Portugiesen keine Tennis-Großmacht sind, sollte er drei Sätze gegen drei verschiedene Gegner spielen. Schon im ersten Satz meckerte er: »Ach, ich vergeude meine Zeit, was sind das für Spieler!« – »Shut up«, rief ich ihm zu. »Spiel, es ist ein gutes Training und gutes Geld.« Und dann verlor er einen der Sätze. Am nächsten Tag erklärte mir Boris: »Ich bin verletzt.« – »Komm mir nicht mit solchen Märchen.« – »Nein, nein, ich kann nicht spielen.« Ich glaubte ihm kein Wort, ich verzichtete auf die Gage. Und natürlich war die Stimmung auf Sturm. Ich glaube, er wollte mich wie immer schockieren, mich fordern, um zu sehen, wie weit er mit mir gehen konnte. Er wollte die ganze Welt provozieren, er reagierte aus dem Bauch heraus. Aber wenn er damit Unheil anrichtete, setzte er sich mit den Konsequenzen auseinander. Sein Vater, den Boris so manches Mal als »Diktator« charakterisiert hatte, vertraute mir an: »Je mehr ich ihn zu etwas zwingen will, desto mehr rebelliert er.«

Wenn Becker deprimiert war, rief ich ihm ins Gedächtnis: »Das ist die andere Seite der Medaille. Wenn du aufhören willst, dann tu's. Du kannst dir sagen: ›Ich hatte vier, fünf tolle Jahre, habe so viel Geld verdient, dass ich nie wieder arbeiten muss. Ich mach jetzt was anderes.‹ Es ist nicht zu spät. Du kannst nach Leimen zurückgehen und studieren. Das ist ganz allein deine Entscheidung. Du bist ein Mann.« Er hat mit seiner Traurigkeit gelegentlich auch gespielt, tat sich manchmal selbst Leid: »Meine ganze Jugend ist weg, ich habe keine Kumpel, kein normales Leben.« Ich fragte: »Was ist ein normales Leben? Wer lebt das? Die Chance für einen normal Sterblichen, dein Leben zu leben, ist gleich null!« – »Ja, aber diese vielen Ungerechtigkeiten in der Welt, der Rassismus. Das ist so gemein!« Becker hat, zumindest zu meiner Zeit, für wohltätige Zwecke viel Geld gestiftet, diskret, anonym. Ich habe ihm damals gesagt: »Wenn dich Plätze wie die Hamburger Hafenstraße stören und du dich sozial engagieren willst, dann komm mit mir nach Bukarest. Da gibt's eine Million Hafenstraßen. Ich bin in solch einer Gegend geboren worden. Mir kannst du nichts erzählen.«

Ich habe ihn gefordert, angetrieben. Ich wusste, wenn ich ihn nicht kontrollierte, würde er ausbrechen. Es gab Phasen, da wollte er ganz in Weiß spielen, ohne Werbebeschriftung. Dann wieder, beim Davis-Cup-Finale 1988 in Schweden, erklärte er mir: »Ion, ich bin zu groß geworden für das hier. Ich möchte ein normales Leben!« Steeb hatte eben Wilander besiegt, 8:10, 1:6, 6:2, 6:4, 8:6, Becker Edberg mit 6:3, 6:1, 6:4. Unter der Dusche schlug Jelen mit dem Schläger gegen die Wand, weil er sich über einen Netzball ärgerte. Psychologe und Partner musste ich in solchen Situationen sein.

Wenn Becker etwas nicht machen wollte, sagte er einfach nein. Ich musste ihn immer wieder daran erinnern, dass ein Profi-Sportler allenfalls fünfzehn, zwanzig Prozent auf dem Platz verdient, den Rest kassiert er über Werbung. Aber die Sponsoren wollen natürlich PR für ihr Geld. Becker hat sich zuweilen dagegen gewehrt, und dann gab es Auseinandersetzungen. »Wenn du keine Verträge mehr willst, dann machen wir keine. Für die bestehenden musst du aber arbeiten.« Ford beispielsweise hat sich einmal bei mir beschwert, weil der Ford-Werbepartner Boris Becker im Porsche fotografiert wurde. Ich redete mit Becker darüber, er war einsichtig.

Boris sollte weltweit bekannt werden, nicht nur in Deutschland - das war meine Strategie. Deshalb musste er in die »New York Times«, ins japanische Fernsehen und auf die Titel italienischer Magazine. Während eines Turniers an der amerikanischen Ostküste hatte ich für ihn einen Termin in der Talkshow von Johnny Carson gemacht - in Los Angeles. In den achtziger Jahren war Carson *der* Star. Ich wollte Boris Becker zu einer globalen Persönlichkeit entwickeln. Wegen des weiten Flugs nach L. A. gab es mal wieder Krach. Wir flogen dann im Privatjet, und sicherlich war die Reiserei vom Osten an die Westküste und zurück eine Belastung für ihn, aber er hat das Turnier gewonnen und die Sympathien der Amerikaner dazu. Zu meinem sechzigsten Geburtstag hat Boris mir ein Original-Photo geschenkt: Bosch, er und ich im privaten Jet.

Wir haben uns natürlich auch wegen der Frauen gestritten. Ich war gegen seine Beziehung zu Bénédicte, obwohl sie seine Arbeit, seine Reisen respektierte. Ich wollte nicht, dass er sich ablenkte, sondern sich nur mit Frauen beschäftigte, wenn er zwei, drei Tage Pause hatte. Natürlich hat Boris sich durchgesetzt und - trotzdem - Wimbledon gewonnen.

Ich werde die zehn Jahre mit Boris Becker nie vergessen, sie waren ein bedeutender Teil meines Lebens. Niemand kann sie mir nehmen. Ich war wohl einer der wenigen, die von Boris nicht abhängig waren. Ich habe schon existiert, bevor es Boris Becker gab, und ich existiere auch heute ohne ihn. Ich bin loyal geblieben, obwohl Pete Sampras mich als sein Manager nach Amerika locken wollte. Ich wollte weiter mit Boris arbeiten, keinen Verrat an ihm begehen. Wir waren vertraglich miteinander verbunden – auf einem Flug von Helsinki nach München, an seinem vierundzwanzigsten Geburtstag, hatte er die Verlängerung unseres Vertrags unterzeichnet. Dies hatte er offensichtlich übersehen, als er mir unsere Trennung mitteilte. Monate vor dem Bruch hatten wir uns – in Gegenwart seines Vaters – bereits über eine gütliche Scheidung unterhalten, ohne Ergebnis. Boris und ich hatten uns auseinander entwickelt, waren meistens unterschiedlicher Meinung, gleich ob es darum ging, welche Verpflichtungen er den Werbepartnern gegenüber zu erfüllen hatte oder wie er trainieren sollte. Wir stritten uns immer häufiger und sahen uns nur noch selten. Boris wollte ganz offensichtlich seine Freiheit, wollte sich von mir abnabeln. Er glaubte sich stark genug, seinen Weg allein gehen zu können.

Vielleicht bin ich ein Egomane, aber ich denke, ich habe gute Arbeit mit ihm geleistet. Die Art und Weise der Trennung wird allerdings immer einen bitteren Nachgeschmack bei mir hinterlassen. Ich mag es nicht, wenn Menschen vergessen, wer sie waren und was aus ihnen geworden ist, weil ein Mensch an sie geglaubt und in diese Überzeugung investiert hat. Wir haben uns »zu einem Gespräch« getroffen. Ich war ahnungslos, Boris dagegen ganz direkt: »Ion, alles, was ich erreicht habe, ist auch dir zu verdanken. Ich kann das nicht häufig genug sagen. Aber die Zeit für die Trennung ist gekommen.«

In einer halben Stunde, so der Mann, mit dem ich ein

Jahrzehnt um die Welt gehastet war, sollte eine entsprechende Pressemeldung rausgehen. »Hier sind die Unterlagen. Unterschreib.« – »Wollen wir nicht erst mal ein Bier trinken und in Ruhe darüber reden?«, wagte ich einzuwenden. Nein. »The deal is done.« Ich glaube, er brachte mich noch zu einem Taxi. Die Anwälte vollzogen dann die Trennung, und wir sahen uns erst viel später wieder, auf der Beerdigung seines Vaters, der mein Freund gewesen war. Heute treffen wir uns manchmal in Wien, München, London, und wir reden sogar wieder miteinander: »Erinnerst du dich noch, damals?«

Never change a winning shirt

Die Gäste wurden gebeten, im Smoking zu erscheinen. »Private Dinner with Boris Becker« stand in blauer Schrift auf weißem Karton. In der »Salle Empire« des Hôtel de Paris zu Monte Carlo sprach Giovanni Caberlotto, der Präsident meines neuen Ausrüsters Lotto, eines italienischen Bekleidungskonzerns, hoffnungsvolle Worte: »Derzeit setzen wir dreihundert Millionen Dollar um, unser Geschäftsziel ist eine Milliarde.« Er sah zu meinem Tisch hinüber, an dem ich mit Barbara saß, und meinte beinahe flehend: »Und du, Boris, hilfst uns dabei, oder?« – »Natürlich«, antwortete ich. Lotto war, im Vergleich zu Adidas, Reebok oder Nike ein kleines Unternehmen. Der AC Mailand war mit Lotto vertraglich verbunden und nun auch ich.

Das Dinner, so der Präsident, sei »der Startschuss« für eine ertragreiche Zukunft. Wir stießen an mit einem weißen Blason Timberlay 1990. Zum »Risotto à l'Italienne« und zur »Jambonette de volaille braisée à blanc« ließen meine neuen Geschäftspartner einen Château Cap du Moulin 1985 servieren. Feiner Stoff, aber ich hielt mich zurück an diesem 18. April 1993. Wenig später nämlich stand mein erstes Match im neuen Outfit bevor, auf Sand. Die neuen Lotto-Schuhe drückten noch. Mein rechter Fuß ist breiter als der linke, der wiederum ist größer als der rechte, winzige Unterschiede nur, doch ein Schuh muss sitzen. Paolo Pastrin, der im Werk für die Schuhe zuständige Experte, reiste vom Lotto-Hauptsitz in Montebelluna nach Monaco an und nahm Maß.

Nach meinem Match gegen den Schweizer Marc Rosset war Tiriacs Stimme auf meinem Anrufbeantworter. Lotto sei verstört, weil ich während des Matches, angeblich hörbar für Radio- und Fernsehmikrophone, über mein neues Lotto-Hemd genörgelt hatte. Schon möglich - irgendjemand, irgendwas musste ja herhalten für meine Niederlage (6:7, 3:6). Bis zu meinem letzten Wimbledon-Auftritt trat ich in Lotto-Kleidung an - vertraglich war ich dazu nicht mehr verpflichtet. Ich hätte meinen Traum verwirklichen können, einmal ganz in Weiß zu spielen, doch ich wollte meine Loyalität gegenüber Lotto bekunden. Noch heute spiele ich in Lotto-Schuhen. Und Aberglaube war auch dabei: Lotto war Teil meiner Normalität. »Never change a winning shirt.«

Schon als zehnjähriges Talent war ich mit dem italienischen Konzern Ellesse vertraglich verbunden - es gab keine Mark, aber kostenlose Klamotten. Ich habe mit Adidas-Schlägern gespielt, und wenn ich zu viele zertrümmert hatte, meldete ich meinem Sponsor, das Material sei unter der Last meiner Vorhand zerbrochen; die Unwahrheit war das nicht. Meine erste »badge«-Werbung, diese Aufnäher am Hemd, handelte Tiriac noch vor dem ersten Wimbledon aus, mit BASF. Sie zahlten einige Zehntausende - Kleingeld für die weltweite Werbung, mit der ich den Sponsor durch meinen Wimbledon-Sieg 1985 beglückte. In meinen sieben Wimbledon-Finals trat ich mit zwei Schlägermarken an, Puma und Estusa, die Rahmen waren nahezu identisch.

Nach meinem ersten Wimbledonsieg 1985 hätte ich aufhören können mit dem Tennis. Die Gagen aus den Werbeverträgen reichten für ein Menschenleben, zumal Geld für mich nie Priorität besessen hatte. Die Sponsoren waren allerdings selbst danach eher zurückhaltend: War der kleine Becker tatsächlich Weltklasse, ein Wunderkind oder ein Windei, ein

Zufallssieger wie bei der Formel 1, wenn die Favoriten gegen die Mauer rasen und die Letzten die Ersten werden? Wimbledon 1985 waren immerhin McEnroe, Connors, Lendl, Edberg, Mecir und Noah dabei, und Becker war nicht einmal gesetzt. Ich musste dort ein zweites Mal gewinnen, bevor der Rubel so richtig rollen konnte. Der Sieg 1985 war der Türöffner, nach 1986 kam dann das große Geld. Bereits in meinem Match gegen Pernfors wurde ich wegen des Grand-Prix-Paragraphen V. D. 3 a zu tausend Dollar Geldstrafe verurteilt. Mein Vergehen: »Mr. Becker ist beim Einspielen mit einer Trainingsjacke gekleidet gewesen, die mit einem übergroßen Firmenlogo versehen war. Er spielte in zwei Hemden mit übergroßen Logos (Coca-Cola).«

Je mehr Verträge ich abschloss – Mercedes, Deutsche Bank, Faber, Puma, Tag Heuer, Ebel, Coca-Cola, Philips, Fila, Diadora, Ford, Müllermilch, BASF, Ellesse, Seiko, Polaroid, Ferrero (Nutella) zählten zu meinen Partnern –, desto kürzer wurden meine Erholungsphasen. Ich wurde reicher und müder, unabhängig und unfrei zugleich. Die Werbepartner erwarteten selbstverständlich Einsatz für die Gagen, fünf bis zehn Tage jährlich, je nach Vertrag: PR-Aktionen, Auftritte wie 1998 im Nürnberger Kaufhaus Wöhrl für Lotto, Werbefilme für Mercedes, Formel-1-Weltmeister Mika Häkkinen und Becker vereint oder ich allein vor dem Computer für AOL: »Ich bin ja schon drin.«

Nike, der amerikanische Sportartikel-Hersteller, hat mir ein Angebot über einhundertfünf Millionen Dollar gemacht, mit einem Vertrag, der über sieben Jahre laufen sollte, einschließlich Aktienanteilen. Insgesamt wäre der Deal dreihundert Millionen Dollar wert gewesen, doch ich war bereits bei Fila unter Vertrag, einem Nike-Konkurrenten. Tiriac bemühte sich, mich aus dem Vertrag mit den Italienern herauszukaufen – vergeblich. Sie erhöhten allerdings die bestehende Vertragssumme.

BMW wollte ein nach mir benanntes Cabriolet vermarkten: »B. B.«. Das Angebot lag unter meinem Marktwert, wir kamen nicht ins Geschäft. Ein Glück im Nachhinein: Meine wunderbare Partnerschaft mit Mercedes, weit über das Karriereende hinaus angelegt, wäre wahrscheinlich nie zustande gekommen. Multi-Multi-Multi-Millionär hätte der Becker sein können, klagte Tiriac so manches Mal. Erst meine Niederlage in Wimbledon 1987 in der zweiten Runde brachte Erleichterung - ich konnte diesem Gefängnis entkommen, dem Erwartungsdruck der Deutschen, der ständigen Geldmacherei. Tiriac hat bis heute nicht verstanden, warum ich nicht alles abgezockt, jeden Vertrag akzeptiert habe, so wie damals Björn Borg, der gut fünfzig Verträge hatte, oder Michael Schumacher heute. Ion hat sicher Recht, ich hätte noch weitaus mehr verdienen können. Und hätte ich damals gewusst, wie viel mich das Leben nach dem Tennis kosten würde, vielleicht hätte ich den einen oder anderen Vertrag doch noch mitgenommen ...

In einer »Fortune«-Titelgeschichte vom Juni 1998, »The Jordan effect«[1], habe ich noch einmal nachgelesen, welchen Einfluss das Basketball-Phänomen Michael Jordan damals auf die Wirtschaft hatte: Zuschauerzuwachs bei seinem damaligen Team, den Chicago Bulls, Einschaltquoten, Fernsehrechte, Lizenzgebühren, Absatz der von Nike entwickelten Air-Jordan-Schuhe, Werbespots für McDonald's, Gatorade, Coke und Wheaties. Das Resultat: etwa zehn Milliarden Dollar - zehn Milliarden, die er allein bewegte! Zugegeben, Jordan ist eine Ausnahmeerscheinung gewesen, sein Club zahlte ihm vierunddreißig Millionen Dollar Jahresgehalt. Das erscheint übertrieben, geradezu obszön -aber auch bei einem Umsatz von 10 000 000 000 US-Dollar?

In Deutschland haben Neunmalkluge immer wieder die Frage aufgeworfen, womit Boris Becker wohl die 2,6 Millionen Mark rechtfertige, die ihm der DTB fünf Jahre lang bis

Ende 1999 überwies. Die Frage sollte anders gestellt werden: Hätte die UFA auch dann über fünf Jahre lang einhundertfünfundzwanzig Millionen Mark dem DTB für die TV-Übertragungsrechte am Davis Cup und an den deutschen Turnieren bezahlt, wenn Steffi Graf und ich die Tennisbegeisterung nicht ausgelöst hätten? Ein beträchtlicher Anteil dieser UFA-Zahlungen sind an die Landesverbände überwiesen worden, in denen damals meine größten Kritiker saßen. Ich bin über Tennis materiell unabhängig geworden, nicht über Spekulationen an der Börse oder mit Immobilien. Jeden Dollar habe ich erlaufen und erkämpft. Haben mich all die Unternehmer bezahlt, die von dem Sog profitiert haben, die Tennis-Bekleidungsproduzenten, die Magazine, die ihre Auflagen erhöhten, weil sie mein Foto auf den Titel druckten, die Hersteller von Tennishallen, von Bällen und Schlägern? Im ersten Halbjahr 1985 setzte Puma, mein Racket-Ausrüster, siebentausend Schläger ab, nach meinem ersten Wimbledon-Sieg waren es bereits dreiundsechzigtausend, nach dem zweiten 1986 um die dreihunderttausend. In meinem Wimbledon-Jahr 1985 übertrug das deutsche Fernsehen gerade mal fünfundneunzig Stunden, 1994 bereits 2150 Stunden Tennis. So betrachtet, habe ich nur einen Bruchteil von dem erhalten, was mir eigentlich zugestanden hätte. Doch wenn ich zurückblicke auf die Entwicklung des Sports, vor allem des Tennis, dann kann ich nur sagen: Ich bin zur richtigen Zeit am richtigen Ort gewesen. Die Pioniere unseres Sports haben keinen Cent gesehen, die ersten Profis haben lediglich Kleingeld erhalten. Und heute scheint sich aufgrund der Marktsituation die Schraube wieder langsam zurückzudrehen. Sie muss sich zurückdrehen!

Wimbledon war und ist das Mekka des Tennis, die Kultstätte des in Schlössern und Burghöfen entwickelten Spiels, das in jenen Zeiten »jeu de paume« hieß, grob übersetzt etwa: die Handfläche, wegen der Form der damaligen Schläger. Die Briten, die Ende des 19. Jahrhunderts an der Côte d'Azur überwinterten oder am Strand von Deauville promenierten, exportierten ihren Sport auf den Kontinent: Männer wie die Franzosen Jean Borotra, Henri Crochet, René Lacoste oder die Amerikaner Bill Tilden und Donald Budge, der Brite Fred Perry, der Deutsche Gottfried von Cramm sowie dessen Landsmann Henner Henkel dominierten in den Jahrzehnten danach die Tennisszene, die sich nur ganz allmählich von ihren Traditionen zu lösen wagte.

Die Einführung des Tiebreak, durch den die Verkürzung der Sätze möglich wurde, ist eine der wenigen grundsätzlichen Reformen des Spiels in dieser ganzen Zeit. Lange Tennishosen und weiße Hemden gehörten bis 1933 zur Kleiderordnung in Wimbledon. Es waren andere, vielleicht schönere Jahre. 1925 wurde das Herren-Finale zwischen Lacoste und Borotra sogar auf einen Montag verschoben, damit die Gentlemen sich von ihren Einsätzen im Doppel und im gemischten Doppel erholen konnten. So mancher dieser Amateurspieler hat es später trotz des Reglements verstanden, die Faszination am Sport in Geld umzusetzen. Lacoste, Spitzname »das Krokodil«, ließ Tennisbekleidung vermarkten, die noch heute mit dem Tier geschmückt ist. Ein Lorbeerkranz ist das Symbol auf den Hemden von Fred Perry.

Zwischen 1931 und 1963 machten ein Dutzend Wimbledon-Sieger ihr Hobby zum Beruf – Jahre bevor sich die internationalen Verbände dazu entschlossen, sowohl Amateure als auch Profis bei den Turnieren zuzulassen, die später als »Open« qualifiziert wurden. Amateure wie John Newcombe, Ken Rosewall, Rod Laver, Lew Hoad und Tony Roche, allesamt Australier, Spieler wie der Spanier Manuel Santana, der Italiener Panatta, Tiriac, Nastase oder auch der Deutsche Wilhelm Bungert (der 1967 das Wimbledon-Finale erreichte und gegen Newcombe 6:3, 6:1, 6:1 verlor) kassierten einige hundert Dollar Antrittsgelder, die oft als Spesen deklariert waren. Die Spieler reisten gemeinsam von Turnier zu Turnier, teilten sich in den Jahren des Amateurtennis zu dritt oder viert ein Zimmer und gelegentlich auch die Freundinnen. Sie lebten nach dem Motto: Abends noch ein Bierchen, und danach denken wir ans Turnierchen.

Tiriac erzählte mir, dass er in London häufig vor einem Turnier-Match mit dem Gegner zechte, gegen den er am nächsten Tag antreten sollte. Im »Ponte Vecchio« war Ion so häufig zu Gast, dass er ernsthaft darüber nachdachte, das Restaurant zu kaufen. Nun hat es ein anderer übernommen, der Italiener ist ausgezogen. Die Wände der Bar waren geschmückt mit den Porträts von Stars, die Tennisgeschichte geschrieben haben: Alejandro Olmedo etwa, der Peruaner, der Wimbledon 1959 gewann. »The chief«, Häuptling, haben sie ihn genannt, wegen seiner noblen indianischen Gesichtszüge und der tiefschwarzen Haare. Einem Panther gleich strich Alex am Netz entlang und hechtete nach Bällen, die unerreichbar schienen. Der Wimbledon-Sieger ist heute Tennislehrer im Beverly Hills Hotel in Los Angeles, in seinem Büro hängt ein Schwarz-Weiß-Photo: Die Herzogin von Kent überreicht Olmedo den Pokal. Bei meinem letzten Wimbledon-Turnier war er Ehrengast der Veranstalter und durfte in der Königsloge sitzen.

Bei meinem Freund, dem Musikproduzenten Berry Gordy, steht ein Foto auf dem Flügel im Wohnzimmer, das mich im Tennis-Outfit zeigt. Ich bin jedes Mal berührt, und es ist mir auch immer ein bisschen peinlich, wenn ich den Silberrahmen sehe: Was habe ich schon geleistet, um da so feierlich herumzustehen? Berry ist, wie sollte es anders sein, ein Tennis-Verrückter. Natürlich gib es auf seinem Villengrundstück – nur wenige Kilometer von Olmedos Arbeitsplatz entfernt – einen Tennisplatz. Ich habe einige Male bei ihm trainiert, abseits des bei Turnieren üblichen Trubels.

Die Gärtner stellten ihre Rasenmäher ab, blieben am Gitter stehen und sahen mir schweigend bei der Arbeit zu.

Tennis ist längst kein Sport für die oberen Zehntausend mehr, sondern wird von allen Bevölkerungsschichten auf der ganzen Welt geschätzt: Selbst der Papst hat Wojtek Fibak, seinem polnischen Landsmann, einmal anvertraut, er würde gern ein Stündchen mit ihm üben – das war allerdings zu Zeiten, als der Heilige Vater noch Ski lief. Als John McEnroe von Johnny Carson ein Beach-Haus im kalifornischen Malibu kaufte, forderte der Talkmaster zusätzlich zum Kaufpreis eine Extraleistung: drei Trainer-Stunden mit McEnroe. Und als glückliche Verbindung erwies sich das Tennisspiel für Arnold Schwarzenegger: Der gebürtige Österreicher lernte seine Frau Maria Shriver bei einem Wohltätigkeitsturnier kennen. Bälle schlägt er heute meist auf seinem Privatplatz im kalifornischen Pacific Palisades mit Ralf Moeller, einem ehemaligen Mister Universum wie Schwarzenegger auch.

Im August 1967 spielten erstmals acht Profis auf dem Centre Court von Wimbledon – in einem von der BBC finanzierten Turnier, mit dem die Einführung des Farbfernsehens gefeiert werden sollte. Herman David, der Chairman des »All England Lawn Tennis & Croquet Club«, der Traditionsbewahrer von Wimbledon, hatte begriffen, dass die Entwicklung hin zum Profi-Tennis nicht mehr aufzuhalten war. Er forderte, die Turniere künftig auch für Profis zu öffnen, Wimbledon sollte ein »Open« werden. Vier Monate nach der ersten Farbfernsehübertragung entschied sich die nationale »Lawn Tennis Association«, dem Trend der Zeit zu folgen. Im März 1968 brach schließlich auch der Widerstand des Internationalen Tennisverbands zusammen, und zum ersten Mal spielten Profis offiziell in Wimbledon.

Die Amateure, die eigentlich keine mehr waren, atmeten auf. Sie riskierten keine Sperren mehr wegen illegaler Zahlungen, sie konnten sich organisieren, etwa in der »Association of Tennis Professionals« (ATP), zu deren frühen Führern Arthur Ashe, Stan Smith und der Jugoslawe Niki Pilic zählten. Wegen Pilic, der später kurzfristig mein Trainer wurde und das deutsche Davis-Cup-Team führte, gerieten die Profis und die »International Lawn Tennis Federation« wenige Tage vor Wimbledon 1973 aneinander: Pilic hatte sich geweigert, für sein Land gegen Neuseeland im Davis Cup anzutreten, und dafür professionelle Verpflichtungen vorgegeben. Der Chef des jugoslawischen Verbands, ein Onkel von Pilics Ehefrau, forderte eine Sperre, die der Internationale Verband dann auch aussprach – zunächst für neun Monate, dann reduziert auf vier Wochen. Pilic, »überheblich und übertrieben selbstbewusst wie Charles de Gaulle«, so der Tennisautor Richard Evans, und »weit davon entfernt, einer der populären Spieler«[2] zu sein, wurde gleichwohl von den Kameraden unterstützt: Neunundsiebzig Kollegen entschlossen sich, Wimbledon zu boykottieren, falls die Sperre nicht aufgehoben werde. Ihr Argument: Nicht die nationalen Verbände, sondern die ATP vertrete die Interessen der Profis. Niki war bereit, die Sperre zu akzeptieren und damit auf Wimbledon zu verzichten, um das Turnier zu retten. Die ATP aber beharrte darauf, den Machtkampf durchzustehen. Es wurde ein seltsames Turnier: Der Tscheche Jan Kodes, vor dem Boykott an Platz fünfzehn gesetzt, danach an zwei, siegte im Finale gegen den Russen Alexander Metreveli, erst die Dreizehn der Setzliste, dann die Vier.

Nach diesem Boykott war nichts mehr wie zuvor. Die ATP hatte den Funktionären die Grenzen aufgezeigt, die Spieler in den weißen Shorts wurden mächtiger – und reicher. 1968, im ersten offiziellen Profi-Jahr unserer Branche, erklärten sich einunddreißig Turniere als »Open«. Der Australier Tony Roche, der zwei Jahrzehnte danach Trainer und Vertrauter Lendls wurde, kassierte in jenem Jahr das meiste Geld:

63 504 Dollar – so viel, wie heute Stars für eine Autogrammstunde im Kaufhaus bekommen.

Mich hat nicht das große Geld zum Tennis gelockt, und auch meinen Eltern waren andere Werte wichtiger. Die dringlichste Frage meiner Mutter war stets: »Junge, geht's dir gut?« Ihre häufigste Feststellung: »Du siehst so blass und abgemagert aus. Ist was?« So ist das nicht bei allen Tenniseltern. Manche dulden es, dass ihre Kinder auf dem Platz wie in einer Strafkompanie der US-Marineinfanterie gequält werden. Über Jahre hatte der Internationale Verband Spieler unter sechzehn davor bewahrt, sich auf Profi-Turnieren zu verheizen. 1974 war dann aber der Druck der Agenten, der International Management Group (IMG) oder ProServ, zu stark geworden. Sie lockten mit fetten Verträgen und verhandelten direkt mit den Eltern.

Bei den achtundachtzig Junioren-Turnieren, die in meinem ersten Wimbledon-Jahr ausgetragen wurden, waren 3772 Spieler gemeldet – 3772 Talente und ebenso viele Hoffnungen. Die Folge: Krieg statt Kameradschaft. Vor den Grand-Slam-Turnieren, etwa in Wimbledon oder Paris, kämpfen die Spieler bei Qualifikationsturnieren um ihre Zukunft. Jetzt und hier müssen sie anbrechen, die goldenen Zeiten. Mit dem Rucksack, mit Tennistaschen oder Koffern, die mit Bändern zusammengehalten werden, weil die Schlösser ausgeleiert sind, reisen sie an – arm an Cash, reich an Selbstbewusstsein und Unbekümmertheit. So wie ich 1984, so wie McEnroe, der sich 1977 über die Qualifikation bis ins Halbfinale vorspielte. Natürlich fuhr auch ich 1984 nicht mit einer Limousine, sondern mit der U-Bahn zum Turnier, zuerst nach Barnes und dann weiter mit dem Taxi nach Roehampton. Die »Qualies« werden nicht etwa in Wimbledon gespielt, sondern auf Rasenplätzen des Sportvereins der Bank von England, die zu meiner Zeit umfunktionierten Fußballplätzen ähnlich waren – hier eine Bodenwelle, dort ein Loch, mal kurz, mal lang. Der Rasen jedenfalls ist nicht manikürt wie der Centre Court, der in Wimbledon nur für zwei Wochen im Jahr bespielt wird.

Mit mir im Qualifikationsturnier 1984 spielten Guy Forget, später der beste Spieler seiner Zeit in Frankreich, sowie Kenneth Flach, in den neunziger Jahren einer der besten Doppelspieler der Welt. Wir waren vereint in dem Traum, den Mount Everest zu bezwingen, und in unserem Sport war das Wimbledon. Für manche Talente ist die Qualifikation für das Hauptfeld, gleich in welchem Turnier, der erste Griff nach Glorie und Geld, vorausgesetzt, sie haben die Nerven, dem Druck standzuhalten, und den Willen, die Niederlagen zu überwinden. Wie einfach lesen sich die Geschichten über Millionenverträge, über Diners in Monaco mit Sponsoren wie Lotto, Reisen in privaten Jets, Hofknicks bei der Queen. Davor liegt jedoch eine unglaubliche Plackerei. »Der Mensch wird nicht zum Glück geboren«, hat Fjodor Dostojewski geschrieben, einer meiner Lieblingsautoren, »der Mensch verdient sich sein Glück immer nur durch Leiden.« Und im Berufsleben nach dem Tennis ist das nicht anders.

Vier Wochen nach meinem letzten Schlag auf dem Centre Court von Wimbledon gab ich bekannt, dass ich zusammen mit dem Geschäftsmann Hans-Dieter Cleven die Völkl Tennis GmbH gegründet hatte. »Jetzt wird der Becker Unternehmer, Businessman«, war der Tenor der Medien. Ich konnte da nur lächeln. Was waren denn dann die letzten fünfzehn Jahre gewesen? Ein Turnvater-Jahn-Dasein, nur mit viel Ruhm und Ehre? Auch wenn für mich der Sport immer im Vordergrund stand, so war ich doch seit meinem sechzehnten Lebensjahr vor allem Geschäftsmann. Wo andere gleichen Alters nach der Mittleren Reife eine Lehre bei der Bank oder der Post anfangen, kam ich gleich mit dem Big Business in Kontakt. Man vergisst nur allzu gerne, dass Profi-Sportler selbstständige Unternehmer sind, ohne einen Konzern im

Hintergrund, der ihnen den Rücken freihält. Der Sportler allein entscheidet im Formel-1-Auto, im Boxring, auf der Skiflug-Schanze oder auf dem Tennisplatz über das Wohl und Wehe seiner Firma. Natürlich gibt es Helfer und Berater, aber wenn du um vierzehn Uhr an den Start musst, dann hilft dir kein Schwein. Der Sportler allein ist es, der mit seiner Leistung und seinem Auftreten die Höhe der Gage bestimmt, das Volumen des Werbevertrags festlegt.

Von Kindesbeinen an habe ich deshalb Disziplin und Professionalität verinnerlicht. Die Matches auf dem Centre Court von Wimbledon fangen nun mal um vierzehn Uhr an, da kann man nicht erst um fünfzehn Uhr vorbeischauen. Als Sportler kann ich auch nicht unvorbereitet in das Match gehen. Ich muss trainiert sein, muss eine Strategie haben, ein Ziel, wissen, was ich erreichen will, muss über Kraft, Willen und Selbstbewusstsein verfügen. Sport ist wie Geschäft – am Ende kommt es auf die Big Points an.

Ein Profi-Sportler hat gelernt zu entscheiden, kann mit Druck umgehen, muss spontan Konfliktlösungen finden und hat einen Riesenapparat auf der Payroll: Manager, Trainer, Masseure, Anwälte und vor allem Steuerberater. Die Top-Sportler, die Außergewöhnliches leisten, sind nicht fremdbestimmt, sondern bilden den Mittelpunkt des Geschäfts. Ich glaube, Michael Schumacher ist entscheidend für das Ferarri-Team, und nicht umgekehrt. Ein Michael Jordan oder ein Tiger Woods sind Persönlichkeiten, die ihr Umfeld bestimmen, ihre Philosophie durchsetzen.

Sport ist einfach, klar, direkt, ehrlich. Gewinner oder Verlierer, das Ergebnis steht da, schwarz auf weiß. Das Geschäftsleben wird dagegen von vielen Faktoren bestimmt, ist wesentlich komplexer. Der Deal kann noch so gut sein, kann für alle etwas bringen, und trotzdem kommt er nicht zustande, weil Menschen aus politischen oder strategischen Gründen ihn verhindern.

Es hatte sich ja schon in den letzten Jahren meiner Tennis-Karriere angedeutet, dass ich mehr auf eigenen Füßen stehen wollte. Es ging schon mit der Trennung von Tiriac los: Ion war der Zopf meiner Vergangenheit, der abgeschnitten werden musste. Meine anschließende Zusammenarbeit mit Axel Meyer-Wölden war mehr das Zusammenspiel gleichwertiger Partner. Mit ihm saß ich am Tisch, diskutierte Fragen wie: »Wo geht künftig der Weg hin? Was sind meine Stärken und Schwächen? Wo fühle ich mich wohl? Und wo bin ich gut?« Als Axel im Sommer 1997 starb, war für mich klar: Jetzt stelle ich mich auch für die Öffentlichkeit erkennbar an die Spitze des Unternehmens Boris Becker. Die Konsequenz: Im Herbst 1997 begann ich mit den Vorbereitungen zur Gründung einer eigenen Vermarktungsgesellschaft. Im Juli 1998 erfolgte dann die Gründung der BBM, der Boris Becker Marketing, in München.

Zu der Zeit spielte ich noch aktiv Tennis, aber ich hatte, wie man im Englischen so schön sagt, bereits »hands on the job«. Ich wollte künftig nicht nur die großen Entscheidungen fällen wie bisher, sondern bereits an den Entstehungs- und Entscheidungsprozessen mitwirken. Geschäftsmann war ich von Jugend an, mit der BBM aber begann das Unternehmertum für mich. Was meine persönliche Vermarktung durch meine Firma BBM betraf, so lief das gut und reibungslos weiter. Bei anderen, neuen Projekten mussten wir immer wieder Niederlagen einstecken. Da bekanntlich der Fisch vom Kopf stinkt, suchte ich natürlich zuerst die Ursachen bei mir selbst.

Zum einen war ich zu ungeduldig, versuchte, die Mechanismen des Sports eins zu eins auf das Geschäftsleben zu übertragen. Aber was ich früher mit einem Tennisschlag regeln konnte, erforderte nun eine Vielzahl von Meetings, Konzepten und Präsentationen. Zudem war ich erstmals wirklich abhängig von anderen Menschen. Bei der Auswahl der Mitarbeiter habe ich am Anfang häufig aufs falsche Pferd gesetzt. Was das betrifft, bin ich sehr »undeutsch«: Ich glaube das, was mir jemand sagt – man kann das auch naiv nennen. Ich habe das Steuer Leuten überlassen, die mir das Blaue vom Himmel herunter versprochen hatten, aber nicht im Stande waren, diese Qualität auch zu liefern. Weil ich fremd war in der Branche, die Strukturen hinter den Kulissen noch nicht begriff, bin ich zu unvorsichtig gewesen in der Wahl von einigen Mitarbeitern und Projekten.

Hinzu kam meine persönliche Situation. Weil ich es auf dem Höhepunkt meiner Ehekrise zu Hause oft nicht mehr aushielt, floh ich ins Büro und in blinden Aktionismus. Ein Geschäftsessen hier, eine interessante Präsentation dort – am liebsten hätte ich alles gemacht, und zwar sofort. Ein Internet-Portal, eine Öko-Food-Company, eine Telefon-Firma – alles spannende Ideen. Bis ich allerdings begriff, dass die Menschen, die die operative Verantwortung trugen, sich in erster Linie mit dem Namen Becker schmücken wollten, statt wirklich einen guten Job zu machen, waren die Projekte gescheitert. Die Zuständigen schickten nun Becker ins Trommelfeuer der Öffentlichkeit und warfen auch noch mit Steinen nach ihm. »Uninteressiert, unpünktlich, nicht teamfähig, beratungsresistent«, um nur einige Vokabeln zu zitieren, die den Medien zugeführt wurden.

Ich wurde gleichsam durchleuchtet, und das halb volle Glas war für die Öffentlichkeit nun halb leer – eine typisch deutsche Eigenschaft. Ich empfand es als unfair, meine ersten Schritte als Unternehmer mit meinen Tenniskünsten und meinen Wimbledon-Siegen zu vergleichen. Wahrscheinlich bin ich erst mit fünfzig als Unternehmer auf dem Höhepunkt. Jetzt habe ich mich auf den Weg gemacht. Auch wer Wimbledon gewinnen will, muss erst durch die Qualifikation.

Ich hatte unterschätzt, dass diejenigen, die mit mir als

Tennisstar Geld verdient hatten, nun in mir als Vermarkter eine bedrohliche Konkurrenz sahen. Plötzlich war ich der Gegenspieler der großen Vermarktungsagenturen, einer, der Zugang zu allen Spielern und Sponsoren hatte. Selbst Leute beim DTB, für den die BBM die Vermarktung des schwierigen Themas Davis Cup übernommen hatte, fielen mir plötzlich in den Rücken. Ein Sensationsdeal mit einem deutschen Telekommunikationsunternehmen scheiterte in der letzten Minute, weil bestimmte Herren im DTB, die jahrelang durch die Erfolge von Steffi, Michael und mir wie die Maden im Speck gelebt hatten, den Vertrag torpedierten. Und als das Geschäft geplatzt war, war natürlich wieder nur einer schuld: der Becker. Ein schwacher Trost, dass sich der DTB inzwischen von diesen Herren getrennt hat. Viel wichtiger aber war für mich, dass ich zeitgleich die Bekanntschaft von Hans-Dieter Cleven machte.

Es war eine aufregende Woche. Ich hatte meine Zelte in Monte Carlo aufgeschlagen, logierte in der Präsidenten-Suite des Hôtel de Paris und drehte für RTL ein Monaco-Special. Der entstehende Formel-1-Parcours bekam die Stadt immer mehr in den Würgegriff. Je näher der Grand Prix kommt, desto ungemütlicher wird es in Monte Carlo. Ich war froh, dass ich an diesem Abend wegfliegen konnte, raus aus der Jet-Set-Metropole, weg von den Paparazzi und bohrenden Fragen zu meiner privaten Situation. Als der Lear-Jet am späten Nachmittag in Stuttgart landete, war ich in einer anderen Welt angekommen. Bis auf den Fotografen einer Lokalzeitung hatte niemand meine Ankunft mitbekommen. Im Hotelfoyer saßen statt mondäner Damen bei Champagner und Kaviar-Toast leicht angegraute Herren in Geschäftsanzügen, die auf verschiedene Tische verteilt bei Brezeln und Mineralwasser Papiere wälzten. Herzlich willkommen in der Welt von Hans-Dieter Cleven, dachte ich mir.

Es war ein ganz besonderer Tag für ihn: Die Technische Universität würde ihm in wenigen Stunden die Ehrendoktorwürde verleihen – und was machte Dieter? Er sprach mit mir die Details unserer künftigen Zusammenarbeit durch. Dabei stand er doch selbst kurz vor seinem ganz persönlichen Wimbledon-Sieg!

Ich hatte Dieter im Mai 1999 kennen gelernt; unser gemeinsamer Freund Charly Steeb hatte uns zusammengebracht. Die Völkl Tennis GmbH wurde unser erstes gemeinsames Projekt. Bei unseren ersten Sitzungen fiel mir auf, dass wenig – wenn überhaupt – über Privates gesprochen wurde. Es gab weder Kaffee noch ein Bier noch eine Zigarre. Heute weiß ich: Dieter trinkt keinen Alkohol, raucht nicht und isst weder Fisch noch Meeresfrüchte. Für Bücher und Musik hat er wenig Zeit. Das letzte Buch, das er gelesen hat, war die Biographie von Sam Walton, dem Gründer und Inhaber des größten Handelskonzerns der Welt. Ich hoffe, mein Buch wird sein nächstes sein.

Sein Auftreten war sehr klar, sehr dominant, sehr direkt. Dazu dieser scharfe Blick und diese klare Sprache. Hoppla, so einen habe ich ja noch nie kennen gelernt, war mein erster Gedanke. Ein bisschen bebte Dieters Stimme dann aber doch, als er im schmucklosen, aber ehrwürdigen Festsaal der Stuttgarter Uni zu seinen Gästen sprach, Menschen, die er an einer Kreuzung seines Lebens getroffen, mitgenommen und nicht vergessen hatte. Seit siebenundzwanzig Jahren lebt und arbeitet der geborene Würzburger, der in Essen aufwuchs, in der Schweiz. Im Kriegsjahr 1943 geboren, hat Dieter seinen Vater nie kennen gelernt. Er fiel an der Front, als Dieter ein Jahr alt war. Die Verhältnisse waren bescheiden, wie man heute gerne ärmliche Umstände bezeichnet. Dieter hat gehungert, Sparsamkeit gelernt und begriffen: Da alle nichts hatten, konnte Erfolg nur durch harte Arbeit erreicht werden. Eingebettet in eine funktionierende Großfamilie, mit Großeltern und Onkel auf kleinstem Raum, hat er Gemeinschaft und Rücksichtnahme kennen gelernt. Und statt fernzusehen drosch er mit Oma und Opa Skat. So lernte er, statt im Kindergarten zu spielen, früh rechnen und reizen.

Heute ist Hans-Dieter Cleven einer der erfolgreichsten Unternehmer der deutschen Nachkriegsgeschichte. Mit einem Jahresumsatz von rund fünfzig Milliarden Euro und knapp 230000 Beschäftigten ist Metro der zweitgrößte Handelskonzern Europas. Dieter hat Metro gestartet, zusammen mit Otto Beisheim und anderen. Bis vor kurzem war er Chef der Konzern-Holding. Zwar wollte seine Tante Hanna, als Schwester Ruth vom Orden der Dominikanerinnen eine außerordentliche Ordensfrau, aus Dieter einen Kardinal machen, doch der achtzehnjährige Handelsschulabsolvent stieg lieber in ein Handelsunternehmen in Mülheim ein. Verwaltungsleiter damals dort: Otto Beisheim. Die beiden legten eine unglaubliche Erfolgsstory hin. An diesem Abend in Stuttgart ist Otto Beisheim auch der Erste, dem Dieter dankt.

»Eveline, du weißt, du bist der zweite Glücksfall in meinem Leben«, wendet sich Dieter schließlich an seine Gattin. Es ist Wehmut, die ich in diesem Moment verspüre, als dieser überaus erfolgreiche Mann seiner Frau mit diesen Worten den Doktor-Titel zu Füßen legt. Ich freue mich für die beiden, dass sich nach diesem langen, schweren, gemeinsamen Gang Liebe und Respekt nicht abgenutzt haben, und zugleich bin ich traurig, dass mir das mit meiner Frau nicht gelungen ist.

Wie soll ich zurecht kommen mit einem Mann, der so ganz anders ist als ich? Sicher, er war früher Stürmer seiner Fußballmannschaft, liebt den Tennissport und hat heute im Alter von sechzig Jahren im Golf immerhin schon Handicap einundzwanzig, obwohl John D. Rockefeller in seiner Biographie empfiehlt: früher Rückzug in den Ruhestand und dann erst die ersten Golfrunden. Ich habe derzeit Handicap acht! Auch wenn wir aus zwei verschiedenen Welten stammen, so sind wir doch aus dem gleichen Material gemacht. Wir geben alles für den Erfolg, kämpfen uns in scheinbar auswegloser Situation Punkt für Punkt weiter und haben gelernt, mit Sieg und Niederlage gleichermaßen umzugehen.

Es macht mich stolz, Hans-Dieter Cleven als Freund und Geschäftspartner zu haben, ich sehe ihn sogar als Vaterersatz. Zufall ist das nicht: Ich habe meinen Vater im Frühjahr 1999 verloren und traf kurz danach Dieter. Zu ihm bin ich so offen wie sonst zu keinem Menschen, ob es sich um Privates oder Berufliches handelt. Und egal was ich ihm bislang sagte oder er über mich hörte, er war nie erschrocken oder überrascht. Als er damals in Stuttgart zu den Festgästen sagte: »Ich setze Erfolg nicht gleich mit Macht und Geld, sondern mit Lebensqualität«, da wusste ich: Wir sind wesensverwandt.

Vor der Lebensqualität aber steht das Geschäft. Dieter ist damals in die Schweiz gezogen, um seine unternehmerischen Ideen zu verwirklichen. Ich bin ihm nun gefolgt. Über all die Jahre ist mein Bekanntheitsgrad trotz des Rücktritts vom Tennis gestiegen – das ist ein Phänomen, aber auch ein Fakt. Heute zahlt sich aus, dass ich damals nicht nur gut den Ball gespielt habe, sondern auch in vielen anderen Bereichen dem Dialog mit der Öffentlichkeit nicht ausgewichen bin. Andere Marken müssen Millionen investieren, um einen Markt zu durchdringen. Was ich kann, ist, Öffentlichkeit zu schaffen, ein Image mitzukreieren. Was Dieter kann und hinlänglich bewiesen hat, ist, Strukturen aufzubauen, ein Business-Konzept zu entwickeln und erfolgreich umzusetzen. Die Marke BB ist bekannt. Die Aufgabe für Dieter und mich besteht nun darin, diese Marke mit Inhalt und Produkten zu füllen und in den richtigen Märkten zu platzieren.

Am Anfang von Nike stand ein Student namens Phil Knight, der eine Vision hatte. Am Anfang von Adidas und Puma standen die Dassler-Brüder aus Herzogenaurach, die den Schuhmacher-Betrieb des Vaters übernommen haben und daraus die größten Sportartikel-Firmen der Welt machten. Großes fängt immer klein an. Für Dieter und mich gibt es keine Limits.

Der Traum aller Schwiegermütter

Ich war dreiundzwanzig Jahre alt und wieder mal am Boden, verbittert über diese Welt, in der ich immer nur Bälle schlug. Keine Kontakte, keine Freunde - der Tennisplatz war das Zentrum meiner Existenz. Über Tennis allein konnte ich mich definieren, mein Ego war k.o., wenn ich verlor, und o.k., sobald ich siegte. Sollte das ewig so weitergehen?

In dieser Verfassung bereitete ich mich auf Wimbledon 1991 vor, und erstmals stand ich in Konkurrenz mit einem anderen Deutschen: Michael Stich. Ich kannte ihn aus unserem Davis-Cup-Team. Dort hatte er es nicht einfach: Er kam in eine Gemeinschaft von Freunden, die den Neuen erst einmal ablehnten. Er wirkte hochnäsig und unterkühlt, folglich ließen die anderen ihn auflaufen, im Training und beim Abendessen.

Wir waren uns also vertraut, als wir in Wimbledon aufeinander trafen. Wir trainierten sogar zusammen und redeten jeden Tag miteinander. Das war für mich eigentlich nicht normal - und in gewisser Weise gefährlich. Ich brauche den Tunnelblick, die Quarantäne. Im Halbfinale besiegte Stich Stefan Edberg 4:6, 7:6, 7:6, 7:6. Dank Michael wurde ich damit wieder die Nummer eins der Weltrangliste. Im Januar desselben Jahres hatte ich schon einmal ganz oben gestanden, war aber wieder abgerutscht. Ich spielte nach Michael im Halbfinale gegen David Wheaton, und gegen alle Erwartungen schaffte ich es wieder, ins Finale zu kommen: Ich besiegte ihn mit 6:4, 7:6, 7:5.

Abends saß ich in Wimbledon, in dem gemieteten Haus, natürlich wieder allein. Ich habe geheult, diesmal Tränen der Entspannung. Nummer eins der Welt – ganz oben! Ich spürte, wie sich meine Nervosität legte. Der Druck war weg. An jenem Abend beschloss ich: Sollte ich das Finale gegen Stich gewinnen, wollte ich abtreten. Auf dem Höhepunkt, als Wimbledon-Sieger und Weltranglisten-Erster. Der Bergsteiger Reinhold Messner hat einmal gesagt, der wichtigste Gedanke auf dem Gipfel müsse dem Weg nach unten gelten. Ich wollte nicht abstürzen, sondern absteigen – in ein anderes Leben. Aber zum Glück kam es ganz anders. Oder leider?

In dem Match gegen Stich habe ich mich miserabel benommen – ich war weinerlich, habe gejammert, gemault. Womöglich stellte ich mir im Unterbewusstsein die Frage: der Sieg – und was kommt danach? Michael spielte sehr gut, ich hingegen war leer und erschöpft. Vom ersten Spiel an hatte ich Probleme. Den ersten Breakpoint hatte Stich, er setzte ihn um. Er retournierte locker meine ersten Aufschläge, irgendwie war es, als sei ich mit den Gedanken woanders. Ich habe mit mir geredet, immer wieder, das Übliche, Becker mit Becker. Im zweiten Satz vertat ich eine 3:1-Führung, weil ich mein Aufschlagspiel gleich wieder abgeben musste. Schon da ahnte ich: Wenn Michael keine groben Fehler mehr machte, hatte er mich im Sack. Er war nicht unter Druck, er konnte nur gewinnen. Ich hatte nichts gegen Michael, er war ja ein Kumpel aus dem Davis-Cup-Team. Vielleicht hat mich das gehemmt? Wäre es anders gelaufen, wenn mein Gegner Edberg geheißen hätte? Natürlich wollte ich siegen, aber es war kein Krieg, den wir austrugen. Ich fand meinen Rhythmus nicht, Stich siegte 6:4, 7:6, 6:4.

Danach habe ich mich ins Auto gesetzt und bin losgefahren, irgendwohin, nur weg, kreuz und quer durch London. Wo war ich? Fulham? Chelsea? Diesseits oder jenseits der Themse? Wieder Tränen. Ich habe später bei der Geburt meiner Söhne geweint und am Grab meines Vaters, ich kann im Kino heulen oder bei einer schönen Hochzeitsrede. In dieser Nacht nahm ich mir vor: Du musst deine Prioritäten neu setzen, dir ein Privatleben schaffen. Nach einigen Stunden Irrfahrt wollte ich mit jemandem reden, ich sehnte mich regelrecht nach Menschen. Also zurück ins »Deutsche Haus«, zur Siegerfeier für Michael Stich. In der Presse gab es deshalb wieder Kritik: Ich sei ein »Partycrasher« gewesen, nur gekommen, um Michael die Show zu stehlen. Dabei war ich einfach nur glücklich, nach dem Schock wieder unter Menschen zu sein.

Ein Landsmann war Wimbledon-Sieger geworden, der zweite Deutsche in der Geschichte des Turniers. Von Cramm erreichte 1935, 1936 und 1937 das Finale, Bungert 1967 – gewonnen haben ihre britischen, amerikanischen oder australischen Gegner. Michael ist genau das Gegenteil von mir. Pilic hat einmal gesagt: »Boris ist ein Weltstar, und Michael ist ein Weltklassespieler.«[1] Die »Frankfurter Allgemeine Zeitung« schrieb: »Becker wird bewundert, Stich geachtet.«[2] Ich kann nicht in Michael Stich hineinsehen, aber ich bin nicht sicher, ob er diese ewig auf ihn gerichteten Scheinwerfer überhaupt wollte. Die Reporter waren hartnäckig, oft niederträchtig: »Boris lieben die Deutschen, weil sie so sein möchten wie er. Stich mögen sie nicht, weil er so ist wie sie«[3], schrieb die Londoner »Times«.

Stich war der Typ Spieler, der nach zwei Stunden auf dem Centre Court ohne Schweiß auf der Stirn, ohne Grasflecken an den Shorts in die Kabine zurückkommt. Ich dagegen erschien wie ein Kumpel nach Schichtende: Blut an den aufgerissenen Knien, den Dreck der Grundlinie noch am Ellenbogen. Ich spuckte, hustete, redete mit dem Linienrichter und mit mir selbst, verfluchte die Götter. Und er? Aufrecht und sauber, nachdenklich und freundlich – so einen wünschen sich Mütter als Schwiegersohn. Er siegt, und es gibt verhaltenen Beifall, Anerkennung. Ich jammere, leide – und die Zuschauer trampeln mit den Füßen, die Teenies schluchzen. Michael hatte wohl eher mit dem Image von Boris Becker seine Last, nicht mit dem Menschen. 1997 sagte er der »BILD«-Zeitung: »Persönlich hatte ich nie ein Problem mit Boris. Mein Problem bestand darin, dass ich nur selten die Anerkennung für meine eigene Leistung bekommen habe, wie ich sie verdient hätte. Es war immer er, der selbst in schlechten Momenten mehr Aufmerksamkeit bekommen hat.«[4]

Michael war ein ungeliebter Sohn in der vielköpfigen Tennisfamilie. Er hat die Mechanismen der Medien nie ganz begriffen, die uns gegeneinander ausgespielt haben. »Becker hat das gesagt« – und Stich schlug zurück, ohne bei mir nachzufragen, ob ich die vermeintliche Unverschämtheit wirklich von mir gegeben hatte. Er ist oft falsch beraten worden. Seine Leute haben mehr als einmal einen Keil zwischen uns getrieben, weil sie es nicht hinnehmen konnten, dass Stich nicht wie Becker ist. In meinem Tagebuch habe ich ein Mittagessen mit ihm in Monte Carlo im Frühjahr 1994 festgehalten: »Michael«, sagte ich damals zu ihm, »im letzten Jahr hast du den Davis Cup quasi allein gewonnen, so wie ich vor einigen Jahren. Wir sind in der Weltrangliste etwa gleich eingestuft, also lass uns gemeinsam an den DTB wegen eines Kooperationsvertrags herantreten.« Er hat mich völlig überrascht angesehen und gesagt: »Meinst du das im Ernst?« – »Ja, fifty-fifty. Ich kann es dir schriftlich geben. Wir können das über unsere Anwälte klären. Gemeinsam sind wir in den Verhandlungen stärker.« Einige Wochen später las ich in der Zeitung: »Stich unterschreibt beim DTB.« Sein Honorar: eineinhalb Millionen Mark pro Jahr. Ein Alleingang. Schade, dachte ich mir, wir haben eine Menge Geld verloren. Danach verhandelte Meyer-Wölden für mich und erreichte 2,6 Millionen Mark jährlich. Stich war sauer. Er verhandelte neu, bekam mehr Geld. Ich bin sicher, dass wir uns geeinigt hätten, wenn ihm nicht irgendwelche Berater hineingeredet hätten. Denn Michael ist ein anständiger Kerl und viel mehr vom Gefühl bestimmt, als er je zugeben wird. Er handelt spontan, lässt sich von seiner Gemütsverfassung leiten und denkt deshalb wenig strategisch. Das macht ihn sympathisch, und wenn wir für uns waren, haben wir uns stets gut verstanden, etwa in Barcelona bei den Olympischen Spielen.

Barcelona war einer der Höhepunkte in meiner Karriere. Ich war für die Spiele in Los Angeles und Seoul nominiert gewesen, und jedes Mal musste ich verletzungsbedingt absagen. Vor den Spielen in Korea machte ein kleiner Teil der Olympiateilnehmer, vielleicht fünf von fünfhundert, Front gegen mich, gegen diesen Multimillionär, der seinen Wehrdienst nicht ableistete und in Monaco im Luxus lebte. Ich las diesen Blödsinn in der Presse, bei meinen Eltern, fuhr mit ihnen in die Ferien nach Sardinien und verfolgte die Olympiade dann im Fernsehen. Dabei litt ich wie ein Kettenhund. Mein Vater war bitter enttäuscht, weil er sich so gewünscht hatte, dass sein Sohn für Deutschland spielte.

Barcelona war ganz anders: Mehrere Nächte habe ich im Olympischen Dorf mit der Mannschaft verbracht, ein tolles Erlebnis. Ich hatte das Gefühl, dass unsere Teamkameraden sich darüber wunderten, wie normal wir doch waren, weder verwöhnt noch arrogant. Sie verstanden sogar, dass wir für unser Turnier in ein Hotel umzogen, wegen der erforderlichen Ruhe und Konzentration. In der Hölle von Barcelona ist kein Gold zu holen, wenn man sich nicht versteht. Michael und ich haben es geschafft, haben die Medaille bekommen. Es war ein unglaublich schweres Turnier. Abends wollten wir gemeinsam feiern, mit den anderen auf den Putz hauen – doch ein paar Stunden nach der Siegerehrung flog Michael nach Deutschland zurück. Ich glaube, seine Freundin hat auf ihn gewartet. Ich versuchte noch, ihn umzustimmen, aber er blieb stur: »Nee, ich habe keine Lust.« Und das, nachdem wir uns vierzehn Tage lang gemeinsam herumgequält hatten, bei bis zu fünfzig Grad im Schatten!

Heute sehen wir uns öfter. Im August 2002 haben wir in Berlin nach über fünf Jahren wieder einmal gegeneinander Tennis gespielt. Der Centre Court bei Rot-Weiß war brechend voll, die ARD übertrug live. Michael war anfangs skeptisch, und auch wenn ich gewonnen habe, so war dieser strahlend sonnige Tag in Berlin doch der Beginn einer Partnerschaft. Michael hat Vertrauen zu mir gefasst, gemerkt: Mit dem Becker geht was. Mit einem Davis-Cup-Re-Match gegen die McEnroe-Brüder in Hamburg im Mai 2003 lieferten wir dann zusammen einen Event, der seinesgleichen im Tennis sucht: zweiundzwanzigtausend Zuschauer, Nena im Vorprogramm, live im TV und eine super Stimmung. Die Planung für weitere gemeinsame Aktivitäten ist im Gange.

Vielleicht musste auch Michael erst privat seine Höhen und Tiefen durchleben, damit eine persönliche Annäherung möglich wurde. Auch er musste die Trennung von seiner Ehefrau verarbeiten, auch er musste mit dem Tod eines Elternteils, seiner Mutter, fertig werden. Auch er fiel nach dem Ende der Tennis-Karriere in ein emotionales Loch. Jetzt, wo wir beide keine Rivalen mehr sind, können wir darüber reden. Keine Maske mehr, keine Finte, kein Trick. Der Spieler Stich ist für mich der Mensch Michael geworden.

Es grüßt euch der Käfer

Sie haben die Köpfe geschüttelt und getuschelt – ein Wimbledon-Sieger, ein Weltstar, der sich nicht quälen will. Das Masters in Frankfurt stand bevor, im November 1992, und ich trainierte mit einem Serben namens Jovan Savic, einem talentierten Burschen. Er war nicht unter den ersten hundert der Weltrangliste, ich weiß nicht einmal, ob er überhaupt als Profi registriert war, aber ich mochte ihn. Er ist ein angenehmer Trainingspartner, so fröhlich wie schlagkräftig. Noch heute arbeite ich mit ihm. Inzwischen zählen auch die Williams-Schwestern zu seinen Klientinnen.

Mein Coach in jenen Tagen, der Österreicher Günther Bresnik, war mit meiner Wahl nicht einverstanden. Selbst mein eher zurückhaltender Physiotherapeut Waldemar Kliesing mischte sich ein: Michael Schumacher, meinte er, eiere beim Training in Monza oder auf dem Nürburgring auch nicht in einem VW Käfer über die Strecke. Becker, so belehrte mich Waldemar, sei Formel 1, nicht Formel Käfer. Unruhe also über meine Trainingsmethoden, dann Freudensprünge in Frankfurt: Ich siegte im Finale 6:4, 6:3, 7:5 über Jim Courier. Bresnik und Kliesing umarmten mich, und ich meinte nur: »Es grüßt euch der Käfer.«

Solange ich meinen Sport engagiert betrieb, stand ich in der Weltrangliste immer ganz oben. Die Kritik, ich sei trainingsfaul gewesen, kann folglich nicht zutreffen – oder ich war so überdurchschnittlich talentiert, dass ich auf Training verzichten konnte. Beides ist so unwahr wie die Geschichten, wonach ich zu Trainingsterminen häufig zu spät gekommen sei, weil mich die Zweisamkeit mit meiner Freundin mehr fasziniert hätte. Bei aller Lust und Liebe: Tennis hatte immer Priorität, und so mancher Trainer hat davon profitiert. Aber die Fundamente hatten Menschen gelegt, die von mir keinen Pfennig verlangten.

Da war zum einen meine Schwester Sabine, im Hauptberuf Architektin. In meinem Fall war sie überdies Psychologin, weil sie den nach Niederlagen bei mir frei werdenden Selbsthass in unserem Training in positive Energie umzusetzen verstand. Zum anderen war vor allem der badische Verbandstrainer Boris Breskvar für meine Entwicklung wegweisend. Er machte mich zu einem der weltbesten Junioren und bereitete auch Talente wie Steffi Graf und Anke Huber auf das Profi-Dasein vor. Als ich mit vierzehn bereits Herren-Turniere gewonnen hatte, trainierte ich mit Breskvar bei Schwarz-Gelb Heidelberg, einem Club, für den ich in der Regionalliga spielte.

Will man allerdings den Beurteilungen der Tennis-Funktionäre von damals glauben, war ich nicht einmal für dieses Niveau geeignet. Die so genannten Sichtungsurteile über mich fielen eher negativ aus, weil Talente bestimmten Normen dieser Tennis-Beamten entsprechen mussten. Dabei existieren eigentlich keine Kriterien, nach denen Weltklasse-Spieler vorsortiert werden können. Welcher der Jugendlichen meines Jahrgangs mit hervorragenden Beurteilungen ist dann auch nur in die Nähe der ersten hundert gekommen? In diese Verbandsstrukturen habe ich nie gepasst. Aber letztlich haben die Negativ-Urteile meinen Ehrgeiz angestachelt: Ich wollte allen das Gegenteil beweisen. Als ich bei den Badischen Herrenmeisterschaften im Finale siegte, war ich vierzehn. Ich spielte bei internationalen Jugendmeisterschaften in Miami, flog über Nacht zurück und trat für meinen Bundesligaclub Grün-Weiß Mannheim an.

Mein Vater bot Breskvar an, mich auf einer eventuellen Profi-Karriere zu begleiten, noch bevor mir Bosch zugeordnet wurde. Breskvar lehnte ab, er wollte sich nicht einem Heranwachsenden unterwerfen, so wie es Profis von ihren Coaches erwarten. Deshalb ist es auch selten, dass ein Weltklassespieler, etwa ein Wimbledon-Sieger, zu einem exzellenten Trainer wird. Eine mögliche Ausnahme bildet John McEnroe. Ein Genie, dieser Mann. Im Spätsommer 1993 hat er mich trainiert. Er hatte selbst im Finale gestanden, kannte den Druck, die Krisen. Wir hatten eine Superzeit zusammen. Leider war ich damals nicht recht bei der Sache, einfach tennismüde. Hätten wir früher zueinander gefunden, das Duo Becker/McEnroe wäre sicherlich ein tolles Team geworden – immer auf der Suche nach Perfektion.

Ich habe Training nie als Nahkampf-Ausbildung betrachtet – dieses stupide Antrainieren à la Tiriac, fünfundvierzig Minuten geradeaus rennen, eine Stunde cross, eine Stunde long line, das war hartes Brot für mich. Der Tennisalltag ist fürchterlich langweilig. In seinem Buch »The Fight« beschreibt Norman Mailer die Monotonie im Trainingslager von Muhammad Ali und das System dahinter: »Sie schafft Unzufriedenheit mit dem eigenen Leben und die Gewalt, es verändern zu wollen.«[1] Der Frust setzt sich in Energie um. Der Gang in den Ring, auf den Centre Court, ist dann eine Art Erlösung. Der Trainer muss sich immer neue Spielchen ausdenken, nach sechs Monaten, einem Jahr spätestens, beginnt er mit Wiederholungen. Für mich war der Trainer aber nie das Alibi für mangelnden Trainingsfleiß oder der Sündenbock für meine Niederlagen. Ich suchte bei meinen Coaches nach Antworten und nach der Korrektur meiner Fehler, aber nach einer Weile fiel ihnen meist nichts mehr ein, und ich musste mich wieder auf mich selbst verlassen. Ich habe meine Trainer ausgepresst wie Zitronen, weil ich mich verbessern wollte – von Günther Bosch über Ion Tiriac zu Bob

Brett, von Niki Pilic über Thomas Smid (die eher Interimslösungen waren), Günther Bresnik, Nick Bollettieri bis zu Mike de Palmer.

In den Turnierwochen entfaltete sich immer eine ähnliche Routine wie im Training. Wenn ich um vierzehn Uhr ein Finale spielen musste, stand ich gegen halb neun Uhr auf. Dann Frühstück, meist allein im Zimmer: Müsli, Obst, Toast mit Marmelade, dazu einen Espresso, vielleicht ein Blick in die Zeitung. Gegen elf begann ich mit dem Einschlagen, vierzig Minuten lang. Einige taktische Überlegungen mit dem Coach, Einstellung auf den Gegner. Lunch um halb eins, meist Spaghetti mit Tomatensauce oder ein Käsebrot. Schließlich Skat mit Waldemar und meinem Schlägerbespanner Uli Kühnel. Bandagen um die Sprunggelenke. Um Viertel nach eins begann ich dann, mich mental auf das Match vorzubereiten – meine Konzentrationsphase.

Apropos Schläger: Kühnel verpackte immer ein halbes Dutzend Schläger in Plastikhüllen. Sie waren im Training zweimal gespielt worden, um die Härte herauszunehmen. Schläger sind für mich so wichtig wie für Anne-Sophie Mutter die Geige. Jede Saite ist 0,8 Millimeter dick, und wenn sich mein Geigenstimmer Kühnel vertut, spiele ich falsch. Acht von zehn Schlägern schickten wir regelmäßig in die Fabrik zurück: nicht geeignet für den Profi-Einsatz. Mein Schläger wiegt 367 Gramm, Bespannung etwa dreißig Kilo, Sampras hat zwei, drei Kilo mehr drauf, die Spanier sechs oder sieben weniger, so als würden sie mit einem Mini-Trampolin spielen. Meine Bespannung bedeutet Kraftverschleiß, weil ich mit dem Arm und mit der Hand den Schlag kontrolliere. Ich war einer der letzten Profis, der seine Schläger mit Naturdarm bespannen ließ – pro Match reißt eine solche Bespannung ein halbes Dutzend Mal. Agassi, Sampras und ich, Profis, die es sich leisten können, arbeiten mit ihrem eigenen Schlägerexperten – meiner reiste samt seinen

Maschinen bis nach Australien mit. Für mich hat sich die Investition gelohnt – ich bin auch durch das Material perfekter geworden.

Amateure entschuldigen ihren Leistungsabfall oft genug mit ihrem alten Schläger – was soll da der Profi sagen? Borg hat seine fünf Wimbledon-Siege mit einer einzigen Schlägermarke gespielt, Donnay, Connors stand ein halbes Dutzend Mal mit Wilson im Finale, Agassi, der früher Prince spielte, ist jetzt bei Head unter Vertrag. Manche Spieler unterzeichnen zwar neue Verträge, spielen aber mit den alten Rahmen weiter – die werden überlackiert und mit dem neuen Firmenschriftzug versehen.

Ich reagiere sehr empfindlich auf die kleinsten Unterschiede im Schläger. Als ich von Puma zum taiwanesischen Ausrüster Estusa wechselte, waren unendlich viele Veränderungen am neu entwickelten Modell nötig. Meine Wünsche frustrierten meine Geschäftspartner dermaßen, dass sie schließlich einen der Top-Schlägerexperten aus den USA zu einem Test einflogen. Sie lackierten ihren Estusa und meinen alten Puma schwarz, und ich sollte herausfinden, welcher der Puma war. Ich brauchte zur Klärung zwei Schläge – Diskussion beendet.

Nach dem Vertragsende kaufte Tiriac weltweit die Restbestände an Estusa-Schlägern auf. Als die aufgebraucht waren, bat ich Head um Hilfe. Die Firma war bereit, einige hundert Schläger nach meinen Vorstellungen zu »backen«. Ich kaufte dem Werk dann die Maschine ab – mein Nachschub war gesichert. Mit dem Ende meiner aktiven Karriere habe ich auch das Schlägerproblem endgültig gelöst – mit meiner Fünfzig-Prozent-Beteiligung an der Schlägerfirma Völkl Tennis. Jetzt baue ich meine Tennisschläger selbst.

Nach der Trennung von Bosch trainierte mich Ion Tiriac – und zwar hart. In den Monaten mit ihm habe ich nach seiner Überzeugung mein bestes Tennis gespielt. Seine stupiden

Wiederholungen habe ich zwar nicht geschätzt, aber ich quälte mich, weil ich ihn respektierte. Er hat, Ehre, wem Ehre gebührt, meinen Griff für das Volleyspiel verändert, verbessert, indem er ihn offener gemacht hat. Mit Tiriac habe ich damals so manchen Kandidaten für die Bosch-Nachfolge diskutiert. Ich entschied mich für Bob Brett, einen Australier, der unter dem legendären Harry Hopmann in Florida gearbeitet hatte. Ion war dagegen, Brett sei kein Veteran großer Schlachten wie Tony Roche, und außerdem rede er zu viel. Er neige zur Analyse vor dem Match und auch noch zwei Stunden danach, und das verwirre auch den ruhigsten Spieler. Trotzdem: Im März 1988 siegte ich erstmals unter Brett, im Finale von Indian Wells gegen Emilio Sanchez (7:5, 6:4, 2:6, 6:4). Und es ging weiter voran. In den ersten Monaten trainierten wir mit einer Gruppe, zu der der Doppelweltmeister Robert Seguso gehörte und Johan Kriek, ein südafrikanischer Top-Spieler. Ein tolles Training, reinste Knochenarbeit. Aber ich war bereit dazu, ich wollte wieder Grand Slams gewinnen und hatte gute, erfolgreiche Jahre mit Brett.

1991 gewann ich die Australian Open und wurde erstmals in meiner Karriere Nummer eins – in Bobs Heimatstadt, vor seinem Vater, seinen Freunden. Für ihn, den Coach, war mein Sieg über Lendl wie eine Ordensverleihung – und plötzlich wollte er nicht mehr. Das Ende unserer Zusammenarbeit war katastrophal und wäre so nicht nötig gewesen. Er hat mir kalt den Laufpass gegeben, weil er für sich darin einen Vorteil sah. Mit dem Ritterschlag von Melbourne konnte er neue, bessere Verträge aushandeln. Er hat später andere Spieler übernommen, darunter den Russen Andrej Medwedew, den Kroaten Goran Ivanisevic, und beide mit mäßigem Erfolg trainiert. Bob Brett, so vermute ich, wollte nicht als Tour-Trainer enden, sondern sein eigenes Camp besitzen, Boss sein, weniger reisen. Deshalb stand bei ihm das Geldverdienen im Vordergrund. Der Job war für ihn

Beruf, keine Leidenschaft. »Nach mir die Sintflut«, war seine Einstellung mir gegenüber. Unsere Zusammenarbeit hätte ein besseres Ende verdient gehabt.

Als ich Nicolas Kiefer kennen lernte, war er ein Hinterbänkler in der Weltrangliste. Er hat bei uns gewohnt, mich in Miami Beach besucht, zweifellos ein großes Talent. Er ging wie eine Rakete ab, bis Platz vierundsechzig. Dann ein Bänderriss 1997 in Stuttgart. Ich kümmerte mich um seine ärztliche Versorgung, um seine Reha bei Klaus Eder in Regensburg. Kiefer war mittlerweile im Mercedes-Junioren-Team, die Firma zahlte Reisen, übernahm Kosten, von seinen Gewinnen musste er nichts abgeben. Dann forderte sein Manager einen Mercedes-Einzelvertrag für Kiefer; doch die Stuttgarter lehnten mit dem Hinweis ab, mit Kiefer-Werbung seien keine Mercedes zu verkaufen. Ich drängte Kiefers Management und die Eltern, ihn in seinem Entwicklungsprozess nicht zu stören und die Zusammenarbeit mit dem Mercedes-Junioren-Team fortzusetzen, aber Nicolas' Mutter lehnte ab - mein Einfluss auf ihren Sohn sei negativ, ich nutze ihn aus und versuche, ihn von ihr abzukoppeln.

Wahr ist: Ich war Ende 1997 sogar bereit, Kiefer meinen Coach Mike de Palmer zu überlassen und mich selbst um sein Management zu kümmern. Bei den Australian Open 1998 kam er bis ins Viertelfinale und rückte damit nach fünfzehn Monaten im Mercedes-Junioren-Team auf Platz fünfundzwanzig der Weltrangliste vor. Dennoch kündigte er die Zusammenarbeit mit Mercedes. Schon Wochen vorher, im Trainingslager des Deutschen Tennis Bundes, hatte er von mir wissen wollen, wie ich Bob Brett als Trainer beurteilte. Ich antwortete: »Super, der Mann.«

Kurz danach, im Februar 1998, begannen sie vor dem Turnier in Dubai ihre Zusammenarbeit. Ich hatte Brett so einiges anvertraut: die spielerischen Schwächen Kiefers und besonders seine enge Beziehung zur Mama. Nicolas spielte jedoch von Woche zu Woche schlechter, die Erfolge blieben aus. Weil mir seine Entwicklung als Tennisspieler wichtig war, setzte ich mich mit seinen Eltern in Verbindung und sagte ihnen: »Ich frage mich, ob Brett tatsächlich der richtige Mann für Nicolas ist.« Diese vertrauliche Bemerkung blieb, wie sollte es anders sein in diesem Milieu, nicht vertraulich. Sie gaben meine Kritik sogleich an Brett weiter, und einige Monate später beklagte der sich bei mir: »Meine Arbeit und wie ich sie mache, das geht dich nichts an!« Auch Kiefer ging plötzlich auf Distanz. Ich kann nur vermuten, dass Brett ihn gegen mich eingenommen hat.

Kiefer betrieb dann, mit Brett im Hinter- und Mutter Kiefer im Vordergrund, systematisch Opposition gegen das von mir als Teamchef geführte Davis-Cup-Team und unsere Organisation – eine schwere Belastung für alle. Wenn wir links wollten, sagten sie, wir gehen rechts. Im Mai 1999, eine Woche vor dem Grand Slam in Paris, spielte Kiefer beim World Team Cup in Düsseldorf. Er hatte gegen den Schweden Thomas Johanson gerade wieder toll gespielt und 6:3, 6:2 gewonnen. Da baten wir ihn, für mich im Doppel zu spielen, weil ich nicht fit war. Nicolas sagte zunächst nicht ja, nicht nein. »Ich muss erst mit Bob reden.« Dann kam er zurück und erklärte: »Ich kann nicht, ich bin krank.« – »Was heißt krank«, fragten wir, »vor einigen Minuten noch hast du Weltklasse gespielt!« Aber er blieb bei seiner Absage, und schließlich sollte Tommy Haas seinen unpässlichen Kollegen ersetzen. Dem ging es jedoch wirklich nicht gut. »Ich kann nicht spielen, ich hab 'ne dicke Blase am Fuß!« Also entschied ich, das Doppel zu streichen. Aber Tommy riss sich zusammen: »Fuck it, ich versuch's!« Mit David Prinosil gewann er dann das Match gegen die Schweden.

Brett und Kiefer saßen währenddessen auf der Tribüne, Kiefer schien entspannt, offenbar schmerzfrei. Ziemlich genervt griff ich mir Bob: »Warum machst du uns solche

Schwierigkeiten?« – »Darüber will ich jetzt nicht vor all den Menschen reden«, antwortete er. »Doch, du kannst!« Ich wurde lauter: »Du verhältst dich wirklich idiotisch, Bob! Sei einmal ehrlich in deinem Leben, sei ehrlich zu mir!« Kiefer diktierte anschließend den Medienvertretern in die Blöcke, dass alle in diesem Team nur lügen und nichts als Unwahrheiten über ihn verbreiten würden. Ein Riesentheater also. Davis-Cup-Trainer Charly Steeb versuchte zu schlichten und sprach später mit allen Beteiligten. »Es ist super gelaufen«, berichtete er, »alle spielen Davis Cup.«

Drei Tage nach den Friedensgesprächen – Charly und ich machten gerade in seinem Haus auf Mallorca Urlaub – kam abends ein Anruf von Kiefer: »Ich spiele nicht. Die atmosphärischen Störungen sind zu groß, die können in acht Wochen nicht beseitigt werden.« Charly suchte dann noch einmal das Gespräch mit Brett in Australien, aber die Botschaft war deutlich: Solange Becker im Davis Cup mitmischt, haben wir ein Riesenproblem. Das Ende vom Lied: Kiefer spielte damals keinen Davis Cup. Bis heute konnte er in diesem Wettbewerb für Deutschland nicht überzeugen. Und als Einzelspieler begann für ihn eine Talfahrt. Er hat sein Talent verschleudert. Übrigens: Bob Brett ist schon lange nicht mehr sein Coach.

Günther Bresnik, den ich nach meiner Trennung von Bob als Trainer engagierte, war eigentlich ein Kontrastprogramm zu Brett – ein lebenslustiger Typ. Der Österreicher wollte mit mir experimentieren, seine Tennislehren umsetzen. Der Diamant Becker wurde im Labor Tennisplatz unter das Vergrößerungsglas gelegt und sollte nun auf Hochglanz poliert werden. Als im Herbst 1992 unsere Zusammenarbeit begann, hatte ich ja schon einige Turniere hinter mir – ich wusste also ungefähr, was ich zu tun hatte, um zu siegen. Kurz: Wir hatten unterschiedliche Wellenlängen. Menschlich war Günther in Ordnung, ein guter Typ. Neun Monate haben wir es miteinander versucht, dann entschied ich: Schluss. Er war betroffen und verbreitete öffentlich noch so einige Geschichten, aber das war ich inzwischen gewohnt. Er ist dann Österreichs Davis-Cup-Trainer und Nationalcoach geworden, außerdem initiierte er in Wien das Tennis-Zentrum »Tennis Point«. Er beklagte sich natürlich über meinen Eigensinn, so zum Beispiel im österreichischen Magazin »News«: Am Schluss habe ihn die Zusammenarbeit mit mir so richtig genervt, da ich immer gemauert hätte. »Ich habe ihm etwas vorgeschlagen, er hat abgelehnt. Begründung: ›Bei mir funktioniert das nicht, bei mir ist das anders.‹ Dann will ich wissen, was ist anders? Darauf er: ›Das verstehst du sowieso nicht.‹« Heute reden wir freundschaftlich miteinander. Im Gegensatz zur Trennung von Nick Bollettieri würde ich die »Scheidung« von Bresnik als harmonisch bezeichnen.

Bollettieri ist für mich eine braun gebrannte Wundertüte. Wieso er zu meinem Coach geworden ist? »Shit happens«, heißt es so schön im Englischen. Ich wusste natürlich, wer er war – der Vertraute, Ziehvater, Coach von Agassi. Die Kinder meines Anwalts Axel Meyer-Wölden hatten bei Bollettieri geübt, die Trainer, die bei ihm arbeiteten, verstanden ihr Handwerk. Als Axel mir jedoch empfahl: »Nimm doch den Bollettieri«, habe ich ihn erst einmal ungläubig angesehen und ausgelacht: diese wandelnde Sonnencreme-Werbung? Der Mann war die personifizierte Zahnpasta-Reklame, ein Typ, der Scheidungsanwälten gefällt. Ich glaube, er hat mir seine Scheidungen mal aufgezählt. Damals waren es fünf, mittlerweile sind es sieben. In Florida hat er, trotz seines offensichtlich bewegten Privatlebens, ein eindrucksvolles Trainings-Zentrum aufgebaut, die »Nick Bollettieri Tennis Academy«. Die hat ihm inzwischen zwar der amerikanische Sportmanagement-Konzern IMG abgenommen, aber er ist das Aushängeschild des Unternehmens geblieben.

Ich schaute mir die Academy im November 1993 an. Bei

Bollettieri war der Tag mit Stundenplänen voll durchorganisiert. Genau das Richtige für ein sechzehnjähriges Talent, aber eigentlich unsinnig für einen Profi wie mich. Zu der Zeit war ich jedoch körperlich nicht fit und spielerisch nicht auf der Höhe. Ich musste mein Leben wieder auf Tennis reduzieren, da war der Drill im Camp die beste Therapie. Und ich traf dort exzellente Spieler und Lehrer. David (»Red«) Ayme etwa, einen rothaarigen Trainer, der später zu Haas ging. Ayme war ein herzensguter Mensch, er hat mich motiviert, hart gearbeitet und war obendrein loyal. Ein toller Typ, der Pizza und Football gleichermaßen schätzte, ein Mann der Südstaaten. Sein Kollege Mike de Palmer war noch einen Tick geeigneter für mich, ein Trainer, der Disziplin bei der Kampfschwimmer-Truppe, den Navy Seals, gelernt hatte.

Im Frühjahr 1995 erklärte ich Bollettieri, dass ich mit de Palmer arbeiten wolle. Mein Cheftrainer flog nämlich zu manchen Turnieren erst am Morgen des ersten Matches ein, ließ seine Zähne leuchten und verbreitete Florida-Fröhlichkeit. Für diese Tätigkeit bekam er ein fürstliches Honorar. Bosch und Brett allerdings wurden im Vergleich königlich bezahlt.

Einen Höhepunkt aber habe ich mit Bollettieri erlebt: mein Halbfinale gegen Agassi in Wimbledon 1995. Andre hatte sich im Unfrieden von Bollettieri getrennt und ihm die Kündigung schriftlich mitgeteilt. Ich war damals auf Andre ebenfalls nicht gut zu sprechen: Er hatte arrogante, dumme Bemerkungen über mich gemacht. Jetzt war der Tag gekommen – Highnoon auf dem Centre Court. Es begann katastrophal, ich lag nach kurzer Zeit 2:6, 1:4 hinten, Andre führte mich regelrecht vor. Oberpeinlich. Bollettieri und de Palmer sanken immer tiefer in ihre Sitze. Endlich brachte ich meinen Aufschlag durch: 2:4. In einer Art Galgenhumor riss ich die Arme hoch. Da kippte die Stimmung, das Publikum unterstützte mich jetzt kräftig. In vier Sätzen bezwang ich Agassi 2:6, 7:6, 6:4, 7:6. Bollettieri war überglücklich. Das dauerte aber nicht an, denn kurz danach warb ich ihm seinen Trainer Mike de Palmer ab.

Einige Monate zuvor hatte ich Mike bereits einen Dreijahres-Vertrag angeboten, weil ich weg wollte von dem Show-Mann Bollettieri, der sich vor allem um seine eigene Vermarktung kümmerte. De Palmer lehnte jedoch zunächst ab. Sein Vater arbeitet noch heute für die Tennis Academy, und Mike wollte sich gegenüber Bollettieri, mit dem er vertraglich verbunden war, nicht illoyal verhalten. Axel Meyer-Wölden hat dann den Job übernommen, Bollettieri in Florida mitzuteilen, dass ich an einer weiteren Zusammenarbeit nicht interessiert sei. Er sei geschockt, verletzt, sauer und enttäuscht gewesen, wütete der Coach später in einem Buch, in dem er so manche Beleidigung verbreitet hat, für die ich ihm am liebsten an die Gurgel gegangen wäre.

Mike konnte im Training brutal sein, dennoch blieb ich fünf Jahre mit ihm zusammen, länger als mit irgendeinem anderen Coach. Wir haben das Verhältnis Freund/Angestellter in den Griff bekommen, Siege und Niederlagen wie Erwachsene verarbeitet. Das Masters-Finale in Hannover 1996, das ich in vier Stunden mit 6:3, 6:7, 6:7, 7:6, 4:6 gegen Pete Sampras verlor, war wohl das beste Spiel meines Lebens. Mit Mike de Palmer habe ich die Besessenheit erreicht, die ein Spieler braucht, um alle Energien freizusetzen. Man muss immer an die Grenze des Wahnsinns gehen, ohne dabei verrückt zu werden. Das sind ja schon die anderen.

Sind denn alle wahnsinnig hier?

Ich ahnte, wie es sein würde – die Scheinwerfer an der Decke würden ihr grelles Licht auf den Boden werfen, wie bei jedem Match im New Yorker Madison Square Garden. Beim Aufschlag war der Ball deshalb immer schwer zu treffen. Und dieses Drumherum: Popcorn und Cola, Bier in Pappbechern, T-Shirts, Lärm. Unser Fahrer lenkt die schwarze Limousine zum Nebeneingang.

Die Wachmänner an der Tür versprühen den rauen Charme der New Yorker: »Mach schon«, »Los, die Karten«, »Lady, wo ist der Sonderausweis?« – »Das ist Boris, lass ihn durch!« Kahle Gänge, überall Wachmänner, unter deren schwarzen Anzügen sich Muskeln wölben, oder sind es die Knarren? Endlich haben wir die Tür zum Umkleideraum erreicht. Wieder Uniformierte. Sie lassen uns eintreten. »Hallo, Schatzi«, begrüßt mich ein geschminkter Mann. Es ist Elton John. An diesem Oktobertag 1999 wird er spielen, nicht ich. Zwanzigtausend werden meinem Freund zujubeln. Am Nachmittag haben wir noch in seiner Suite im St. Regis Tee getrunken. Er hockte im Trainingsanzug da, inmitten von Blumenbouquets. Er liebt Blumen, die schönsten müssen es sein, täglich frisch. Eigentlich sei er ein schüchterner Typ, erklärte er mir, seine Seele schöpfe Kraft aus der Blütenpracht. Wir sprachen über den Alltag, über Politik, beispielsweise über Jörg Haider, den österreichischen Rechtskonservativen. Elton verfolgt regelmäßig die Nachrichten, wusste auch, dass ich mich aus Wimbledon verabschiedet hatte.

»Schatzi«, meinte er, »du wirst mir fehlen.« Heute Abend wird er zum achtundvierzigsten Mal im Madison Square Garden auftreten, wie jedes Mal ist das Konzert ausverkauft. Noch zwei solcher Veranstaltungen, und er hat den Rekord der »Grateful Dead« eingestellt. Elton muss auf die Bühne, wir zu unseren Plätzen. Zum ersten Mal seit zehn Jahren gehe ich wieder über den Hallenboden – zum ersten Mal seit dem Masters-Finale, das ich hier gegen Edberg mit 6:4, 6:7, 3:6, 1:6 verlor. Die Stimmung war damals roh, ungehobelt, kalt. Man kommt rein und fühlt sich wie eine Stecknadel im Heuhaufen. In dieser gigantischen Halle verlor ich völlig das Gefühl für Dimensionen. Die Einstellung auf Höhen und Längen war ein Problem, zumal wir nie viel Zeit zum Training hatten.

Am Tag vor dem Match war in der Halle noch Eishockey gespielt worden oder Basketball. Das Publikum ist anfangs ziemlich gnadenlos, teilweise sogar desinteressiert. Die Leute kommen her, essen Popcorn und Hotdogs und kümmern sich erst mal überhaupt nicht um die Spieler. Sie wollen gefälligst gut unterhalten werden, und wer das nicht tut, der wird ausgepfiffen. Ich habe einfach das gemacht, was ich gerne und gut tue: mit Leidenschaft gespielt. Das kam bei den New Yorkern gut an.

Ich sehe hinauf zu den Rängen, dann an die Decke, in diese verfluchten Scheinwerfer. Ich höre das Trampeln der Fans – für Elton, nicht für Boris. Beifall, noch bevor er seinen ersten Hit »Your Song« spielt, allein am schwarzen Yamaha-Flügel: »It's a little bit funny, this feeling inside, I'm not one of those, who can easily hide.« Ein Welterfolg nach dem anderen, drei Stunden live. Hundertachtzig Minuten solo, so lang wie ein durchschnittliches Match im »Garden«.

Barbara springt auf, als Elton auf Tempo geht. »Take me to the pilot for control, take me to the pilot for your soul.« Eine Stimmung zwischen Karneval und Kindergarten. Draußen auf dem Parkplatz wackeln die Autos im Rhythmus mit. Das Publikum tanzt zwischen den Sitzreihen, wir ebenfalls. Das ist New York live.

Gegen Mitternacht steuert der aus Italien eingewanderte Joe unsere Limousine über die Avenue of the Americas. Sein Vater in Rom hat ihn enterbt, erzählt er, weil er eine Kubanerin liebte, die dem alten Herren missfiel. Also muss Joe sich als Fahrer durchschlagen, und er kommt damit zurecht. »Die Zukunft ist jetzt«, predigt er, »hier und heute.« Aus dem Autoradio klingt Frank Sinatra – »New York, my kind of town«. Die Menschen hasten, hasten immerzu irgendwo hin. Nur keine Gemächlichkeit. Wenn ich vom Flugplatz in die Stadt fahre, ist mein erster Gedanke immer: »Sind die denn alle wahnsinnig hier?« Diese Geschwindigkeit. Hier ist alles zu haben, vierundzwanzig Stunden lang, was das Herz begehrt. Nach drei, vier Tagen rennt man auch, wie die anderen.

Die Stadt pulsiert, und wenn du dich ihr ergibst, reißt sie dich mit, irgendwohin. Der Wind, der durch die Wolkenkratzer-Schluchten bläst, ist stärker als anderswo. Die Stadt ist eisigkalt im Winter und unerträglich im Sommer. Die Galerien, die Shops in SoHo stimulieren die Geschmacksnerven und den Griff zur Kreditkarte. Vor dir, hinter dir Menschen, die angezogen sind, als seien sie auf dem Weg zum Maskenball. Jeder New Yorker spielt seine eigene Rolle, sucht nach einer Identität oder ist dazu geboren, New Yorker zu sein

New York hätte meine Stadt werden können, auch deshalb, weil diese Stadt die Menschen verschluckt, anonymisiert – vorausgesetzt, man meidet SoHo oder Bloomingdales und Barneys, die Fifth Avenue und den Central Park, also das zwanzig Kilometer lange und fünf Kilometer breite Manhattan. Denn wohin man auch geht – die Touristen aus Europa sind schon da. Die wissen, wer ich bin, sonst kennt mich hier kein Schwein. Früher bin ich oft drei, vier Stunden unerkannt durch SoHo gelaufen und habe die Seele baumeln lassen, bin in Galerien gewesen, ohne gestört zu werden. Selbst in meiner schlimmsten Zeit war das in New York möglich. Hier leben zehntausend Superstars. Wen interessiert da ein Boris Becker? Mit meiner Popularität habe ich lange Zeit auf Kriegsfuß gestanden, New York war da eine große Erleichterung. Sportlich konnte ich mich hier allerdings oft nicht gut konzentrieren, weil ich meine Freiheit genoss. Ich konnte mit Mädchen quatschen und machen, was ich wollte. Es stand am nächsten Tag nicht in der Zeitung, und das tat gut.

Kürzlich war ich in einem Salsa-Club, dem »Copacabana« an der siebenundfünfzigsten Straße, West. Hunderte warten vor der Tür, meist Lateinamerikaner, die zu Livemusik tanzen wollen, und keiner verlangt ein Autogramm von mir. Die Frauen sind geschminkt, ihre Busen quellen aus dem Dekolletee. Die Männer tragen enge Anzüge und breite Krawatten. Wo die wohl arbeiten? Wer sind die Frauen? Ärztinnen, Schneiderinnen, Zimmermädchen? Und die Männer: Wer von denen ist Drogen-Dealer, wer Anwalt? Oder beides zugleich? Who cares? Fun ist das Stichwort, jetzt gleich, »instant gratification«. Spaß sofort. Nur meine Monte Christo muss ich draußen vor der Tür rauchen, so will es das Gesetz. Aber Pistolenbesitz ist legal.

Wahrscheinlich ist keine Metropole der Welt so oft beschrieben worden wie New York, und ich habe eine Menge dieser Bücher gelesen. Hier kann dir alles passieren. Leute, die an Woody Allens »Manhattan« erinnern, kommen dir auf den Avenues entgegen, als sei Manhattan ein gigantisches Filmbesetzungsbüro, und Menschen, die aus dem »Großen Gatsby«, »Frühstück bei Tiffany« oder dem »Fegefeuer der Eitelkeiten« stammen könnten, hocken neben dir in der Snackbar, reden mit sich selbst oder stemmen ihre

»New York Times«-Sonntagsausgabe, die mindestens zwei Kilo wiegt. Von allem könne man etwas finden in New York, hat John Steinbeck geschrieben: Menschen, Theater, Kunst, Schriftsteller, Verleger, Import, Geschäft, Mord, Raub, Luxus, Armut – »Alles von jedem. Die ganze Nacht. Ohne Ermüdung. Die Luft ist mit Energie durchsetzt.«[1] Ich war buchstäblich von den Socken, als ich zum ersten Mal nach New York kam. Madison Avenue statt Heidelberger Hauptstraße – die Stadt hat mich hingerissen, auch ihre Schattenseiten. In New York sei er schon erleichtert, hat mein Arbeitskollege McEnroe einmal gesagt, wenn ihn auf dem Weg vom Flughafen zu seiner Wohnung »nicht sechs Leute Wichser oder Arschloch nennen«. Es gibt kein soziales Netz, keinen Moment, in dem du deine Ellenbogen einfahren und dich zurücklehnen kannst nach dem Motto: »Es wird schon jemand auf mich aufpassen.« Da ist nämlich niemand.

Meinen ersten Auftritt in New York hatte ich im Dezember 1982 beim internationalen »Rolex«-Jugendturnier, einer Art Vorbereitung auf die Weltmeisterschaften, die »Orange Bowl« in Florida. In der zweiten Runde verlor ich 6:3, 6:3 gegen Edberg. Er war damals schier unschlagbar. Mit Patrick McEnroe, Johns Bruder, spielte ich Doppel und verlor immerhin erst im Finale.

Wir wohnten damals in einer Art Jugendherberge bei Glen Cove auf Long Island und fuhren mit der Subway zum klassischen Sightseeing in die Stadt: Empire State Building, Manhattan Circle Tour, die richtige Touristennummer eben. Ich kannte die USA damals nur aus Fernsehserien wie »Die Straßen von San Francisco« mit Michael Douglas und Karl Malden. Große Unsicherheit packte mich in den ersten Tagen, auch ein bisschen Angst. Ich war gerade eben fünfzehn. Alles hier war hundertmal größer als in Europa, hundertmal lauter. Es war so, als würde man in einen riesigen Ameisenhaufen bohren und alles wuselte kreuz und quer wild durcheinander. Aber irgendwie funktioniert es trotzdem, keiner versteht so recht, wie und warum. Bei einem späteren Besuch wagte ich mich mit Charly und Patrik dann schon in die schummerigen Bezirke der Stadt, in eine Peepshow etwa oder auch in ein Strip-Lokal am Times Square. Meine Kumpel schickten mich jedes Mal an die Kasse vor, weil ich der Größte war und erwachsener wirkte.

Wenn ich später an einem spielfreien Tag morgens die Fifth Avenue hinabschlenderte, ergriff mich die Stadt zwar mit ihrer schieren Energie, und ich staunte immer wieder über die endlos langen Limousinen, in denen ganze Schulklassen hätten Platz finden können, oder über die Karawane der gelben Taxen, die durch die Schlaglöcher rumpelten. Doch inzwischen hatte ich auch genug von den finsteren Ecken der Glitzerstadt gesehen. Wer einmal etwas abseits läuft, dem können auch die Obdachlosen nicht entgehen. Sie hausen in den Querstraßen der Park Avenue in Pappkartons - die Alptraumseite des amerikanischen Traums. Mich erschreckten diese Bilder immer wieder, aber, so seltsam das klingt, sie motivierten mich auch. Im Unterbewusstsein sagte ich mir: So will ich nicht enden, also muss ich härter ran auf dem Platz. Ich nehme mir den Skalp des Gegners. Seine Mutter soll heute Abend wegen der Niederlage weinen, nicht meine. So funktioniert diese Gesellschaft - auch wenn man es zum Kotzen findet.

Es war immer mein Ziel, jene Städte, in denen ich als Privilegierter zu Gast war, auch wirklich zu begreifen, und New York ist ein Lehrstück, in dem dir alles vorgeführt wird. Mit achtzehn war ich mit einem heroinsüchtigen Journalisten befreundet, der mir das East Village und alle Ecken zeigte, wo man den Stoff bekommen konnte. Ich drängte ihn ständig, mir auch die dreckigen Seiten der Stadt zu zeigen. Inzwischen ist er von dem Zeug runter, nachdem er zweimal dem Tod gerade noch von der Schippe gesprungen war.

Ein New Yorker Erlebnis werde ich nie vergessen – etwas Ähnliches hat Tom Wolfe in »Fegefeuer der Eitelkeiten« beschrieben. Nach meiner unerwarteten Niederlage gegen den Schweden Joakim Nyström bei den US Open 1985 in der vierten Runde (»In Deutschland ist deshalb Friedhofsstimmung«, berichtete mir Tiriac) tat ich das, was ich mir nach verlorenen Turnieren allmählich zur Gewohnheit machte: Ich kreuzte im Auto durch die Metropole, das Fahrzeug wurde für mich zum Tempel der Ruhe. Ein Freund hatte mir seinen blauen Mercedes 500 geliehen, und ich fuhr los, ohne Ziel, eine Meile nach Norden, zwei Meilen nach Westen, links, rechts, irgendwohin, ohne Plan, einfach so. Und plötzlich war ich in einer Situation wie der Wall-Street-Broker Sherman McCoy in »Fegefeuer der Eitelkeiten«: Er hatte sich verfahren in einem von Schwarzen und Latinos bewohnten Armenviertel. Wolfe: »Es war, als wäre er auf einen Schrottplatz gefallen.«[2] Plötzlich stehen zwei Gestalten vor McCoys Mercedes. Räuber? Seine Geliebte Maria gibt Gas. Ein Aufprall. Sie fliehen aus der Bronx in ihre Luxuswelt nach Manhattan. Die Kripo findet McCoy, er wird angeklagt wegen Fahrerflucht und Totschlags. Der angefahrene Junge stirbt. Für McCoy folgen Scheidung, Bankrott und Verelendung.

Ich rollte an der Grenze zu Spanish Harlem auf eine Ampel zu. An der Kreuzung sah ich eine Bar, davor viele Männer. Plötzlich stürzten sechs oder sieben der Kerle mit Baseball-Knüppeln auf mein Auto zu. Noch zwei, drei Schritte. Die Ampel stand auf Rot, aber ich startete trotzdem durch – wie im Roman. Keiner der Angreifer versuchte, sich mir in den Weg zu stellen. Was wäre passiert, wenn ich einen der Männer umgefahren hätte? Binnen Sekunden hätte es mit König Boris vorbei sein können. Meine Niederlage gegen Nyström? Vergessen. Ich war wieder einmal davongekommen.

New York ist ein Sonderfall, natürlich auch beim Tennis:

die Jets, die damals über das »Louis Armstrong«-Stadion dröhnten, offenbar immer dann, wenn man sich gerade mit dem Linienrichter stritt; die Rastlosigkeit der Zuschauer, das ketchuptriefende Papier, das manchmal aus den Hotdog-Schachteln über die Grundlinie wehte. Im Vergleich dazu kamen mir die Wimbledon-Traditionen, die Stille, die Disziplin der Zuschauer so vor wie aus einer anderen Welt. Flushing Meadows, die US Open, das ist das krasse Gegenstück zu allen anderen Turnieren auf diesem Erdball. Überall sonst sind die Zuschauer meist ruhig und rühren sich nicht vom Platz. Niemand im Publikum dudelt auf dem Saxophon. In New York aber macht jeder das, wozu er Lust hat. Eigentlich kann man hier gar nicht spielen. Ich habe lange gebraucht, bis ich mich in dieser Atmosphäre zurechtgefunden habe, konnte mich mit dem amerikanischen »way of play« nicht anfreunden. Ich habe mich über alles aufgeregt, über die Flugzeuge, die Fans, Gott und die Welt – und mich aus dem Rhythmus bringen lassen. Und die Zuschauer waren gnadenlos: Entweder pfiffen sie mich von der ersten bis zur letzten Minute aus, oder sie unterstützten mich genauso unerbittlich.

Vor den US Open 1985 hatte McEnroe erklärt, mein Sieg in Wimbledon sei reine Glückssache gewesen, Losglück, und im Übrigen sei ich ein Nobody. Das waren wohlüberlegte Worte, die die Stimmung anheizen sollten. Im Viertelfinale sollte es zum Showdown kommen: Titelverteidiger McEnroe gegen Wimbledon-Sensation Becker. Aber in der Runde zuvor hatte ich bereits gegen Nyström verloren – und erstmals hat mich die Presse richtig niedergemacht nach dem Motto: Becker hält den Druck nicht aus, und obendrein hat er uns die Show kaputtgemacht.

Im Januar 1986 stand ich dann im Masters im Madison Square Garden gegen Ivan Lendl im Finale – mein erster amerikanischer Höhepunkt, auch wenn ich in drei Sätzen verlor. 1988 konnte ich das Masters dann endlich gewinnen – wieder gegen Lendl. Es war ein großes Match: 6:5 im Tiebreak im fünften Satz, Aufschlag Becker. Erster Aufschlag verhauen, der zweite sitzt. Zwei, vier, zehn, zwanzig Schläge wie in Trance. Nach dem dreißigsten Mal ist das nur noch Reaktion, insgesamt gibt es zweiundsiebzig Ballwechsel. Dann mache ich einen Netzroller. Die Zuschauer schreien auf. Ich habe mich bereits umgedreht, weil ich annehme, der Ball sei auf meiner Seite gelandet. Aber nein: Der kullert auf Lendls Seite direkt hinters Netz. Sieg nach fünf Stunden! Ein Zuschauer hing mir eine deutsche Flagge um, noch bevor ich Lendl die Hand reichen konnte. Er nahm sie, ohne ein Wort zu sagen. Sportlich haben wir uns oft auseinandergesetzt, privat aber selten ein Wort gewechselt. Warum also jetzt? Ich war völlig am Ende. Der längste Ballwechsel meines Lebens war überstanden – und die New Yorker Fans hatten mich adoptiert.

Als Elton John am Ende seiner Show an den Kollegen John Lennon erinnert, der in den siebziger Jahren zu ihm auf die Bühne gesprungen war, um den Landsmann zu umarmen, hier im Madison Square Garden, da leuchten Feuerzeuge und Streichhölzer in der Dunkelheit der Halle auf wie Sterne. Eltons Lied klingt so traurig, als sei Lennon erst gestern vor dem Dakota Building am Central Park erschossen worden, einer von 1812 Menschen, die in jenem Jahr 1980 in New York ermordet wurden. Sie sind begraben, vergessen – Lennon aber lebt weiter.

Im Bett gab es keine Straßenschlacht

Als Jugendlicher fuhr ich mit meinen Eltern oft nach Val d'Isère oder Wolkenstein, Santa Cristina oder Verbier zum Skifahren. Auf Skiern bin ich gut, leider nicht ganz so gut wie Alberto Tomba, aber wenn ich meine amourösen Erinnerungen sortiere, muss ich wilder Slalom fahren als Alberto.

Es ging ziemlich hoch her, und so manches, was die Klatschseiten füllte, entsprach der Wahrheit. Frauen, die mit mir in die Schlagzeilen und auf Photos geraten sind, haben sich inzwischen ihr Leben ohne mich eingerichtet: Sie sind verheiratet, Lehrerin irgendwo in einer ostdeutschen Stadt, Ehefrau eines österreichischen Adligen oder Mutter von vielen Kindern. Von Karen, die ich in Hamburg kennen lernte, trennte ich mich im März 1990 nicht gerade in Fröhlichkeit – wann ist das schon möglich nach einer intensiven Beziehung? Sie hat sich über lange Zeit meinem Lebensrhythmus untergeordnet und sich nie öffentlich darüber beklagt. Was haben die Blätter nicht alles in dieses Verhältnis hineingeschrieben: Die Schultz, die »rote Karen«, verführe »unseren Boris«, klagten die Rechten. Die Gefahr war wirklich groß: Hatte nicht in Hamburg-Eppendorf der Kommunist Ernst Thälmann seine Genossen aufgehetzt, zu Vorkriegszeiten, als dieser Stadtteil noch von Arbeitern bevölkert war, die sich mit den Nazis auf der Straße prügelten? Auch diese Karen hatte sich in Eppendorf niedergelassen – das inzwischen allerdings zu einem feinen Wohnviertel geworden war. Und wenn Boris mal für zwei Tage anreiste und mit seinen Tennistaschen die Wohnung ausfüllte, dann setzte sie ihm mit linker Literatur zu: Gehirnwäsche zwischen den Laken. Oder sie führte mich in die Hafenstraße zu den Hausbesetzern, am Schnürsenkel meiner Tennisschuhe wahrscheinlich, um mich darüber aufzuklären, wie das Großkapital den Menschen unterdrückt. Auf der Elbe tuteten die Dampfer und wir debattierten über Ché Guevara ... – alles Quatsch.

Über Politik hatte ich mich daheim oft genug mit meinem Vater gestritten, der mich einen Träumer schimpfte oder einen Trottel, wenn ich für eine gerechtere Verteilung des Wohlstands in der Welt, gegen Rassismus und für Entwicklungshilfe in den Ländern der Dritten Welt plädierte. Er war der CDU verbunden, ich nicht.

Die Liebe jedenfalls hat mich nicht nach links gerückt, im Bett gab es keine Straßenschlacht, und Karen war nicht meine Erzieherin. Karen war sozialdemokratisch eingestellt, vielleicht sogar grün-alternativ. Müsli, Birkenstock-Sandalen (die ich damals ebenfalls trug), Parka und Palästinenser-Tuch, all das war ein Teil von ihr. Aber wie das so geht: Irgendwann war dann das karierte Tuch weg, und die Birkenstocks verschwanden eines Tages auch.

Jahre nach unserer Trennung waren die Steuerfahnder bei Karen und verhörten sie in der Steuerangelegenheit »Becker, Boris«. Wahrheitsgemäß sagte sie aus, dass ich nur ein paar Tage in Hamburg gewesen sei. Sie hätte, vielleicht aus Ärger über unsere gescheiterte Beziehung, auch lügen können, um mir eins auszuwischen, aber sie blieb korrekt, wie sie es immer war. Einen »Rosenkrieg« hat es zwischen uns nie gegeben. Wir haben irgendwann einfach erkannt, dass wir nicht füreinander bestimmt waren, da unsere Lebensart, unsere Überzeugungen zu verschieden waren.

Was sich die Medien so alles über mich und die Frauen ausdachten: Bénédicte war angeblich dazu berufen worden, mir Nachhilfeunterricht für die besseren Kreise zu erteilen, sozusagen als meine Anstandsdame, die mir im Fürstentum Monaco den gesellschaftlichen Schliff verpassen sollte. Es las sich schön – ein Märchen, wie so manches, was in den Klatschgazetten gedruckt wird. »Boris, Rotwein trinkt ein Gentleman nicht aus dem Zahnputzbecher«, »man leckt das Messer nie mit der Zunge ab« – so hat man sich meine Vorbereitung auf die High Society wohl vorgestellt: Der kleine Leimener entdeckt die große, weite Welt.

Schon vor meinem Umzug in das monegassische Fürstentum wusste ich allerdings genau, was Männlein und Weiblein unterscheidet. Die meisten Küsse bekam ich in der sechsten Klasse. Das Mädchen hieß Bettina, eine Arzttochter aus Leimen, mit der ich die ganz intime Zweisamkeit entdeckte. Boris war da noch Boris. Wimbledon hat mir dann die Unschuld genommen. Als Teenager musste ich umdenken, frei nach Erich Kästner: »Alle Mädchen wollen ein Autogramm von ihm, oder mindestens ein Kind.« Wie konnte ich sicher sein, dass eine Frau, die nett zu mir war, sich nicht den Star angeln wollte, um an meinem Ruhm teilzuhaben? Das Problem ist nicht neu, aber ich war noch ziemlich jung dafür. Heute weiß ich: Mich gibt es nur im Paket, der öffentliche Boris und der private Becker gehören untrennbar zusammen.

Nur eine Schöne der Nacht von damals, eine Frankfurter Disco-Bekanntschaft, hat mich verkauft – sagen wir lieber: sich selbst. Der »Playboy« hat dem Mädchen Geld angeboten und die Liebelei ausgeschlachtet, nachdem sie beendet war. Unter der Überschrift »Spielbericht« plauderte sie über die beiden »wunderbaren Nächte«, über unser Tête-à-tête »in einer verschwiegenen Kneipe um die Ecke«.[1] Das war es aber auch schon.

Natürlich kann es für eine selbstbewusste Frau schwierig sein, wenn sie plötzlich meine Bühne betritt und nur die Nebenrolle spielen darf. Tennis war mein Beruf, in diesem

Fach war ich der Hauptdarsteller, nicht sie. Meine Termine, meine Spiele hatten Priorität. Manche Frauen kommen damit gut zurecht. Sie können sich einordnen, weil sie wissen: Nach dem Turnier spielen sie die Hauptrolle. Und natürlich ist es nicht einfach, wenn eine Becker-Beziehung zu Ende geht – vor allem für die Frau. Plötzlich ist das Licht aus, plötzlich ist sie nur noch die »Ex« von Boris Becker. Es ist nicht, weil ich so ein toller Hecht wäre, aber an meiner Seite hat die Frau meist die Hauptrolle des Abends. Wir bekommen den besten Tisch, den besten Service, die ungeteilte Aufmerksamkeit. Und dann ist plötzlich Schluss. Aus Licht wird Schatten, aus Neid wird Mitleid oder Schadenfreude. Von der Schlagzeile über die Randnotiz in die Vergessenheit. Das ist umso härter, weil es bisher immer ich war, der gegangen ist.

Dennoch habe ich mich immer bemüht, zu meinen Ex-Partnerinnen ein vernünftiges Verhältnis aufzubauen, so dass wir noch oder wieder ein Glas Champagner zusammen trinken können, ohne uns die Augen auszukratzen. Das habe ich sogar mit Angela Ermakova geschafft. Die Mutter von Anna habe ich inzwischen ein paar Mal besucht. Wir setzen uns zusammen wie zwei erwachsene Menschen und unterhalten uns über Anna, ihr Leben, ihre Sorgen, ihre Möglichkeiten.

Alleine war ich eigentlich nie, zumindest nicht über einen längeren Zeitraum. Das Leben ohne Beziehung zu einer Frau ist für mich unvorstellbar. Sie gibt mir Befriedigung in jeder erdenklichen Form. Ich brauche Partnerschaften, in denen ich mich austauschen kann, mich verstanden fühle, wo meine Meinung gefragt ist und Intimität als Folge von Vertrauen wächst. Meine Partnerin muss die Kraft haben, mich zu kritisieren, mir Paroli zu bieten. Sie muss aber auch unabhängig sein, finanziell und intellektuell. Dann wird der Jagdinstinkt in mir geweckt.

Sie könnte natürlich auch blond und hellhäutig sein. Wenn ich das schon höre: Becker und sein typisches Beute-Schema – exotisch, dunkle Haut, dunkle Haare. Ich hatte genauso viele blonde wie dunkelhaarige Freundinnen. Die Persönlichkeit entscheidet. Meine Partnerin muss sich wohl fühlen in ihrer Rolle als Frau. Meine Erfahrung zeigt, dass die meisten Frauen einen Beschützer wollen, einen Mann, der Stärke besitzt oder zumindest ausstrahlt. Das ist auch in der Sexualität wichtig. Es mag vielleicht spannend sein, wenn die Frau für eine oder zwei Nächte die Lehrerin ist, ich glaube aber, umgekehrt sind die Zukunftsaussichten für die Beziehung besser. Das Alter einer Frau ist für mich sekundär. Das Zusammenleben, die Sexualität haben nichts mit dem Alter zu tun oder mit einem »knackigen Hintern«, sondern mit der Fähigkeit einer Frau, loslassen zu können und sich mehr zu trauen.

Als junger Tennisspieler musste ich um mein Privatleben kämpfen, vor allem gegen Tiriac, der mich lieber mit einem Model vor der Kamera eines Werbefilmers als im Bett gewusst hätte. Ich sollte verzichten, er wollte kassieren. Nach unserer Trennung bekam er übrigens zwei Kinder mit einer schönen Frau, Sophie, einer Freundin von Barbara, die uns letztlich zusammengebracht hatte. In meinen Liebeszeiten gingen Bosch und Tiriac immerhin recht behutsam mit mir um. Über tausend Ecken und einige Gespräche machte mir Tiriac jedoch ganz klar, was er von Frauen im Leben von Sportlern hielt – nämlich gar nichts. Er konnte es mir aber nicht verbieten. Er wusste, wie unbequem ich sein konnte, wenn mir jemand in die Quere kam.

Die Grundfrage, die Tiriac aufwarf, wird vor jeder Fußball-Weltmeisterschaft, vor jedem Wimbledon immer wieder gestellt: Verringert Sex die sportliche Leistungsfähigkeit? Sollen Fußballtrainer die Spieler kasernieren, sie zur Enthaltsamkeit zwingen? Kicken Keusche besser? Verstärkt Enthaltsamkeit den Aufschlag? Ich finde, dass kerkerähnliche Bettruhe die Spieler nur verrückt macht, zumindest diejenigen, die sonst in der Zweisamkeit leben. Wenn ich mich auf Wimbledon vorbereitete, war meine jeweilige Partnerin stets dabei. Während des Turniers schliefen wir im selben Hotel, aber in getrennten Zimmern. Ihre Gegenwart bedeutete Stabilität, Geborgenheit, Vertrauen, und das hat wenig mit Sex zu tun. Wir leben im einundzwanzigsten Jahrhundert, die Profis werden sich ihr Sexualleben nicht von einem Coach vorschreiben lassen. Und wenn er das versucht, holen sie sich trotzdem, was sie brauchen.

Wen hat mir die Presse nicht alles ins Bett gelegt: Désirée Nosbusch, Bankierstöchter, Society-Ladies oder Katarina Witt, die Eiskunstlauf-Prinzessin, die so einige Männer zu amourösen Pirouetten getrieben hat. Meinen Finalsieg im Turnier in Queens im Juni 1988 gegen Edberg verfolgte sie von meiner Loge aus – eine schöne Geschichte für die schreibende Zunft: Provinz Ost meets Provinz West, Leimen grüßt Karl-Marx-Stadt. Boris und Katarina, sie Gold in Sarajevo und Calgary (1984 und 1988), er in Barcelona (1992). Ein Reporter wollte in Wimbledon wissen: »Ist da was?« – »Ich habe sie beim Eiskunstlaufen gesehen.« – »Ist sie deine Freundin?« – »Nein.« Der für die Pressekonferenz zuständige Offizielle intervenierte: »Können wir uns bitte auf Tennis beschränken?« So ging das oft: Sollte ich über Amouren reden oder über meinen Aufschlag? Wie ich den Return schlage, wussten die Leute, interessanter war wohl, wie ich die Frauen betten würde. Und, was wäre das doch schön gewesen fürs deutsche Gemüt, die Steffi aus Brühl.

Mit Sicherheit habe ich mehr Tennisspiele verloren wegen des Erwartungsdrucks, der ständig auf mir lastete, als wegen irgendwelcher Frauengeschichten. Ich habe schlechter gespielt, wenn ich keine Beziehung hatte. Dann war ich oft unterwegs, auf der Suche nach einem Ausgleich. Nach solchen Streifzügen durch die Pariser Nächte erschien »BILD« dann mit Schlagzeilen wie: »Strafe für Disco-Boris. In Paris ausgetanzt.«[2] Aus in der ersten Runde. Ich war dreiundzwanzig, und sie hieß Eva.

Mittlerweile weiß ich, was ich zu tun habe, wenn ich inkognito sein oder mit einer Frau nicht auf einem Foto abgelichtet werden will. Ich komme allein an und gehe allein. Die Frau verlässt das Lokal durch den Notausgang oder die Küche, oder ich verschwinde in der Dunkelheit. Einmal allerdings, ich hatte mich heimlich mit Karen ins Royal Palm Hotel auf Mauritius zurückgezogen, ging es gründlich daneben: Wir gingen tauchen, in diesen Spezialanzügen, in denen man auf dem Meeresboden herumlaufen und den Fischen guten Tag sagen kann. Unser Tauchlehrer nahm Erinnerungsfotos mit der Unterwasserkamera auf. Einige Wochen später entdeckte ich diese Bilder in deutschen Magazinen und fragte mich, wie die Paparazzi das geschafft hatten, wo wir doch unter Wasser waren? Die Erklärung war einfach: Der Tauchlehrer hatte offenbar einige Abzüge mehr machen lassen und sie dann verkauft.

Ich habe stets mit dem Gefühl leben müssen: »Vorsicht, Kamera!« Aber dass sich das nach dem Ende meiner Tennis-Karriere noch verschlimmern würde, hätte ich damals nie geglaubt.

Willkommen, Herr Hartel

Sie hat schon die Lockenwickler drin, am nächsten Morgen muss sie mit dem Zug zur Modenschau nach Salzburg. Aber ihre Freundin Sophie überredet sie, sich wieder anzuziehen – allein will sie nicht auf die Einladung in das »Café Reitschule« in München-Schwabing. Zufällig bin ich auch dort. Ich beobachte sie, sie isst und spricht kein Wort. Bei der ersten Gelegenheit setze ich mich neben sie, nippe ungefragt an ihrem Bierglas, sehe ihr in die Augen und sage: »Eigentlich müssen wir jetzt nicht mehr reden – es ist alles klar.« Einen so blöden Spruch, antwortet sie, habe sie noch nie gehört. Es ist der 1. Oktober 1991.

Sie ist schön und schwarz – Barbara Feltus. Die Freunde gehen, wir wollen bleiben. »Gehen wir zu mir oder zu dir?« Zu ihr wäre mir lieber, denn ich wohne im Hotel Raphael. »Noch so ein blöder Spruch«, antwortet sie. Dabei habe ich nichts Verwerfliches im Sinn. Ich will nur nicht mit ihr auf irgendeiner Klatschseite landen. An eine Beziehung denke ich gar nicht im Moment. Auch wenn ich auf der Suche nach Privatleben bin. Sie will in die Bar »Schumann's«, auf neutrales Territorium, wie sie das nennt. Ich trinke Orangensaft, sie Whisky. Ihr Zug fährt um sechs Uhr, mein Abflug nach Tokio ist einige Stunden später. Menschen begegnen uns, auf dem Weg zur Frühschicht irgendwo.

In meinem grünen Ferrari fahre ich durch die Theatinerstraße. Das ist eine Fußgängerzone, aber ich habe es nicht gewusst – die Polizisten, die mich anhalten, glauben mir kein

Wort. Sie sind mit Sicherheit keine Tennisfans, oder sie sind Becker-Gegner. Ich muss blasen: 0,0 Promille. Haben die vielleicht ein Problem mit ihrem Ballon? Noch mal blasen: 0,0. Frühmorgens und nicht blau, na so was. Der Erste-Hilfe-Koffer? Papiere? Der Zug nach Salzburg wartet nicht. Ich fahre schneller, als die Polizei erlaubt. Vor Barbaras Wohnungstür biete ich ihr an: »Ich komm mit rauf und helf dir beim Packen.« – »Ich weiß, wie dieses Packen aussieht.« Ich bitte sie um ihre Telefonnummer. Sie soll sie zweimal aufschreiben, ich will sie nicht verlieren. Waldemar Kliesing sitzt in der Maschine nach Tokio neben mir. »Waldemar«, sage ich, »ich fürchte, vor einigen Stunden habe ich meine künftige Ehefrau getroffen.« »Du spinnst«, meint er.

Was ich nicht wusste: Ich hatte Barbara schon als Kind getroffen. Einer der Freunde meines Vaters, ein Graphiker, war mit einem Fotografen namens Ross Feltus befreundet, Barbaras Vater. Und bei Festen, so drei-, viermal im Jahr, haben Barbara und ich zusammen gespielt. Aus Tokio rief ich sie jeden Abend an und erzählte ihr Geschichten, beispielsweise, mit welcher Frau ich in der Nacht in der Disco war – völlig bescheuert. In Wahrheit hockte ich vor dem Fernseher und träumte von ihr. »Deine Märchen«, hörte ich durchs Telefon, »kannst du dir sparen und die Telefonkosten auch.« Punkt.

Leute, die eine Chance bei mir haben wollen, müssen hart diskutieren und mich von meinem Unrecht überzeugen können, oder sie müssen nein sagen können, so wie Barbara damals. Wenn ich zu weit ging, ging sie. Sie hatte keine Angst, weder vor mir noch vor dem Leben, eine Frau, die zu mir passte. Instinktiv habe ich mich entschieden, wie so oft. Ich nehme die Fehler in Kauf, die mir durch das Vertrauen in meinen Instinkt unterlaufen, aber bisher habe ich mich selten getäuscht.

Zwischen den Turnieren in Tokio und Stockholm sah ich

sie in München wieder. Zu unserer zweiten Verabredung kam sie geschlagene neunzig Minuten zu spät. Ich wartete – sie war die Frau, die ich haben wollte. Aber Zärtlichkeiten hat es in jenen Tagen nicht gegeben. Ich siegte in Stockholm und war verzweifelt: Barbara war in München und ich allein in dieser Stadt, einsam am Wasser mit Regen und Nebel. Sie arbeitete in den folgenden Tagen in Frankfurt, wieder eine Modenschau. Deshalb besuchte ich kurz meine Eltern in Leimen und erzählte ihnen, dass ich dringend verreisen müsse. Das war ja die Wahrheit, von Barbara habe ich nichts gesagt.

Sie wohnte in einer Pension, teilte ihr Zimmer mit einem anderen Model – also kein Ort, um sich näher zu kommen. Wir beschlossen, nach Wiesbaden zu fahren, dort war am folgenden Tag eine zweite Modenschau. Auf der Autobahn verlor ich dann die Geduld – Blinker raus, rechts ran – und küsste sie das erste Mal, an einem Tag im November. Im Autoradio lief »Black Cat« von Janet Jackson. Barbara, die selbst Sängerin ist, erinnert sich bis heute an die Melodie.

Vor dem Penta-Hotel in Wiesbaden steigt Barbara aus, geht zum Empfang und reserviert ein Doppelzimmer für Harry Hartel und Frau Sabine – oder war es Susi? Wir checken ein. Ich verstecke dabei meine Schläger unter dem Mantel, im Auto kann ich mein Handwerkszeug nicht lassen. Sonnenbrille auf, Mütze ins Gesicht. »Wie zahlen die Herrschaften?«, fragt der Mann am Empfang Barbara. Ich stehe hinter ihr, ziehe ohne nachzudenken meine Kreditkarte und reiche sie über den Tresen. Natürlich ist »Boris Becker« in die Karte eingeprägt. Der Empfangsherr blickt kurz drauf, verzieht keine Miene und sagt: »Willkommen, Herr Hartel, einen schönen Aufenthalt bei uns.« Seine Wünsche sind in Erfüllung gegangen – es war meine erste Liebesnacht mit Barbara. Dem Gentleman hinter dem Hoteltresen sei wegen seiner Diskretion gedankt.

Wieder Abschied, wieder Trennung. Beim Masters in Frankfurt im November muss ich beim ersten Gruppenspiel gegen Agassi spielen. Niederlage mit 3:6, 5:7. Ich rufe Barbara an und bitte sie zu kommen. Es gibt so spät kein Flugzeug, keine Zugverbindung mehr. »Nimm ein Taxi«, sage ich. Die Rechnung war gigantisch, aber ein Münchner Taxifahrer war glücklich. Barbara bringt Sophie mit, auch das noch. Was mache ich nur mit ihr? Das Hotel ist ausgebucht. Also muss Waldemar das Zimmer mir Sophie teilen, ein ehrenwerter Mann aus Aachen, verheiratet, loyal. Seine Frau vertraut ihm, zu Recht. Das Telefon läutet, Sophie nimmt ab, weil sie einen Anruf von Barbara erwartet. Am Apparat: Frau Kliesing. Ihr Mann Waldemar stirbt tausend Tode. Ich gewinne meine nächsten Matches gegen Stich (7:6, 6:3) und Sampras (6:4, 6:7, 6:1), und Waldemars Ehe hat gehalten.

In den Wochen vor Weihnachten war ich absolut sicher: Barbara ist die Frau, meine Frau. In einem McDonald's unweit der Hohenzollernstraße in München machte ich ihr den ersten Heiratsantrag. Sie erklärte mich für verrückt. Einige Tage danach erlitt sie einen Blinddarm-Durchbruch, und nun wurde ich wirklich verrückt. Meine Turnierreise nach Australien stand bevor, das hieß zehn Wochen ohne sie. Der Gedanke, sie nach einer Operation allein zu lassen, war mir unerträglich. Sie kämpfte gegen die Ärzte und ihre Mutter und bestand darauf zu reisen. Sie hat sich durchgesetzt. Gesundheitlich gab es keine Probleme, aber ich ahnte, was in der Silvesternacht in Perth 1991, bei unserem offiziellen »Outing«, auf uns zukommen würde. Ich hatte in Deutschland mit ihr geredet, sie während des Flugs auf das Blitzlichtgewitter vorbereitet, in Australien noch einmal. »BILD« druckte ein Foto aus einer alten Setkarte nach, ein Foto, mit dem sie als Mannequin Eigenwerbung betrieb. »Babsie-Strapsie, die Neue von Boris Becker«, hieß es. »Cappuccino-Ton.« »BILD« ging noch weiter: Entweder, wir gaben ein

Exklusiv-Interview, oder sie druckten Enthüllungsstorys über Barbaras Liebeleien. Ein Arbeitsstil besonderer Art.

Es waren schlimme Tage für Barbara, nicht nur deswegen. Sie hatte mich vor Melbourne noch nie während eines Turniers erlebt, diese Schufterei und Konzentration, dieser Tunnelblick. Instinktiv tat sie das Richtige, war leise und zurückhaltend. Etwas anderes hätte ich von ihr auch nicht erwartet. In der dritten Runde verlor ich gegen John McEnroe mit 4:6, 3:6, 5:7. Einmal mehr die Flucht irgendwohin im Auto – aber nun saß Barbara neben mir. Ein neues Fahrgefühl.

Plötzlich hatte ich bis zum Davis-Cup-Match gegen Brasilien eine knappe Woche frei. Ich besorgte eine Landkarte, legte sie vor Barbara auf den Tisch und fragte: »Wohin? Bora Bora, Tahiti?« Es wurde eine schöne Zeit. Neben der Landebahn dümpelten Motorboote, Palmen vor dem Ankunftsgebäude, Glasfußboden im Bungalow, der Blick auf Korallen, bunte Fische, weißen Sand. Unser Paradies für fünf Tage. Danach stand der Davis Cup an. Wir trafen zwei Tage vor dem Team in Rio ein, aber die Gegenwart von Barbara irritierte die Kollegen und den Coach. Sie war die einzige Frau in einer Gruppe, in der niemand sie kannte. Barbara flog schließlich allein zurück nach Düsseldorf zu ihrem Vater und versteckte sich bei ihm vor der hysterischen Presse.

Meine Eltern haben über unsere Liebe, wie Millionen von Deutschen auch, zuerst aus »BILD« erfahren. Im November 1992 siegte ich in Bercy über Guy Forget mit 7:6, 6:3, 3:6, 6:3. Ich war glücklich, endlich ein Turniersieg mit Barbara, trotz Barbara. Es gab Champagner in der Players' Lounge, und zum ersten Mal redete ich mit meiner Mutter über Barbara und mich. Ganz behutsam bereitete ich sie auf unsere schwarzen Kinder vor, auf die ich mich freute. Sie warnte mich: »Stell dir mal vor, wie sie in einer deutschen Schule leiden werden!« Barbara hörte zu und sagte nichts.

Im Frühjahr 1993 reservierte ich einen Tisch in einem

unserer Münchner Lieblingsrestaurants, dem gemütlichen »Bogenhauser Hof«, und bat den Pianisten, auf ein Zeichen von mir »Summertime« zu spielen, die Melodie aus George Gershwins »Porgy and Bess« – Barbaras Lieblingslied. Als sie zur Toilette ging, war der Moment gekommen. Ich versteckte einen Diamantring in ihrem Whisky-Soda – ein Heiratsantrag sollte es werden wie anno dazumal. Sie nippte an ihrem Whisky. Wo war nur der Ring? Das Schmuckstück wurde vom Eis verdeckt. Der Pianist verlängerte »Summertime« um einige Minuten. Das Eisstück schmolz, endlich. Kein Drama durch einen verschluckten Diamanten, sondern Freude und Rührung. Am Tag darauf rief ich meine Eltern an: »Ich habe Neuigkeiten, wir haben uns verlobt.« Stille am Telefon. War das der Schock oder leise Freude?

Manche haben meine Entscheidung, Barbara zu heiraten, als politische Botschaft verstehen wollen – es war aber Liebe, sonst nichts, eine Liebe ohne Rücksicht auf die dunkle Hautfarbe. Ich habe das öffentlich gemacht, indem ich mit Barbara im April 1993 für den »Stern« einen provokanten Titel aufnahm – wir beide beinahe nackt, meine Hände über ihren Brüsten. Meine Mutter reagierte wie viele andere: »Muss das sein?« Es musste.

Im Februar glaubten wir, Barbara sei schwanger. Oh Mann, welche Gedanken mich damals beim täglichen Training beschäftigten: Slice, Topspin, Stop? Nein! Windeln, Flasche, Weinen. Wie würde das Leben fortan aussehen, könnte ich das überhaupt? Wie würden meine Reisen ablaufen, die Tennisturniere zu dritt? Vier Tage lang beschäftigten mich diese Fragen, dann wusste ich: Es wird gut werden, toll, ein Kind! Aber die Schwangerschaft war keine, ich musste noch warten. Das Turnier in Rom im Mai 1993 war dann eine ganz besondere Angelegenheit. Nicht wegen des Finales, das ich gegen den Russen Andrej Tschesnokow mit 2:6, 6:3, 6:7 verlor, sondern weil Barbara in eine Apotheke ging. Ich wartete auf sie in unserer Suite im Excelsior. Statt mit weißen, blauen oder gelben Einkaufstaschen aus den feinen Läden an der Via Condotti kam sie mit einem Zettel zurück – dem Ergebnis eines Schwangerschaftstests auf Italienisch. Weiter als »al dente« und »domani« reichten meine Sprachkenntnisse nicht, und Barbara war sich auch nicht sicher, ob sie alles verstanden hatte, aber der Test schien auszusagen, dass sie schwanger sei. Die Gynäkologin in München bestätigte unsere Übersetzung: Es kündigte sich Nachwuchs an.

Ich war katholisch, unverheiratet, und Barbara war nicht auf eine Ehe eingestellt. Ihre Eltern sind geschieden, meine waren in jenem Jahr bereits sechsunddreißig Jahre verheiratet. Einige Tage vor Beginn des Wimbledon-Turniers 1993 lud ich meine Eltern zum Essen ein und weihte sie ein. Meine Mutter, in den Monaten zuvor so skeptisch, war gerührt, mein Vater schien erleichtert: »Endlich werde ich Opa.« Ich erreichte das Halbfinale und verlor gegen Sampras mit 6:7, 4:6, 4:6, Barbaras Bauch nahm Form an. In New York, bei den US Open, informierte ich die Presse bei einem Frühstück im Peninsula auf der Fifth Avenue über das bevorstehende Ereignis. Unser Kind sollte im Januar 1994 zur Welt kommen. Sportlich lief danach nur noch wenig – ich konnte mich zum ersten Mal nicht für das Masters in Frankfurt qualifizieren. Das war bitter. Im Grand Slam Cup Anfang Dezember verlor ich in der ersten Runde gegen Wayne Ferreira. Barbara war im achten Monat, meine Gedanken waren nicht mehr so recht auf dem Tennisplatz.

Welch ein Jahr: Trennung von Tiriac, Barbaras Schwangerschaft – und noch immer keine Hochzeit. Barbara drängte nicht, aber ich wollte heiraten, und zwar vor der Geburt. Ich wollte mein Kind nicht im Nachhinein adoptieren. Axel Meyer-Wölden empfahl uns den österreichischen Skiort Kitzbühel für die Hochzeit, einen romantischen Ort mit Schnee und Bergen. Die Idee gefiel uns, die Trauung sollte an einem Wochenende stattfinden. Einen Tag blieb dieses Vorhaben geheim, dann meldete die Presse: »Becker – Hochzeit am Freitag in Kitzbühel.« Vorbei der Traum von Schnee und Bergen und stampfenden Rössern, die einen Schlitten ziehen, Barbara eingehüllt in warme Pelze, um sie und unser Kind vor der Kälte zu schützen. Wir buchten sofort um auf das Schlosshotel Bühlerhöhe, von Freitag bis Sonntag, nur mit den Beckers, Freunden und Familie, insgesamt nicht mehr als zwanzig Gäste.

Am Donnerstag fiel Schnee in München. Wir planten die Flucht nach Leimen und danach in das eine Stunde entfernte Hotel bei Baden-Baden. Die Termine in Kitzbühel hatten wir nicht abgesagt, die ersten Übertragungswagen gingen bereits in Stellung. Barbara und ich fuhren ins Münchner Sheraton. Ein Dutzend Pressewagen sowie Paparazzi auf Motorrädern verfolgten uns. Ich stellte den Wagen ab, wir gingen ins Hotel und fuhren mit dem Fahrstuhl in die Tiefgarage. Carlo Thränhardt wartete dort mit dem Fluchtauto. Wir legten uns platt auf die Rücksitze und verließen mit Tempo achtzig die Garage.

Wegen des Schneetreibens erreichten wir erst morgens um zwei Uhr das Haus meiner Eltern. Vom Autotelefon aus hatte ich ihnen unsere bevorstehende Ankunft gemeldet. Sie wussten nichts von unserer Zielkorrektur und hatten, wie unsere anderen Gäste auch, für die Fahrt nach Kitzbühel gepackt. Meine Eltern kannten mich, sie überraschte so leicht nichts mehr, doch als ich meinem Vater gegen vier Uhr morgens mitteilte: »Am Freitag um sechzehn Uhr, in zwölf Stunden also, will ich heiraten, und zwar im Rathaus von Leimen«, da schluckte er: »Wie willst du das schaffen? So schnell geht das nicht!« Ich packte ihn bei seinem Stolz: »Wenn nicht du, wer sonst könnte das zustande bringen?« Er konnte – der Bürgermeister persönlich vermählte uns. Natürlich hatte sich die Presse nicht lange in die Irre führen lassen, Fotografen und Reporter waren pünktlich in Leimen. Doch die Mauern des Hotels Bühlerhöhe konnten auch sie nicht überwinden – wir waren unter uns.

Ich hätte Barbara am liebsten schon nach drei Monaten geheiratet, nach sechs Monaten wollte ich ein Kind von ihr – ich habe die richtige Entscheidung getroffen. In meiner Beziehung zu Barbara habe ich damals mein Selbst wiederentdeckt. Ich war in meinen letzten Tennisjahren meilenweit vom Weltranglistenplatz eins entfernt, aber wirklich gestört hat mich das damals nicht mehr. Meine Leidenschaft war die Familie geworden, Tennis nur noch eine Nebenbeschäftigung. Die Liebe meiner Söhne bewegt mich heute. Sie wissen nicht, wer ich bin, nichts von Geld, nichts von Ruhm. Als Noah einige Monate alt war und mich sah, fing er an zu lachen, mich zu drücken und zu küssen. Das war ein Urerlebnis – reine Liebe. Jetzt ist er größer und sagt, wenn ihm etwas nicht gefällt. Er überlegt nicht erst, ob ihm seine Launen schaden könnten: »Wenn ich den Teller leer esse, liest du mir was vor, du hast es versprochen!« Eine seiner Lieblingsgeschichten war die vom »Sams«, einem Wesen, das Wünsche erfüllt. Und von dem Jungen Martin, dessen Vater Taschenbier heißt. Der hat gerade Frau Margarete März kennen gelernt, zu der das »Sams« Margarine sagt. Das gefiel Noah, und ich las ihm gerne daraus vor.

Die Liebe zu meinen Kindern hat meinem Dasein wirklichen Wert gegeben. Dass ich am 15. Dezember 2000, also zwei Tage vor unserem siebten Hochzeitstag, beim Münchner Familiengericht die Scheidung einreichen musste, war die größte Niederlage meines Lebens.

Warum nur?

Es herrschte gespenstische Stille, nur der Wind strich mit leisem Pfeifen ums Haus. Die lange, alabasterfarbene Tafel wirkte verlassen. Normalerweise brannten Kerzen, es standen Blumen da oder irgendeine Tischdekoration. An diesem Abend war da nur dieses Tischtuch, wie ein Leichentuch sah es aus. Die Kinder waren im Bett, das Personal hatte Ausgang, die Bodyguards waren nicht zu sehen. Barbara hatte Brote gemacht. Ich saß am Kopfende, ein kleines Weißbier vor mir, sie links neben mir an der Seite, ein Glas Champagner in Griffweite. Sie liebt Champagner. Es war kurz nach zweiundzwanzig Uhr an diesem Samstag im November 2000.

Den Tag hatte ich in meinem Büro verbracht. Aus Paris waren Leute gekommen, die mir eine Maske für einen Mercedes-Werbespot mit Mika Häkkinen anpassten. Wir spielten in dem Spot den alten Boris und den alten Mika, die auch nach Jahrzehnten noch immer nicht von ihrer Liebe zu Mercedes lassen können. Ich erschrak, als ich mich im Spiegel sah. So würde ich einmal aussehen? Oh Gott! Barbara war auch im Büro, aber statt sich über mein Aussehen zu amüsieren, wirkte sie seltsam beklommen. Sie spürte, was kommen würde. Und ich beschloss in diesem Moment: Beim Abendbrot zu Hause sage ich es ihr.

»Barbara, es geht nicht mehr, wir müssen uns trennen!« Sie war ganz ruhig. Sie hat nicht geschrien, nicht geweint, sie war nicht überrascht. Sie hat in diesem Moment nicht einmal nach dem »Warum« gefragt. Wie zwei erwachsene Menschen begannen wir, sachlich über die Trennung zu reden. »Es ist Ende November, es bringt nichts, wenn du jetzt mit Sack und Pack das Haus verlässt. Am besten bleibst du mit den Kindern hier. Ich drehe nächste Woche den Werbespot in Cannes, muss dann nach New York und habe noch Verpflichtungen für AOL. Wenn ich zwischendurch in München bin, gehe ich ins Hotel, komme aber zum Abendessen, verbringe Zeit mit den Kindern oder hole sie morgens ab.« Sie nickte. »O. k., wenn du glaubst, dass das der richtige Weg ist ...« Ich gab ihr einen Gute-Nacht-Kuss, und wir gingen ins Bett. Sie ins Gästezimmer, ich ins Ehebett.

Von Scheidung war an dem Abend nicht die Rede. Wir waren schon ein gutes Dutzend Mal an diesem Punkt angekommen, ich war auch schon ein paar Mal für ein oder zwei Nächte ins Hotel gezogen. Aber diesmal war es ernst. Ich wollte einen Schlussstrich ziehen, ihr klar machen: So geht es nicht weiter mit uns, zumindest nicht für mich. Wir wollten Weihnachten wieder reden und dann sehen, ob wir eine Zukunft hatten. Ich wollte die Trennung, um unsere Ehe zu retten.

Die Nacht war kurz. Nach dreieinhalb Stunden Schlaf war ich um fünf Uhr hellwach. Ich wälzte mich noch ein paar Mal hin und her, doch meine Gedanken schlugen Purzelbäume. Ich war mir sicher, dass es die richtige Entscheidung war. Wir brauchten die Distanz, um uns übereinander klar zu werden. Wir brauchten die Entfernung, um wieder Nähe aufbauen zu können. Im Haus hielt ich es nicht mehr aus. Innerhalb von Minuten hatte ich zwei Koffer gepackt. Der Abendwind hatte einen kalten Nieselregen gebracht, und irgendwie kam ich mir schäbig vor, als ich bei Dunkelheit gegen sechs Uhr früh mein Haus und meine Familie verließ.

»Mutter, mach Frühstück, ich komme.« Es war acht Uhr, noch eine Stunde bis Leimen. Ich flog in meiner M-Klasse über die Autobahn, fast ohne Kontakt zur Straße oder zur Außenwelt. Langsam löste sich die Anspannung. »Ist etwas passiert?«, fragte sie. »Ja, aber ich sag es dir erst, wenn ich da bin.«

Das Frühstück stand schon auf dem Tisch, der Espresso duftete. Meine Mutter umarmte mich wortlos. »Ich habe mich von Barbara getrennt.« Ich schaute sie an, in Erwartung eines Urteils. Aber sie fragte nur: »Und die Kinder ...?« Meine Mutter hat vieles in ihrem Leben erlebt, sie ist eine sehr pragmatische Frau. Nie hat sie das »Warum« interessiert, sondern immer das »Wie geht es weiter?«.

Für mich war das »Warum« sehr klar. Die Trennung von Barbara war keine spontane Entscheidung, schon gar nicht waren irgendeine andere Frau oder das Baby in London der Grund. Das Ende meiner Tennis-Karriere war auch der Anfang vom Ende meiner Ehe – so klar kann ich das heute sagen. 1997 hatte ich eigentlich schon aufgehört und mich im Wimbledon-Finale gegen Pete Sampras vom großen Wettkampf-Tennis verabschiedet. Zwei Jahre habe ich dann noch »abtrainiert«, hier und da herumgespielt, um mich physisch und psychisch von der Welt des Profi-Tennis zu lösen. Was wir dabei vergaßen: Auch Barbara hätte ein Entwöhnungsprogramm durchlaufen müssen, denn als ich 1999 in Wimbledon das Kapitel Tennis endgültig abschloss, fragte sie mit großen Augen: »Schön und gut, aber was mach ich jetzt?«

Barbara hatte ihren festen Platz, ihre klar definierte Aufgabe im Tennis-System Becker. Sie repräsentierte uns nach außen, sie hielt den Laden zusammen und mir den Rücken frei. Auf ihre Art und Weise war sie genauso Match-orientiert wie ich. Während ich mit allem kämpfte, was ich auf dem Platz aufbieten konnte, glaubte sie an spirituelle Unterstützung, an übersinnliche Kräfte, die sie für mich mobilisierte. Und auf einmal hatte ich ihr den Lebensinhalt genommen.

Ich hatte zeitgleich mit meiner Abschiedstour mein Büro eingerichtet, meine Marketingagentur gegründet und vier Wochen nach dem letzten Match gegen Patrick Rafter fünfzig Prozent von Völkl Tennis übernommen. Mein Leben nach dem Tennis hatte schon vor dem letzten Matchball längst begonnen. Für Barbara aber tat sich eine große Leere auf. Bis zu meinem Rücktritt hatten die Familie Becker und ihr Umfeld ein gemeinsames Ziel gehabt: meinen Erfolg als Tennisspieler. Dieses Ziel war nun verloren gegangen. Und am wenigsten damit umgehen konnte Barbara. Ich hätte sie darauf vorbereiten müssen, so aber erwischte es sie im Juli 1999 kalt. Das war mein Fehler, und wir sollten für ihn bitter bezahlen.

Die Folge waren endlose Streitigkeiten. Unsere Gegensätze, die anfangs den Reiz unserer Partnerschaft ausgemacht hatten, wurden nun plötzlich unerträglich, so zum Beispiel ihre Unpünktlichkeit. »Ich weiß nicht, wie ich das jahrelang geschafft habe. Wenn es heißt, wir gehen um zehn, dann bist du nie vor elf fertig. Die Kinder schreien, die Freunde warten, und die Show, die wir eigentlich sehen wollten, ist vorbei.« Heute lachen wir darüber, aber damals war ich irgendwann an einem Punkt angekommen, an dem das Maß voll war. In bestimmten Dingen bin ich preußischer als preußisch, habe immer meinen zeitlichen Rahmen, den ich diszipliniert einhalte. Wenn ein Match um vierzehn Uhr anfing, dann stand ich um neun Uhr auf, frühstückte um zehn, schlug mich um zwölf Uhr ein und so weiter. Wenn man die Zeiten seines Partners nicht mehr respektiert, kann darüber die ganze Lebensorganisation zusammenbrechen, das tägliche Leben wird zum Chaos. Grundsätzliche Überlegungen und Planungen für die Familie sind erst recht nicht mehr möglich, ständig gibt es neue Baustellen und Brandherde. Ich hatte meine neuen Aufgaben, meine Geschäftstreffen. Zudem wusste ich, dass sich das Steuer-Thema zuspitzte und meine Vaterschaft in London publik werden würde. Ich hatte einen ganzen Sack voll Sorgen – und da sollte ich auch noch den täglichen Ablauf zu Hause planen und überwachen. Das war einfach zu viel, dafür hatte ich nicht die Kraft und nicht den Kopf.

Dazu kamen die vielen Menschen im Haus. Immer war die Bude voll. Da war die Familie aus Thailand: Mutter, Tochter und Schwester – Köchin, Nanny und Vertretung der Nanny. Und all die Bodyguards. Sicher, es gab immer wieder Drohungen, aber was bei uns in Sachen Sicherheit abging, war schon pervers. Wir hatten zeitweise bis zu zehn Leute im Haus, und zwar rund um die Uhr. Und wann immer es ging, kamen auch noch Freunde, Bekannte oder Verwandte. Beruflich habe ich ständig mit vielen Menschen zu tun, da wollte ich zu Hause einfach Ruhe haben, wollte mal nackt durchs Haus laufen oder mit meiner schönen Frau Sex auf dem Sofa haben, die Seele baumeln lassen und einfach nur alle viere von mir strecken. Stattdessen musste ich sogar zu Hause noch repräsentieren, eine Rolle spielen. Ich verlor allmählich an Substanz und hatte keinen Platz mehr, wo ich auftanken konnte. Dabei brauchte ich gerade in dieser Zeit alle Kraft der Welt.

Wir stritten nur noch. Als Tennis-Nomade ziehst du Woche für Woche von einer interessanten Stadt in die nächste. Du triffst spannende Leute. Und bevor du sie als uninteressant enttarnt hast, bist du schon wieder weitergereist. Jetzt hatte Barbara vor allem mich als Gesprächspartner. Ich kann sehr anstrengend sein, bin sehr fordernd, bringe die Dinge schnell auf den Punkt und habe die Gabe, Menschen verhältnismäßig schnell zu entwaffnen. Und davor hatte Barbara immer eine gewisse Angst. Auf der anderen Seite kann ich auch ganz schön langweilig und spießig sein, Fußball gucken, Weißbier trinken und Skat spielen. Ein paar Tage vor unserer Trennung hatte ich meinen dreiunddreißigsten Geburtstag gefeiert. Mit ein paar Kumpels war ich im Münchner Olympiastadion und sah einen grottenschlechten Kick des FC Bayern beim 1:0-Sieg über Lyon in der Champions League. Für mich aber war das eine wunderbare Art, meinen Geburtstag zu feiern, ohne Trallala und Scheinwerfer. Danach trafen wir uns im »Schumann's«, meiner Lieblings-Bar in München. Barbara zog dort eine Show ab, völlig überdreht und unpassend, gewissermaßen das Kontrastprogramm.

Uns war die Zweisamkeit verloren gegangen. Nach außen waren wir das perfekte Paar, die Lieblinge des Boulevards. Barbara im roséfarbenen Seidenkleid und Boris im Smoking neben Produzent Arthur Cohn beim Oscar in Los Angeles. Boris und Elton John beim Tennis-Match im Beverly Hills Hotel. Die Söhne und die Mutter planschen im Hintergrund im Hotelpool – was für ein Idyll. Barbara als heimliche »First Lady« Deutschlands, die beim Staatsempfang auf Schloss Bellevue den französischen Staatspräsidenten Jacques Chirac genauso bezirzt wie den deutschen Bundespräsidenten Johannes Rau. Wir suchten beide zuletzt immer mehr das Licht der Öffentlichkeit, weil wir den Schatten unseres Privatlebens entfliehen wollten. Wir flohen auf die millionenfach beäugten Bühnen und Laufstege, weil wir zu Hause für uns beide allein keinen Platz mehr fanden. Und wie zwei gute Schauspieler gaukelten wir der Welt eine harmonische Ehe vor, die in Wirklichkeit längst ein Scherbenhaufen war.

»Seit geraumer Zeit haben wir feststellen müssen, dass unsere Auffassungen über die Prioritäten unserer Beziehung zu unterschiedlich sind. Wir haben erkannt, dass es so nicht weitergeht. Deshalb die Trennung. Von Scheidung ist aber keine Rede.«[1] Am Dienstag, den 5. Dezember 2000, ging diese Erklärung um zwölf Uhr vierunddreißig von meiner PR-Agentur lübMEDIA über den Fax-Verteiler. Was danach passierte, beschreibt mein PR-Berater Robert Lübenoff so:

»Keiner hat es geglaubt, ich musste Dutzende von Meldungen mit meiner Unterschrift beglaubigt hinterherschicken, weil die meisten dachten, das sei ein Scherz.«

Es war bitterer Ernst, aber die Nation wollte es nicht wahrhaben. »Babsi? Boris? Trennung? Die Chance, das erleben zu dürfen, entsprach der Wahrscheinlichkeit, dass Edmund Stoiber und seine CSU bei den Grünen um politisches Asyl betteln«[2], suchte der »Stern« einen Vergleich. Der »Spiegel«[3] titelte: »Ist denn nichts mehr heilig?«, und schrieb: »Wieder einmal war eine große Illusion zerplatzt – der Traum von romantischer Liebe, perfekter Beziehung und dauerhaftem Glück. Die uralte und immer neue Geschichte von der Kurzlebigkeit des Himmelreichs auf Erden zerstörte die schönen Projektionen vom multikulturellen Traumpaar, das auch noch ein anderes Deutschland vermitteln sollte.« Und die »Bunte«, die mich noch in der Woche zuvor als »erotischsten Mann Deutschlands« auf dem Titel feierte und über Jahre unsere Ehe zu einem nationalen Heiligtum stilisiert hatte, stellte auf vierzehn Sonderseiten fest: »Die Traumehe, die leider keine war.«[4]

»BILD« war da schon ein Stück weiter: »Aus wegen ihr?«, fragte das Blatt.[5] Und zwölf Millionen Leser glaubten, dass Sabrina Setlur, der deutsche Rap-Star aus Rödelheim, der Grund sei. Später waren Sabrina und ich tatsächlich für eine Weile ein Paar. Zu diesem Zeitpunkt aber war Sabrina nur eine gute Freundin, sowohl von Barbara als auch von mir. Für Teile der internationalen Presse hatte unser Beziehungsende gar politische Dimensionen. »Nazis zerstören Beckers Ehe«[6], wusste das englische Massenblatt »Sun«. Und die Londoner »Times« fragte sich: »Ist das Scheitern von Boris Beckers Ehe für die Deutschen ein Zeichen, dass gemischtrassige Ehen von zu vielen kulturellen Problemen belastet sind?«[7]

Die offizielle Scheidungsrate in Deutschland lag damals[8]

bei sechsunddreißig Prozent, was 3,9 Millionen Geschiedenen entsprach. Zu dem Zeitpunkt gehörten Barbara und ich allerdings noch zur Gruppe der »verheiratet getrennt Lebenden«, immerhin damals auch schon 1,3 Millionen. Dass wir einundvierzig Tage nach der Pressemeldung als das zweitschnellst geschiedene Paar in die Rechtsgeschichte der deutschen Nachkriegszeit eingehen sollten, hätte ich zumindest zu diesem Zeitpunkt für absolut ausgeschlossen gehalten. Doch die Ereignisse hatten sich überschlagen.

Nachdem ich meiner Mutter mein Herz ausgeschüttet hatte, flog ich am Montag nach Hamburg, um mit meinem Werbepartner AOL den fünften Unternehmensgeburtstag zu feiern. Weder meine Freunde und Geschäftspartner noch die Presse bemerkten, was in mir vorging. Tags darauf war ich wieder in München, um Klamotten für meine anstehenden Dienstreisen zu holen. Plötzlich war alles anders: Barbara war hektisch, aufgelöst. Sie wollte plötzlich unbedingt nach Amerika, in ein Hotel nach New York. Übers Wochenende hatten die Telefondrähte geglüht, Freundinnen und Vertraute gaben sich die Türklinke unserer Villa in Bogenhausen in die Hand. Das Ergebnis: Alles, was wir achtundvierzig Stunden vorher besprochen und verabredet hatten, war Makulatur. Doch dann überlegte ich, dass Amerika vielleicht gar keine schlechte Idee war. Sobald die Pressemeldung raus wäre, würden die Medien hierzulande verrückt spielen. Da war es vielleicht besser, die Familie außer Landes zu wissen. Denn den Medien mussten wir es mitteilen, damit keine Gerüchte ins Kraut schossen und irgendwelche Interpretationen plötzlich unkontrolliert durch die Gazetten geisterten. »Also gut, aber nicht nach New York. Geh nach Miami, nach Fisher Island. Da habt ihr Ruhe.« Fisher Island, spöttisch auch das VIP-Ghetto im Meer vor South Beach genannt, war seit Jahren unser ganz privates Refugium, eine Insel der Ruhe und Sicherheit.

Da merkte Barbara, dass ich es wirklich ernst meinte. Selbst die Drohung, mit den Kindern in die USA zu gehen, hatte mich nicht von der Entscheidung abgebracht, sie vorläufig zu verlassen. Sie war verdutzt, erstaunt, verunsichert. Auf einmal flehte sie: »Geh doch nicht weg. Wir schaffen das, wir versuchen es!« Ich aber wollte nicht mehr zurück. »Nein, Barbara, das ist jetzt meine Entscheidung. Wir brauchen die Pause dringend.« Da schaltete sie schnell um von der verzweifelten Ehefrau auf die klar und kühl Handelnde: »O.k., dann gehe ich nach Miami.«

Am Freitagmorgen flog sie mit den Kindern ab. Am Dienstag ging die Pressemeldung raus, anschließend gab ich der Deutschen Presse Agentur am Rande der Dreharbeiten für meinen Mercedes-Spot in Cannes ein Interview, zur Schadensbegrenzung. Ich wollte uns von der Öffentlichkeit nicht zerfleischen lassen. »Wir haben sehr lange um unsere Ehe gekämpft«, überschrieb dpa-Redakteur Andreas Bellinger das Interview und zitierte mich: »Auf der einen Seite lebte meine Frau wie eine Königin an meiner Seite. Das ist und war sehr faszinierend für sie. Auf der anderen Seite war das Gefühl aber auch sehr einengend, teilweise bedrückend, vielleicht sogar übermächtig ... Deshalb gibt es von meiner Seite auch überhaupt keinen Vorwurf an Barbara. Ich kann meiner Frau nur großen Respekt zollen, dass sie so lange damit zurechtgekommen ist. Sie hat alles bestens gehandelt und trotzdem geht die Zeit nicht spurlos an einem vorbei – an keinem von uns. Dafür zahlen wir jetzt den Preis.«[9]

Eine Woche war Barbara nun schon mit den Kindern weg. Wir telefonierten, wir stritten übers Handy weiter. Die Kinder waren plötzlich für mich nicht mehr zu sprechen. »Sie wollen nicht mit dir sprechen«, sagte sie. Aber Elias konnte noch gar nicht reden, und Noah und ich sind seit sechs Jahren ein Herz und eine Seele. Der sagt so etwas nicht. So langsam machte ich mir Sorgen. Barbara hatte ihre Freundin

Kim bei sich, die Ehefrau meines Tennis-Kumpels Charly. Kim war mir noch nie geheuer gewesen, sie hatte keinen guten Einfluss auf Barbara. Also rief ich Charly an: »Hol deine Frau da weg. Die hat da nichts verloren. Das ist nicht eure Angelegenheit. Ich kann sonst für nichts garantieren.« Am Sonntagmorgen, neun Tage nachdem Barbara gegangen war, machte ich mich auf nach Miami.

Die Wohnung war leer, wie ausgestorben. Keine Barbara, kein Elias, kein Noah. »Wo, um alles in der Welt, sind die, verdammt noch mal?« Niemand wusste etwas – oder wollte mir niemand etwas sagen? Die Stunden vergingen, gegen Abend zog ein Gewitter auf. Ich rief alle möglichen Menschen in Miami an, und bei Tariq, einem arabischen Freund von mir, wurde ich schließlich fündig. »Ja, Barbara und die Kinder sind bei mir«, sagte er. »Gib mir Barbara«, forderte ich. »Ich möchte jetzt die Kinder sehen. Bring sie zurück, oder ich komme hin«, erklärte ich Barbara und versuchte, ruhig zu bleiben. Sie war sehr abweisend und verändert, wollte nicht lange mit mir reden. Tariq kam wieder ans Telefon. »Tariq, ich will sofort meine Kinder sehen. Ich komme jetzt zu dir ins Haus und hole sie!« Tariq versuchte mich zu beruhigen: »Hör mal zu, Boris, ich bin dein Freund. Ihr seid beide sehr emotional, ihr seid nicht ganz bei euch!« Jetzt wurde ich wütend: »Das kann nicht sein, dass ich heute meine Kinder nicht sehe. Ich bin diesen verdammten weiten Weg aus München hierher gekommen und sitze seit Stunden in der Wohnung. Ich habe ein Recht, meine Kinder zu sehen!« Tariq gab nicht nach: »Ich erlaube dir heute nicht, meinen Grund und Boden zu betreten. Wenn du kommst, hole ich die Polizei. Ich mache das aber nur, um dich zu schützen.«

Ich stürmte trotzdem los. Tariq wohnt nicht auf Fisher Island, sondern in Miami Beach. Also musste ich erst zur Fähre. Fisher Island ist nur per Fähre oder Hubschrauber mit dem Festland verbunden, aus Sicherheitsgründen. Ich hatte kein Auto, musste also zu Fuß zur Fähre. Inzwischen hatte sich das Gewitter in starkem Regen entladen. Nach zehn Minuten war ich klatschnass, aber wieder klar im Kopf. Ich ging zurück und rief Tariq an: »Ich komme morgen.«

Wir umarmten uns. »Danke, Tariq.« Ich hatte mich beruhigt, auch wenn die Nacht furchtbar gewesen war. »Wo sind die Kinder?« Noah ist in der Schule, hörte ich meinen Freund sagen. »Wie, Schule? Noah geht in München in die Schule! Was redest du?« Elias lag friedlich in seinem Bettchen, seine Nanny schaute mich ganz ängstlich an. »Barbara ist auf hundertachtzig. Pass auf, Boris.« Es war so ein warnender Unterton in seiner Stimme. »Worauf soll ich aufpassen?« Ich erzählte Tariq meine Version der Geschichte, und er fiel aus allen Wolken. Barbara hatte ihm etwas ganz anderes erzählt. Tariq war verwirrt, denn er liebt uns beide.

Endlich war Barbara am Telefon. »Ich komme in einer Stunde.« Warten, wieder warten. Nach drei Stunden verließ ich Tariqs Haus und fuhr zum Mittagessen in mein Stammlokal, das »Sports Café« in South Beach. »Komm bitte da hin, wenn du fertig bist«, bat ich Barbara. Kaum hatte ich das Handy ausgemacht, merkte ich, dass mir ein Auto folgte. Ich rieche das nach all den Jahren im Visier der Paparazzi zehn Meilen gegen den Wind. »Oh shit! Was passiert jetzt?«

Ich stieg aus, der Mann stieg aus. Er war etwas kleiner als ich. Mit dem wurde ich notfalls noch fertig. Er fragte mich, ob ich Boris Becker sei. Ich bejahte, und er händigte mir ein zwölfseitiges Dokument aus. Ich las nur: »Case No. 00-30252 IN RE: The Marriage of Barbara Becker, Wife, and Boris Becker, Husband ...«. Mir wurde ganz übel. »Können Sie mir bitte sagen, was das soll?«, fragte ich hilflos, »was sind das für Papiere?« – »Das ist der erste Schritt für die Scheidung auf amerikanischem Boden«, sagte er und ging zu seinem Auto zurück.

Ich stand einen Moment lang da wie vom Schlag getroffen, doch dann ergriff der Instinkt wieder Besitz von mir. Ich hätte nicht im Traum daran gedacht, dass Barbara hier zu Anwälten gehen und vor Gericht den Fall amerikanisieren würde. Vor einem halben Jahr hatte sie ihren amerikanischen Pass verlängert, und Noah war bereits nach wenigen Tagen in einer amerikanischen Schule – das roch nach abgekartetem Spiel, vielleicht von langer Hand geplant. Hatte Barbara etwa in den letzten beiden Jahren, in denen unsere Streitigkeiten immer mehr zunahmen, Plan B für sich vorbereitet? Ausgerechnet an diesem Tag platzte in Deutschland die News: »Boris' uneheliches Baby? Ist das der wahre Trennungsgrund?«[10] Wollte man mich etwa von mehreren Seiten gleichzeitig fertig machen? Gab es womöglich Absprachen zwischen London und Miami?

In den ersten Jahren stand Barbara überhaupt nicht auf Miami, ich hatte seinerzeit Fisher Island für uns ausgesucht. In den letzten Monaten aber war sie oft wochenlang drüben gewesen. Später habe ich viele Gerüchte gehört, von Netzwerken, die aufgebaut, Verbindungen, die geknüpft, und Vorkehrungen, die getroffen worden sein sollen. Fakt war: Meine Frau war zwei Wochen nach unserem Trennungsgespräch in Miami so gut organisiert, dass Noah schon einen Schulplatz hatte und ihre Anwälte bereits am 8. Dezember beim Gericht in Miami-Dade Klage einreichen konnten mit dem Ziel, für Barbara das alleinige Sorgerecht für die Kinder und Alimente in angemessener Höhe zu erkämpfen.[11]

Mit der Zustellung der Klageschrift vor dem »Sports Café«, einem in Deutschland absolut undenkbaren Verfahren, war ich gezwungen, mich der amerikanischen Gerichtsbarkeit zu unterwerfen. Barbara und ihre Anwälte, in erster Linie ein gewisser Samuel Burstyn, über den der »Stern« schrieb, er sei »ein in Miami bekannter Krawall-Jurist«[12], wollten mich bis auf die Knochen bloßstellen. Alle Kontoauszüge sollte ich vorlegen, Versicherungspolicen, Aufzeichnungen aller Rentenzahlungen und Gewinnbeteiligungspläne, Auszüge aller Kreditkartenbelastungen, alle Aktienurkunden, Anleihen, Mietnachweise, Inventarverzeichnisse und Bewertungen oder Beschreibungen persönlichen Eigentums, die Einkommenssteuerbescheide der letzten drei Jahre, meine Tagebücher (!) der letzten drei Jahre, Videobänder oder Tonbänder, die aus irgendwelchen Untersuchungen stammten, und sogar meinen aktuellen Vielflieger-Meilen-Stand bei allen Fluggesellschaften, mit denen ich in den letzten Jahren gereist war. Alles vorzulegen innerhalb von fünfundvierzig Tagen.

Ein Wahnsinn: Boris gläsern, nackt in der Öffentlichkeit, denn in den USA sind fast alle Gerichtsakten und -vorgänge öffentlich. Jede Zeitung in der Welt konnte haarklein abdrucken, was im Fall Becker gegen Becker in den Akten stand. Barbaras Klage basierte auf sehr kühnen Behauptungen: Angeblich lebte die Familie Becker, einschließlich meiner, bereits seit fünf Jahren auf Fisher Island. Angeblich hatte Barbara kein eigenes Bankkonto. Und Barbara befürchtete angeblich, dass ich die Kinder entführen wolle. Dies alles hatte meine Frau eidesstattlich versichert.

Ich ging dann doch erst einmal ins »Sports Café« und aß, wie vor großen Tennis-Matches, Mozzarella mit Tomaten und Spaghetti al Pomodoro. Barbara kam natürlich nicht, dafür Andrea, die ich vor Jahren als eine Art Sekretärin für sie eingestellt hatte. »Bitte, leg ein vernünftiges Wort bei Barbara ein. Ich will das nicht über Anwälte klären. Wenn es um Geld geht, soll sie mir sagen, was sie braucht. Du kennst mich lange genug, das wird nicht das Problem.« Am 16. September 1993 hatten wir bei einem Notar in München einen Ehevertrag geschlossen. Darin war alles geregelt für den Fall einer Scheidung. Nachdem auch diese Unterlagen im Zusammenhang mit dem Verfahren in Miami veröffentlicht wurden, kann ich bestätigen, dass Barbara für den Fall der Scheidung fünf Millionen Mark Abfindung bekommen hätte. Was wollte sie also noch, worum ging es ihr jetzt?

Am Nachmittag traf ich sie dann endlich. Sie hatte Tariqs Haus verlassen und war mit Noah und Elias wieder in meine Wohnung auf Fisher Island eingezogen. Auf dem Balkon kam es zu einer bitteren Auseinandersetzung. »Barbara, was verdammt noch mal hast du vor?«, fragte ich sie. »Ich hetze dir die besten Anwälte Miamis auf den Hals!«, war die Antwort. »O.k., dann nehme ich mir die zweitbesten Anwälte der Stadt. Aber das wird schmutzig, ekelhaft und bringt uns beiden nichts. Was ist dein Ziel? Was hast du vor?« Da sagte sie ganz klar: »Ich will dich fertig machen. Ich gehe über dein Geld, damit krieg ich dich.« – »Was habe ich dir getan, dass du so auf Konfrontation aus bist? Wir haben zwei Kinder. Egal, was du mit mir machst oder ich mit dir, wir müssen das irgendwann vor den Kindern rechtfertigen. Die brauchen uns beide. Lass uns vernünftig sein, wir finden einen Weg.« Das brachte sie noch mehr in Rage: »Das kotzt mich alles an. Jetzt hast du schon wieder eine deiner Lösungen parat. Ich will aber keine Lösung, ich will einfach nur Krieg!«

Kalt schaute ich sie an. »Unterschätze nicht die Fähigkeiten eines Berufsspielers«, drohte ich jetzt. »Ich wurde jahrelang dafür bezahlt, andere zu schlagen. Aber ich will nicht gegen dich antreten, ich will hier nicht gewinnen, weil du als Mutter und ich als Vater funktionieren müssen. Vergiss das alles.« Ich verließ die Wohnung und übernachtete im Hotel auf Fisher Island. Am anderen Morgen trafen wir uns erneut, wieder auf dem Balkon. In der Zwischenzeit hatte ich Kontakt mit meinen Beratern und Anwälten in Deutschland aufgenommen und mir eine Kanzlei in Miami empfehlen lassen.

Es war ein letzter Versuch, die Sache nicht eskalieren zu lassen, doch es lief ab wie am Tag zuvor. Nur Geschrei und

Gefluche. »Ich muss jetzt los, hab um fünfzehn Uhr einen Termin bei den zweitbesten Anwälten Miamis. Aber das Ende wird Scheiße sein, weil keiner von uns beiden gewinnen wird!« Da fiel sie auf einmal wie eine Furie über mich her. Ich ließ mich fallen, hielt die Hände am Körper, um ja keine Reaktion zuzulassen. Die Kinder sprangen dazwischen herum. Barbara warf nur so mit Kraftausdrücken um sich, und ich rief immer wieder: »Bitte, nicht vor den Kindern, bitte, nicht vor den Kindern!« Dann stellte sie sich in die Tür und schrie: »Du gehst nicht!« Da sprintete ich durch die Küchentür hinten raus. Ich wollte nur aus dieser Wohnung raus – aus Sorge um sie und um mich. Eine Stunde später saß ich bei meinen Anwälten in Miami. Die Schlacht hatte begonnen.

»Der Boris-Return kam eine Woche später, präzise und schmerzhaft für die Gattin«, schrieb der »Stern«.[13] Ich hatte meine Armee von Anwälten in Stellung gebracht: Da waren Baker & McKenzie, eine der größten, weltweit operierenden Anwaltskanzleien, die Downtown Miami in der Brickel Avenue im neunzehnten Stock eines Büroturms thronten. Von München aus wurde das Verfahren geführt von meinem Vertrauensanwalt Georg Stock. Nach der letzten Begegnung mit Barbara hatte ich Miami auf dem schnellsten Wege verlassen und mich mit ihm getroffen. Die Angst vor weiteren Übergriffen war einfach zu groß. Natürlich hatte ich grundsätzlich Verständnis für Barbara, auch dass sie so in Rage geraten war: Ich war es ja schließlich, der sie verlassen hatte. Ich war es auch, der sie betrogen und ein außereheliches Kind gezeugt hatte. Aber kaputt machen lassen wollte ich mich deshalb nicht, und ich wollte nicht, dass die Familie Becker komplett ruiniert würde. Als ich begriffen hatte, dass Barbara sich für den Fall eines Scheiterns unserer Ehe in den letzten Monaten eine Strategie zurechtgelegt hatte, wurden meine Urinstinkte wach. Der Spieler Becker entwarf seinen

Match-Plan. Nur diesmal war das Ziel ein anderes. Sonst spielte ich immer auf Sieg, diesmal musste ich auf Remis spielen – eine Situation, die mir völlig fremd war. Die Anwälte in Miami lachten sich halb tot, als ich ihnen sagte: »Ich will meine Frau nicht besiegen. Ich will eine Zukunft für unsere Kinder.«

Am Abend des 14. Dezember traf ich mich mit meinen deutschen Anwälten in meinem Haus in der Lamontstraße. Die Totenstille in der Villa machte mich beklommen, da war kein Lachen mehr. Nüchtern, wie Finanzplaner, analysierten wir die Situation. Das Ergebnis: Der Ehevertrag, den Barbara und ich 1993 geschlossen hatten, war nur in Deutschland rechtsgültig. Also war es notwendig, den US-amerikanischen Gerichten die Zuständigkeit für das Scheidungsverfahren zu nehmen. Dazu mussten wir Scheidungsklage auf deutschem Boden bei einem deutschen Gericht einreichen. Nur so konnte ein Scheidungskrieg in den USA verhindert werden.

Tags darauf, also zwei Tage vor unserem siebten Hochzeitstag, reichten wir deshalb unter dem Aktenzeichen 0220003302 Scheidungsklage vor dem Familiengericht in München ein. Die Begründung: Die Ehe sei seit rund zwei Jahren zerrüttet, weshalb die Parteien innerhalb der Ehewohnung getrennt gelebt hätten. Mehrere Versöhnungsversuche von Seiten des Antragstellers hätten keinen Erfolg gehabt oder seien nach wenigen Tagen gescheitert. Unzählige Diskussionen, emotionalste Begegnungen, ein Meer von Tränen wurden reduziert auf juristische Formeln, um das Gesetz zur Trennung anwendbar zu machen.

Gleichzeitig reichten meine US-Anwälte in Miami Widerspruch gegen den Verhandlungsort USA ein. Schließlich hatte die Familie Becker in Deutschland ihren Wohnsitz, hatten Barbara und ich in Leimen geheiratet, Noah war in eine deutsche Schule in München gegangen. Und am 19. Dezember – ich hatte überhaupt keinen Kontakt mehr zu meinen Kindern – beantragten wir beim Bundesgerichtshof in Karlsruhe »die Rückführung der Kinder Noah und Elias auf der Grundlage des Haager Übereinkommens«. Wir stützten den Antrag nicht darauf, dass Barbara die Kinder gegen meinen Willen nach Miami entführt habe, wie es oft fälschlich in den Medien berichtet wurde, sondern auf das Haager Übereinkommen, das seit 1980 zivilrechtliche Aspekte internationaler Kindesentführungen bei Eltern mit verschiedenen Staatsangehörigkeiten regelt. Es ist auch dann anwendbar, wenn Kinder mit dem Einverständnis eines Sorgeberechtigten ins Ausland gebracht werden (ich hatte Barbara ja geraten, für kurze Zeit nach Miami zu gehen), aus dem geplanten kurzzeitigen Auslandsaufenthalt dann aber ein Daueraufenthalt werden soll. Zur juristischen Abrundung des Gegenschlags beantragten wir am 20. Dezember beim Familiengericht in München, eine einstweilige Anordnung dahingehend zu erlassen, dass die Kinder nach München zurückzubringen seien und ich das alleinige Sorgerecht übertragen bekäme. Die Rechtsmaschinerie war in vollem Gange, ich wollte aber mit meinen Kindern trotzdem Weihnachten feiern.

Also wieder zurück nach Miami. Am Morgen des 24. Dezember holte ich, wie mit Barbara verabredet, Noah und Elias ab. Endlich waren wir drei allein. Hatten sich meine Jungs schon verändert? Hatte Barbara sie gegen mich aufgebracht? Liebten sie ihren Papa überhaupt noch!? Mir war anfangs ganz mulmig zumute. Jede Geste beobachtete ich, legte jeden Satz, jede Bemerkung auf die Goldwaage. Doch schnell verflüchtigte sich die Angst. Wir stöberten in den Auslagen des Shopping-Mall herum, aßen Burger, hatten Spaß. Plötzlich klingelte mein Handy. Einer meiner Anwälte teilte mir mit, dass Barbaras Anwälte behaupteten, ich wolle die Kinder entführen. Barbara sei völlig aufgelöst. Ich versuchte sie zu erreichen, aber ihr Handy war ausgeschaltet.

Wieder zurück auf Fisher Island, schlug mir an diesem sonnigen Heiligabend Eiseskälte entgegen. »Das mit dem gemeinsamen Weihnachten wird nichts. Ich vertraue dir nicht. Ich habe Angst vor dir«, meinte sie. »Moment mal, ich bin extra aus Deutschland wieder hergeflogen! Diese Entführungsnummer ist eine Erfindung, die wollen dich nur gegen mich scharf machen«, entgegnete ich, »aber wenn dich das beruhigt, dann rufen wir die Polizei und feiern eben mit sechs Polizisten Weihnachten!« Ich griff zum Hörer, da lenkte sie ein. Wir feierten Weihnachten. Barbara und ich sprachen kaum ein Wort miteinander, aber für die Kinder schien es so wie immer zu sein. Ihre Augen glänzten, und Noah legte zart seine Hand auf mein Knie: »Schön, dass du da bist, Papa.« Silvester verbrachte ich dann wieder in Deutschland bei meinem Anwalt Stock. Der erzwungene Weihnachtsfriede war vorbei.

Becker gegen Becker

Es hätte auch ein Betriebsausflug der Firma Becker sein können: Babysitter, Koch, Bodyguards und meine Mutter – ein gutes Dutzend Menschen saß am späten Nachmittag in der Bar des Marriott Hotels in South Beach. Die Happy Hour war gerade vorbei, und man konnte von den braunen Lederhockern aus sehen, wie sich der Strand vor dem Hotel langsam leerte. Es war ungewöhnlich kühl an diesem Vorabend des 4. Januar 2001. Für den nächsten Tag war das Hearing angesetzt, in dem geklärt werden sollte, ob die Verhandlung Becker gegen Becker in Miami öffentlich sein oder hinter verschlossenen Türen stattfinden konnte.

Meine amerikanischen Anwälte hatten den Antrag gestellt, die Sache unter Ausschluss der Öffentlichkeit zu verhandeln, zum Schutz der Kinder und unserer Privatsphäre. In Florida ist das Recht der Öffentlichkeit, sich über die Arbeit staatlicher Stellen zu informieren, nämlich besonders ausgeprägt. Das so genannte »Sunshine-Law« (Sonnenscheingesetz) ermöglicht jedem den Zugang zu allen Unterlagen, man darf sogar bei Treffen von Regierungsvertretern dabei sein und diese mit der Videokamera aufzeichnen. In Deutschland hat in Familienangelegenheiten normalerweise noch nicht einmal der Schwiegervater Zutritt zum Gerichtssaal – geschweige denn fremde Zuhörer oder gar die Presse.

»Eine Runde Corona-Bier für alle.« Ich versuchte, meine Leute zu beruhigen. Die eigentliche Gerichtsanhörung zur Klärung der Frage, ob Becker gegen Becker in Miami verhandelt werden durfte, war für Montag, den 8. Januar angesetzt. Für den nächsten Tag war nur mein Auftritt geplant. »Nach dreißig Minuten sind wir da wieder raus«, hatten mir meine beiden US-Anwälte Robert Kohlman und Donald Hayden bei unserem letzten Treffen am Nachmittag versprochen. Trotzdem waren alle angespannt, jeder bereitete sich innerlich auf seinen Zeugenauftritt vor. Das Ziel war, Barbaras Behauptung, die Beckers würden seit fünf Jahren auf Fisher Island wohnen, durch die Aussagen der Köchin, der Bodyguards und anderer Mitarbeiter zu widerlegen. Deswegen hatte ich den ganzen Tross einfliegen lassen. Aber alle hatten Angst vor Barbara. Sie muss tatsächlich irgendetwas Dämonisches haben.

Für zehn Uhr dreißig war der Termin angesetzt im zweiundzwanzigsten Stock des Familiengerichts von Miami, eines achtundzwanzigstöckigen Gebäudes in der First Avenue, nahe der Interstate 95. Noch nie in meinem Leben war ich vor Gericht gewesen, weder als Angeklagter noch als Zeuge. In diesem Fall war ich Antragsteller, kein Beklagter, und trotzdem war ich nervös. Ich fuhr in meinem schwarzen Mercedes M-Klasse vor, trug dunklen Anzug und Krawatte (ganz und gar nicht mein Ding) – und die wartende Pressemeute machte mich nicht gerade ruhiger. Rund hundert Reporter belagerten das Eingangsportal. Die vierundzwanzig Journalisten, die Richter Maynard Gross, den seine Freunde nur »Skip« nannten, für den Sitzungssaal zugelassen hatte, warteten bereits, darunter ein Kameramann und ein Fotograf. Jeder konnte diese Bilder abrufen.

Da stand ich nun, die rechte Hand erhoben, die linke mit dem Ehering an der Hosennaht, und schwor, die Wahrheit zu sagen, nichts als die Wahrheit. »Wie ist Ihr Name?«, wurde mir die erste Frage übersetzt. »Boris Franz Becker.« Ja, mein zweiter Name ist wirklich Franz, nach meinem Großvater väterlicherseits. Das hat bei uns Tradition. Auch meine

Söhne haben die Namen ihrer Opas in der Geburtsurkunde stehen. Der Richter in seinem grünen Sessel spielte gelangweilt mit einem Kugelschreiber. An seinem Handgelenk baumelte ein Goldkettchen. Für ihn war das ein tausendmal erlebtes Prozedere, für mich ein gnadenloser Vorgang. »Was ist Ihr Beruf?« – »Ich war fünfzehn Jahre lang Berufstennisspieler.« – »Wo leben Sie?« – »In München, Deutschland.« – »Haben Sie Kinder?« – »Ja, zwei Buben.«

Die Fragen meines Anwalts Kohlman ließ ich mir ins Deutsche übersetzen, ich antwortete dann auf Deutsch, dies wurde wieder übersetzt. Auch wenn ich ganz gut Englisch kann, wollte ich in meiner Muttersprache antworten, um ganz sicher zu sein und um Zeit für die richtige Antwort zu gewinnen. Kohlman, den Baker & McKenzie als Familienrechtler hinzugezogen hatten, erläuterte, dass meine Kinder ständig bewacht werden müssten, weil es immer wieder Drohungen gegeben habe. Auch gab er an, dass all meine Werbeverträge Klauseln beinhalteten, die Vertraulichkeit verlangten, eine Offenlegung also nicht möglich sei.

Dann kam Sam. »Samuel Burstyn ist ein bulliger Typ, der mit Papier wedelt und große Strecken zurücklegt. Seine Frisur ist so unbeherrscht wie er selbst. Burstyn versucht von der ersten Minute an, das Bild vom ›Franz‹ Becker, dem ehemaligen Berufstennisspieler aus München mit den zwei kleinen Buben zu zerstören. Die Beckers sind Deutsche, sie haben in Deutschland geheiratet, ihre Kinder sind in Deutschland geboren, sie sprechen Deutsch. Es gibt nicht viele Gründe, ihren Scheidungsfall ausgerechnet in Miami zu besprechen«, schreibt der »Spiegel«-Reporter Alexander Osang und protokolliert unseren Schlagabtausch[1]:

»›Herr Becker, ist es nicht so, dass Sie perfekt englisch sprechen?‹, ruft Burstyn.

›Nur was Vorhand, Service und Rückhand-Slice angeht‹, sagt Becker.

›Wieso dürfen Sie nicht über Ihre Verträge reden?‹, fragt Burstyn.

›Man darf nicht öffentlich über Verträge reden. Das ist anders als in Amerika‹, sagt Becker.

›Wir sind hier aber in Amerika‹, sagt Burstyn und lacht. Es war ein guter Satz.

›Ist es nicht so, dass Sie nicht über Ihre finanziellen Verhältnisse sprechen wollen, weil Sie sich in einer kriminellen Auseinandersetzung mit den deutschen Steuerbehörden befinden?‹, fragt Burstyn.

›Ich befinde mich seit vier Jahren in einem Rechtsstreit mit dem bayerischen Fiskus‹, sagt Becker.

Burstyn gockelt durch den Gerichtssaal, wedelt Becker mit Dokumenten vor der Nase herum, wirbelt Daten durch die Luft, schreit auf, wenn Becker eine englische Frage scheinbar vor ihrer Übersetzung verstanden hat. Er sticht mit seiner Lesebrille auf den Feind ein.« So weit der »Spiegel«.

Tatsächlich hat mich der Typ rücksichtslos in die Enge getrieben, gegrillt, wie man sagt. Von wegen dreißig Minuten. »Vier Stunden Grausamkeit«[2] waren das. Und der »Spiegel« stellte fest: »Am Ende der Anhörung scheint Becker eher der Herr Becker aus Süddeutschland zu sein als die ehemalige Nummer eins der Tennisweltrangliste. Mehr Franz als Boris.«[3] »Skip« lehnte unseren Antrag ab. Der Großteil der deutschen Presse jubelte. Erster Satz für Barbara! Das Verfahren, auf den 8. Januar festgesetzt, sollte bis auf einige sehr sensible Themen öffentlich sein. Allein dieses Hearing stellte bereits ein Novum für Deutschland dar. Der Nachrichtensender N24 hatte die Anhörung in Deutschland über vier Stunden live übertragen. »Das war ganz und gar spannend«[4], zitierte der »Spiegel« SAT.1-Chefredakteur Jörg Howe. Und dieser kündigte für den 8. Januar an: »Solange der Richter die Öffentlichkeit zulässt, werden wir übertragen.« Sein Kollege Hans Mahr von RTL plante ebenfalls eine Sondersendung und empfand dies als die normalste Sache der Welt. »Ich find's auch gar nicht unproblematisch, denn wir dürfen die Entscheidung des Richters, den Prozess öffentlich zu machen, doch nicht ignorieren.«[5]

Kaum einer konnte zu dem Zeitpunkt wissen, dass das Ganze Teil des Match-Plans war. Natürlich hätte ich es gern weniger heftig gehabt. Die Strategie aber war, Boris als das Opfer darzustellen, das in diesem für die Sache eigentlich unbedeutenden Hearing vorgeführt werden sollte – aus zweierlei Gründen: Da war zum einen die Eitelkeit von Barbaras Anwalt Sam, die es zu befriedigen galt. Ganz zufällig hatte ich Mister Burstyn bereits früher getroffen. Ein Bekannter von Barbara und mir, ein gewisser Daniel Deubelbeiss, hatte uns ein paar Wochen vor der Trennung zu einem Heim-Match der Miami Heats eingeladen. An diesem Abend wurde mir Mister Burstyn vorgestellt. Im Gespräch ließ der Mann keinen Zweifel aufkommen, dass er Deutschland und die Deutschen ganz und gar nicht mochte. Die reinsten Hasstiraden ließ er los, sprach ständig von Nazi-Deutschland und unserer Verantwortung für die Gräueltaten Hitlers. Deshalb war es wichtig, dass er sein Mütchen kühlen, sich richtig an dem blonden, blauäugigen deutschen Tennis-Helden austoben durfte. Er sollte erst seine ganz persönliche, öffentliche Befriedigung bekommen, um dann für eine außergerichtliche Einigung ansprechbar zu sein.

Viel wichtiger aber war meine Demütigung für Barbara. Sie hatte mir gedroht, mich fertig machen zu wollen, aber nach den einhundertsieben Minuten Verhör bekam sie es mit der Angst zu tun. Wenn Boris Becker, der vor Millionen von Menschen Tennis gespielt und vor Tausenden von Kameras Interviews gegeben hatte, schon hart an der Grenze war, was würde erst mit Barbara passieren, wenn sie von meinen Anwälten gegrillt würde? Und Kohlman und Hayden waren innerlich auf hundertachtzig, standen sie doch für die Öffentlichkeit nach diesem Hearing als totale Versager da.

»Boris, wir müssen uns unbedingt sofort sehen.« Ich traute meinen Ohren nicht. Ich war erst ein paar Stunden aus dem Gerichtssaal draußen, da rief Barbara mich auf dem Handy an. »Komm bitte auf die Insel.« Innerlich war ich aufgewühlt. Die »Vernehmung« steckte mir noch in den Knochen, und meine Leute schauten, als sei eben die Welt untergegangen. Doch ich fuhr hin, allein.

Vorsichtig betrat ich unsere Wohnung, wie ein Ehemann, der nach intensiver Zechtour mit seinen Kumpeln die Gattin mit dem Nudelholz hinter der Tür vermutet. Was würde jetzt kommen? Wieder körperliche Angriffe, irgendeine Provokation? Aber Barbara war ganz sanft, so, wie ich sie einst lieben, schätzen und respektieren gelernt hatte. Sie war offen, verständnisvoll, ja liebevoll und vermittelte mir den Eindruck, dass ihr Leid tat, was mit mir geschehen war. »Wir müssen zu einer Lösung kommen«, meinte sie fast fordernd. Ich gab mich reserviert: »Das war ziemlich hart heute. Aber meine Anwälte werden sich ein Beispiel genommen haben. Die werden dich genauso interviewen, über deine Angaben, dass du schon seit fünf Jahren fest in Miami lebst, hier Resident bist, und so weiter.« Da stand nackte Angst in ihren Augen. »Lass uns eine Vereinbarung treffen, einen Kompromiss finden«, flehte sie. »Wie soll der aussehen?«, fragte ich kühl. »Ruf bitte Sam an«, sagte sie. Ich ging und telefonierte um achtzehn Uhr mit Sam, mit dem Mann also, der mich vier Stunden zuvor bloßgestellt und vorgeführt hatte wie noch niemand zuvor in meinem Leben. »Hi Sam, here is Boris.« Ich hatte mein fließendes Englisch wiedergefunden und am nächsten Tag eine Verabredung mit Sam. An diesem Freitag hätte Barbara eigentlich ab neun Uhr von meinen Anwälten befragt werden sollen ...

Wir trafen uns im vornehmen »Bankers Club« zum Mittagessen, Barbara und Sam, ich und Stock. Wie vier gute Geschäftsfreunde saßen wir da bei Steak und Salat. Sam kam auf die Kumpel-Tour: Er wisse, was ich mit meiner Ehe mit einer schwarzen Frau für die Völkerverständigung getan habe. Er lobte mich für meinen Mut und meinte, er stünde innerlich ja auf meiner Seite. Und dann riet er mir: »Follow your instincts.« Das ist jedoch das Letzte, was man vor Gericht tun darf. Stock und ich wurden geschäftlich. »Lass uns über die Vereinbarung reden. Wir machen das aber nur, wenn wir die Scheidung bekommen, und zwar jetzt sofort.« Hintergrund der Forderung: Wenn wir eine Unterhaltsvereinbarung getroffen hätten ohne Scheidung, hätte Barbara nach sechs Monaten in den USA tatsächlich das Recht auf eine amerikanische Scheidung gehabt.

»Nein, wir wollen uns nicht scheiden lassen. Wir sind doch so ein tolles Paar!« Es schien, als würde Barbara in diesem Moment plötzlich die Endgültigkeit bewusst, die sie mit ihrem Vorgehen provoziert hatte. »Nein, nein, nein«, sagte sie und begann zehn Minuten über die Beckers der Vergangenheit zu reden. Plötzlich sagte sie: »Dann werde ich eben Sängerin« und begann leise zu singen. Da griff Sam ein: »Barbara, jetzt ist es zu spät. Es geht hier um Zahlen, um Tatsachen, und nicht um irgendwelche Gefühle. Dein Mann schlägt dir einen sehr fairen Deal vor.« Wir gaben uns schließlich die Hand und vereinbarten, übers Wochenende den Deal perfekt zu machen, damit der Gerichtstermin am Montag nicht mehr nötig war.

Am Abend lud ich meine Leute ins »joia« ein, ein In-Restaurant in South Beach, das früher teilweise Madonna gehört hatte. Das Lokal lag genau unserem Hotel gegenüber. Es wurde zu einer Art Kriegskantine, in der sich alle Schlachtbeteiligten am Abend einfanden. Dutzende von Journalisten versammelten sich dort und tauschten die spärlichen Informationen aus. Wir hatten uns gut abgeschottet, trotz des Belagerungszustands. In ihrer Verzweiflung erfanden die Presseleute deshalb eine völlig neue journalistische Darstellungsform: Sie interviewten sich gegenseitig. Der Mann von RTL interviewte den Mann von »BILD« über dessen Eindrücke und umgekehrt. Auch Sam kam an diesem Abend ins »joia«, ließ mir sogar einen Drink bringen. Ich aber schärfte meinen Leuten ein, sich darauf einzustellen, dass sie eventuell gegen diesen Sam am Montag in die Schlacht würden ziehen müssen. Bei aller Hoffnung – an eine außergerichtliche Einigung wollte ich erst glauben, wenn sie unterschrieben war.

Daniel Deubelbeiss, der durch seine Körperfülle und einen Pferdeschwanz ein bisschen aussah wie der Rockmusiker Meat Loaf, avancierte zu Barbaras Berater in der Scheidungsauseinandersetzung. Er war es auch, der Burstyn ins Spiel gebracht hatte. Wir legten gemeinsam fest, welche finanziellen Mittel Barbara für sich und die Kinder brauchte. Barbara stimmte zu, und ich dankte Daniel für sein korrektes Verhalten. Die Unterhaltszahlungen, auf die wir uns einigten, waren astronomisch hoch, aber das Geld war ja für meine Kinder. Barbaras Anteil bewegte sich im Rahmen des Ehevertrags. Dazu kam die Wohnung auf Fisher Island, wofür sie allerdings ihren Anteil an der Finca auf Mallorca an mich überschreiben musste Die Anwälte bei Baker & McKenzie setzten die Zahlen schon in eine vertragliche Regelung um, am nächsten Tag einigten sich die deutschen Anwälte beider Seiten auf den deutschen Wortlaut der Vereinbarung. Alles lief gut.

Am Sonntagabend waren wir bei einem Abendessen auf Fisher Island. Freunde aus Deutschland waren auf der Durchreise vorbeigekommen. Da klingelte Barbaras Telefon. Es war einundzwanzig Uhr dreißig, Daniel war am Apparat. »Sam hat ein Problem, deine Anwälte haben noch nicht zugestimmt.« Barbara rief Sam an, danach war sie ganz aufgelöst: »Sam glaubt dir nicht. Er sagt, du seist ein Betrüger.« Burstyn drohte, er werde nur weiter verhandeln, wenn die von ihm eingereichte Klage anerkannt werde und meine Anträge gemäß dem Haager Übereinkommen zurückgezogen würden. »Siehst du, Barbara, jetzt sind wir wieder genau an dem Punkt. Du musst mir vertrauen, sonst bist du morgen dran. Die Anwälte wollen den Showdown. Aber ich will, dass endlich Schluss ist. Ich verarsch dich nicht. Ich sage es dir jetzt noch einmal: Was ich versprochen habe, das halte ich. Und meine Anwälte werden dem morgen zustimmen.«

Der Gerichtstermin war für neun Uhr am Montagmorgen angesetzt. Barbara und ich warteten mit einigen unserer Anwälte im Konferenzraum von Barbaras amerikanischem Familienanwalt Evan Marks. Man hatte einen wunderbaren Blick aufs Meer, aber an diesem Morgen hatte niemand ein Auge dafür. Marks beharrte eine Stunde vor dem Gerichtstermin noch immer auf Anerkennung der Klage. Meine Anwälte konterten, forderten den Gerichtstermin. Burstyn, angeblich schon auf dem Weg ins Gericht, schaltete sich telefonisch zu, wollte plötzlich eine Verschiebung der Verhandlung. Für mich war das in Ordnung, schließlich hatte ich den gleichen Vorschlag tags zuvor gemacht, aber da wollte Burstyn von der Idee noch nichts wissen. Der Termin vor Gericht dauerte sieben Minuten, die Verhandlung wurde auf den 18. Januar vertagt. Burstyn, der für Teil zwei der Show eigens seinen kleinen Sohn mit ins Gericht gebracht hatte, erklärte dem Richter, der Vertragswortlaut für eine Einigung sei zu neunzig Prozent ausgehandelt.

Barbara fing an zu weinen, Tränen der Erleichterung. Sie wusste, sie musste nun nicht mehr aussagen vor Gericht, und ich hatte mein Wort gehalten. Dreißig Minuten später wollten wir uns alle bei Burstyn treffen, um die vertragliche Feinabstimmung vorzunehmen. Aus dreißig Minuten wurden sechzig. Es wurde dreizehn Uhr, siebzehn Uhr, und schließlich kam um neunzehn Uhr ein Gegenvorschlag von Barbara und Evan Marks, der mit dem Vereinbarten nichts mehr zu tun hatte. Die Forderungen waren um rund fünfzehn Millionen Euro höher als zwischen Daniel und mir besprochen. Ich war stinksauer. Sollte das ganze Theater von vorne losgehen? Ich lehnte ab und setzte eine Frist bis Mittwoch, um zur alten Vereinbarung zurückzukehren. Die Medien sprachen von einem Ultimatum. Zeitgleich brachen in Deutschland die News von der Vaterschaftsklage los, die just in diesem Moment in London gegen mich eingereicht wurde. Und auch das Münchner Finanzamt nutzte die Gunst der Stunde, um eine Forderung über zehn Millionen Mark zu stellen.

Wenn du ein Turnier gewinnen willst, musst du Match für Match denken, Satz für Satz, Punkt für Punkt. London, München – das interessierte mich im Moment überhaupt nicht. Erst musste ich Miami zumachen, dann kam das nächste Thema, Schritt für Schritt. Noch ein Vermittlungsgespräch mit Daniel, noch eine Million oben drauf. Am Donnerstag, den 12. Januar, gegen einundzwanzig Uhr war es schließlich geschafft. Barbara – sie sah wunderbar aus an diesem Abend in ihren schwarzen Lederhosen – unterschrieb als Erste die deutsche und englische Version der »Scheidungsfolgenvereinbarung« und der »Vermögensauseinandersetzung«. Dann ich. Barbara sprang auf, jubelte und schrie: »Ich muss nicht vor Gericht!« Und Burstyn schlug vor: »Da wir nun alles in trockenen Tüchern haben, lasst uns feiern gehen.« Ich starrte ihn fassungslos an. »Leute, heute ist der traurigste Tag meines Lebens. Ich habe mich gerade von meiner Frau scheiden lassen. Mir ist nicht nach Feiern.« Barbara ging mit ihren Leuten in ein Steakhaus, ich mit ein paar Freunden wieder ins »joia«. Campari Soda, ein paar Heineken, ein Risotto mit Meeresfrüchten. Ich war einfach nur leer, unendlich leer.

Sonntagnachmittag ist der Rückflug geplant, für Montag früh, zehn Uhr, ist der Scheidungstermin vor dem Familiengericht München anberaumt. Endlich ausschlafen, keine quälenden Gedanken, keine Besprechungen mit Anwälten. Barbara ruft an: »Komm doch noch mal rüber.«

Es ist ein wunderschöner Samstagvormittag. Kein Wind, die Wellen schlagen sanft auf den weißen Sandstrand. Stille. Die Kinder lachen, Barbara ist happy. Wir baden im Meer, essen in der Strandbar, spielen mit den Jungs. Es ist wie früher, so als sei nichts geschehen. Noah überredet mich: »Papa, bleib doch noch einen Tag.« Ich übernachte im Hotel auf der Insel. Am nächsten Tag das gleiche Bild: Glück pur, Harmonie aus dem Groschenroman. Um die Mittagszeit verabschiede ich mich. »Noah, in vier Tagen bin ich wieder da zu deinem Geburtstag.« Noah strahlt. Barbara sagt: »Du musst jetzt nicht gehen, lass uns den Scheidungstermin nach hinten verlegen. Bleib doch noch hier!« Sie folgt mir bis zur Fähre, hält mich mit beiden Armen fest. »Barbara, das ist alles wie im Traum. Wir dürfen die letzten vier Wochen nicht vergessen. Es ist viel passiert. Ich habe Fehler gemacht, du hast Fehler gemacht. Ich fliege jetzt nach München und ziehe die Scheidung durch. Wenn wir uns dann noch verstehen, wer weiß ... Wir bleiben durch die Kinder immer zusammen. Für immer und ewig. Und wenn das Feuer wieder aufflammt, ich bin nicht abgeneigt. Ich hab dich noch lieb.«

Um zehn Uhr vierundzwanzig am Montagvormittag ist alles vorbei. Fast hätte ich meine eigene Scheidung verpasst. Das Flugzeug hatte Verspätung. Umziehen im Auto, rein in den dunkelblauen Anzug, wieder einen Schlips um. Ungeduldig wartet der Richter schon in Zimmer sechshundertsechzehn im sechsten Stock. Aber meine Glückszahl ist doch die Sieben! Es geht wirklich blitzschnell. Nach fünfundzwanzig Minuten ist alles vorbei. Barbara hatte eine entsprechende Erklärung abgegeben, wird durch ihren deutschen

Anwalt Heinz Stolzki vertreten. Gemeinsam verlassen wir das Gebäude, gehen die sechs Minuten zur Kanzlei meines Anwalts Georg Stock am Promenadeplatz zu Fuß.

»Beckers Marsch geriet zum Medien-Ereignis«, schreibt »BILD«.[6] Dutzende von Kameras folgen uns, ich kann mir ein Lächeln nicht verkneifen. Ein Glas Champagner in Stocks Konferenzraum, eine letzte gemeinsame Presseerklärung, dann ist das Ehebuch der Beckers geschlossen. In Miami dauert es noch elf Tage, bis Burstyn endlich Barbaras Klage zurückzieht. Auch er hat begriffen: Die Show ist zu Ende.

Kein Platz in der Schublade

»Westdeutschlands Jugend«, schrieb die »International Herald Tribune« 1986, sei »zu konservativen Werten zurückgekehrt. Ihr Symbol ist Boris Becker – der geldscheffelnde, unpolitische Tennis-Star – und nicht Petra Kelly, die Gründerin der Grünen.«[1] Ich sei »ohne Widerspruch zu einer spektakulären Galionsfigur in der BRD manipuliert worden«[2], notierte der DDR-Autor Klaus Ullrich in seinem Buch »Der weiße Dschungel«, das im DDR-Verlag »Neues Leben« erschien.

Von New York bis Ost-Berlin war also klar: Boris Becker ist ein Rechter, reich und reaktionär. Mein Vater war schließlich überzeugter CDU-Anhänger, wir haben in Leimen den Gottesdienst besucht, und Becker, der Messdiener, schwenkte den Weihwasser-Topf über die Gemeinde. Meine Mutter bügelte meinem Vater die Hemden, und gemeinsam verfolgten wir im Fernsehen »Aktenzeichen XY ungelöst«. Heile, konservative Welt, tiefe Provinz.

Mit meinem Standort in der Gesellschaft hatte das allerdings nicht viel zu tun. Ich bin noch nie bei einer Partei-Versammlung aufgetreten, so wie einst mein Kollege John McEnroe im November 1999 bei einer Rede des ehemaligen Basketball-Stars Bill Bradley, der US-Präsident werden wollte. Ich lasse mich vor keinen Karren spannen, weder von links noch von rechts. Und meine Begegnungen mit Politik-Größen hinterließen ziemlich widersprüchliche Eindrücke. Nach Wimbledon 1985 plauderte ich im »Aktuellen Sportstudio« mit Richard von Weizsäcker, einem sympathischen Präsidenten und Christdemokraten. Gerhard Schröder von der SPD lud mich zu einem persönlichen Gespräch in seinen Amtssitz ein und bot mir das »Du« an, weil »das die Beziehungen einfacher macht«. Bei seinem Vorgänger Helmut Kohl hatte es noch nicht einmal eine Tasse Kaffee gegeben. In seinen sechzehn Jahren an der Macht hat der CDU-Kanzler mit mir gerade mal eine Hand voll Worte gewechselt. Warum diese Distanz? Vielleicht störte es ihn, dass ich mindestens so populär war wie er, und es hat ihm bestimmt nicht gefallen, dass ich in die Hamburger Hafenstraße gegangen bin und mich über die Hausbesetzer informiert habe. Damals waren fast ein halbes Dutzend Häuser besetzt und mit bunten Parolen bemalt. Auch mein Sponsor Müllermilch sah mich schon auf den Barrikaden und war sauer. »Sollte er wirklich Chaoten oder Kräfte außerhalb der Legalität unterstützen, kann er nicht unser Vertragspartner sein. Das ist selbstverständlich«[3], zitierte »BILD« die Großmolkerei. »Bist du verrückt geworden?«, rüffelte mich eine vertraute Stimme auf meinem Anrufbeantworter. Es war nicht mein CDU-Vater, sondern Ion Tiriac.

Bemerkenswert war für mich die Reaktion der Bevölkerung auf die Hausbesetzungen. Viele Bürger waren irritiert, weil sie nicht damit umzugehen wussten. Es hätten ihre Söhne und Töchter sein können, die da mit Steinen warfen und sich dann in Marihuana-Wolken in eine andere Welt flüchteten. Ich habe nie bezweifelt, dass einige dieser Typen Freude an Gewalt haben könnten, aber die Mehrheit der Hausbesetzer waren einfach desillusionierte junge Leute, die mit den Alternativen, die ihnen das System bot, nichts anzufangen wussten.

Mit dem Schubladendenken in Deutschland bin ich nie zurechtgekommen. Meine Mutter hat mich häufig genug gewarnt: »Junge, ganz gleich, welche linken Thesen du auch vorträgst, die werden dir das nie abnehmen, weil sie dich immer zu den Reichen und damit den Rechten zählen werden!« Sollten sie doch. Ich stand zu meinen Positionen, die oft in kein Links-Rechts-Schema hineinpassten und die mir auch mein Vater nicht ausreden konnte. Ich habe ihn so manches Mal mit den Thesen der Grünen, der Roten oder mit meinen eigenen provoziert. Es hat geknallt daheim, so sehr, dass Karen meiner Mutter in ihrem Beileidsbrief zum Tod meines Vaters sinngemäß schrieb, sie erinnere sich noch immer an die aufregenden Politdiskussionen in Leimen.

Draußen herrschte unbeirrtes Schubladendenken: Becker macht Werbung für die Deutsche Bank, also unterstützt er den konservativen Trend und die Konsumgesellschaft. Becker zeigt Sympathien für Hausbesetzer, also ist er doch ein Kommunist. An einem Tag war ich Kapitalist, am nächsten schon wieder links. »Wann immer sich in jenen Jahren ein Bundespräsident zum jungen Boris B. äußerte oder ein Leitartikler oder sonst ein Präzeptor des besseren Deutschlands: Immer winkte überlebensgroß am Horizont der bekannte pädagogische Zeigefinger, der den jungen Menschen in ganz Deutschland (und dann auch der Welt) zeigen sollte, was aus dem Fall zu lernen war«[4], kommentierte der Publizist Herbert Riehl-Heyse. »Seht her, hieß die Botschaft, so weit kann es einer bringen, der sich einsetzt und diesen unbedingten Leistungswillen hat und außerdem zwei nette, bürgerliche Eltern, deren einer Teil abwechselnd für die CDU im Stadtrat sitzt oder auf der Ehrentribüne in Wimbledon. So um die Jahre 1985 und '86 war Boris Becker ganz eindeutig dabei, von einer Allianz aus Weizsäcker und ›BILD‹ und allem, was es dazwischen gibt, zum Vorbild für die gesamte deutsche Jugend stilisiert zu werden (...) Kein Wunder aber war es auch, dass er der deutschen Jugend, die ihn damals gern Bobbele nannte, schon langsam anfing, gehörig auf die Nerven zu gehen.«[5]

Vorbild wollte ich nie sein, und dann sah ich mich von der Nation beschlagnahmt. Beim Davis Cup riefen die Menschen »Deutschland« und schwenkten schwarz-rot-goldene Fahnen, ich las unterdessen Bücher über Jugendrevolten und Studentenrebellion, RAF-Terror oder deutsche Identität. Ich habe alles gelesen, was mir in die Finger kam, manchmal mehrere Bücher gleichzeitig, von Eckermanns »Gespräche mit Goethe« bis zum »Baader-Meinhof-Komplex« von Stefan Aust. Niemand hatte mir zu diesem Buch geraten, ich wollte einfach wissen: Was lief da ab in Deutschland? »Es war nicht die Zeit für Besinnung«, hat Aust geschrieben, »jeden Tag schürten Zeitungen die Angst vor der Baader-Meinhof-Gruppe, peitschten die Emotionen hoch, gaben dadurch den Gruppenmitgliedern, die regelmäßig das publizistische Echo auf ihre Aktionen studierten, ein Gefühl der eigenen Bedeutung.«[6]

Im Mai 1968, als die Jugend weltweit rebellierte, lernte Boris gerade zu krabbeln; seinen Namen hatte er bekommen, weil seine Mutter kurz vor seiner Geburt Boris Pasternaks »Dr. Schiwago« gelesen hatte. Ich hätte auch früher in einem der Armenviertel Südamerikas oder in einer Halbruine in der Bronx zur Welt kommen können. Auf welcher Seite der Barrikaden hätte ich dann 1968 gestanden? Die Ungleichheiten in der Welt sind mir nicht entgangen, und ich will mich bis heute damit nicht abfinden. Mein Bankkonto hat mich nicht daran gehindert, mich an der Kaviar-Gesellschaft zu reiben, die sich bei den großen Tennis-Matches in Deutschland seinerzeit vor allem selbst darstellen wollte. 1989, beim Stuttgarter Davis-Cup-Finale gegen die Schweden, hat mich dieses VIP-Getue besonders abgestoßen, dieses Geprasse und die Geschäftemacher der Szene, die wirklich tennisinteressierte Zuschauer vor den Kopf stießen, indem sie die Eintrittskarten lange vor Beginn des Turniers zu Tausenden an irgendwelche Sponsoren-Firmen verscheuerten. Ich verstehe jeden, der durch so etwas die Freude am Tennis verliert.

An einem Weihnachtstag Anfang der neunziger Jahre traf ich zufällig Peter Ustinov im Hotel Oriental in Bangkok. Ich wusste gar nicht so recht, wer das war. Er stellte sich mir vor, und wir kamen ins Gespräch. Seit Jahren, so erzählte mir der Tennisfan Ustinov, verfolge er meine Karriere. Ob wir uns nicht zum Abendessen treffen wollten? Oft sind Leute, die mich zum ersten Mal treffen, erstaunt darüber, dass ich bis zehn zählen und mit Punkt und Komma reden kann, und zwar nicht nur über Tennis. Mit Ustinov gab es da kein Problem. Er ist nicht nur eine faszinierende Persönlichkeit, sondern auch ein angenehmer Gesprächspartner. Aber auch er hat es später nicht lassen können, mich kritisch zu analysieren: »Eine sehr deutsche Mischung«, urteilte er über mich, »manchmal diese brutale und unvergleichliche Präsenz, und doch das sehr empfindsame poetische Schwarzsehende. Eben noch ein donnernder Aufschlag, dann die ganz deutsche Melancholie, die fast selbstzerstörerisch an ihm nagte.«[7]

Das, was ich manchmal tat und sagte, ärgerte vor allem Tiriac, der durch meine Provokationen seine Werbestrategie in Gefahr sah. »Du bist jung, hast Millionen«, hielt er mir vor, »bei dir klopfen täglich fünf Frauen an die Tür. Was willst du mehr?« Und wenn ich dann sagte: »Inhalt, Ion, Inhalt. Einen Sinn für das Ganze«, sah er mich mitleidig an und schwieg. Er hatte andere Prioritäten: Er hat in seiner Jugend harte Entbehrungen erleiden müssen, bei uns daheim dagegen war der Eisschrank stets gefüllt. Geld faszinierte mich nicht. Als ich sechzehn war, träumte ich von einer Stereoanlage, das war es aber schon. Ich ahnte ja nicht, wie wichtig die Millionen eines Tages sein würden, um mir meine Freiheit zu sichern.

Vor allem ganz am Anfang meiner Karriere tat ich mich schwer damit, mich unbefangen zu präsentieren. Ich stotterte und zögerte. Die klugen Reporter haben darüber ihre Späßchen gemacht, vor allem jene, die den Becker ohnehin nicht ausstehen konnten. Ich war achtzehn, neunzehn und wusste: Jedes Wort, das du jetzt sagst, wird auf die Goldwaage gelegt. Schon wurde ich unsicher, dachte dauernd nach, weil jedes Wort zweideutig aufgefasst werden konnte. Im Privaten war ich ganz locker, öffentlich habe ich aufgeregt in kurzen Sätzen geredet. Irgendwann erkannte ich, dass es immer Neidhammel geben würde. Von da an war es mir egal.

»Im knapp bemessenen Übergangsstadium vom Teenager zum Twen, vom Heranwachsenden zum Bundestags-Wahlberechtigten«, so hat Hans-Josef Justen von der »Westdeutschen Allgemeinen Zeitung« meine Lage einmal treffend beschrieben, »hat er mehr Erfahrungen gemacht als ganze Generationen von Hundertjährigen.«[8] Seltsamerweise kamen bei allem Gerede über mich immer auch politische Ämter mit ins Spiel. Nach meiner 6:3, 6:7, 6:7, 7:6, 4:6-Niederlage im ATP-Finale 1996 in Hannover gegen Sampras meldete der österreichische »Standard«, Becker sei dazu übergegangen, sich als übermenschliches Phänomen zu inszenieren. Eines Tages könne er sogar Bundespräsident werden. Ich war gerade neunundzwanzig Jahre alt geworden. Bundespräsident? Warum nicht gleich Papst oder zumindest Kanzler? Plötzlich also war ich der Herkules, der die Massen bewegen konnte, ergo auch die Politik. Was aber könnte ich in der Politik bewirken, was ich nicht auch als Außenstehender erreichen konnte? Ich kenne einige einflussreiche Leute, habe kein Parteibuch, ein paar Euro auf dem Konto und bin unabhängig. Aber ich bin kein Duckmäuser, und wenn mir jemand zu häufig auf den Schlips tritt, schlage ich zurück. In einer Partei müsste ich mich selbst zurücknehmen, weil Disziplin erwartet wird. Das kam für mich nicht in Frage, weder damals noch heute.

Im Jahr 1993 traf ich zufällig an einem der Holztische im »Schumann's« den Schriftsteller Günter Grass. Nach einigen belanglosen Sätzen erzählte er mir die Geschichte von der griechischen Sagengestalt Sisyphos, dem ewig Unverzagten, der einen Felsbrocken immer wieder den Berg hinaufrollt. Bevor er den Gipfel erreicht, rollt der Stein zurück ins Tal, und die Arbeit beginnt von vorne. Grass, inzwischen Nobelpreisträger, glaubte, »gewisse Ähnlichkeiten« mit meinem Leben zu erkennen: »In jedem Turnier geht's wieder von vorn los. Wie halten Sie das durch?« Grass hat sich immer auch politisch engagiert, vor allem zu Zeiten Willy Brandts. Aber er hat sich die Freiheit erhalten, das zu sagen oder zu schreiben, was er fühlt und denkt. Wie er und wie jeder andere Bürger möchte auch ich mir herausnehmen können, zu kontroversen Themen meinen Mund aufzumachen, zum Rassismus beispielsweise, der mich in besonderer Weise betrifft. Ich bin verantwortlich für die Zukunft von zwei Kindern und einer Frau mit schwarzer Hautfarbe, und deshalb habe ich mit meiner Meinung nicht hinter dem Berg gehalten, als am fünfzigsten Geburtstag von Marius Müller-Westernhagen plötzlich das Thema Fremdenhass, Rassismus und Hakenkreuzschmiererei diskutiert wurde – am 6. Dezember 1998 in Leipzig.

Marius hatte ich ein paar Jahre zuvor zufällig im Kölner Hyatt-Hotel kennen gelernt. Schon beim ersten Kontakt stellten wir fest, dass wir viele Gemeinsamkeiten hatten – nicht zuletzt unsere Frauen, schwarz und schön. Ich bin im Übrigen schon immer ein großer Fan von Marius' Liedern gewesen und von seinen Auftritten. Vor allem sein Song »Wieder hier« hat mich später sehr bewegt. Auf der Veranstaltung war auch Thomas Gottschalk. Seine Einschaltquoten, bis zu zwanzig Millionen Zuschauer pro »Wetten, dass ...?«-Sendung, sagen alles über seine Popularität. Er lebt in Malibu in Kalifornien, ein Fremder in Amerika. Seine Söhne gehen auf eine Highschool, und niemand interessiert sich dafür, wer ihr Daddy ist. »Lasst uns was tun gegen diesen Widerstand gegen die Reform des Staatsbürgerrechts«, regte Marius an dem Abend an, »mit diesem Kanzler ist das sicher möglich.« So war es. Thomas rief Gerhard Schröder an.

Ende Januar erschien dann eine vom Bundespresse- und Informationsamt finanzierte Anzeige in fünf überregionalen Tageszeitungen. Unter dem übergroßen Titel *»Wir«* und unseren drei Köpfen folgte der Text: *»wollen stolz sein auf eine moderne, weltoffene Bundesrepublik Deutschland. Dazu gehört auch ein zeitgemäßes Staatsbürgerschaftsrecht. Der Pass bedeutet auch Heimat. Wer hier geboren ist, soll hier zu Hause sein. Mit allen Rechten und Pflichten. Wer nach den Gesetzen unseres Landes lebt, soll das Recht haben, Bürger unseres Landes zu sein. In vielen Ländern der Welt ist Einbürgerung selbstverständlich. Dort finden Menschen eine zweite Heimat, ohne die erste aufgeben zu müssen. Deshalb unterstützen wir die Bundesregierung bei der Reform des Staatsbürgerschaftsrechts.«*

Die Reaktionen waren typisch deutsch, und wieder gingen die Schubladen auf: Die Rechten verurteilten die Verwendung von Steuergeldern für die Kampagne und schwiegen über Sinn und Notwendigkeit unseres Engagements; die Linken freuten sich über die »drei Engel für Schily«[9] (»Süddeutsche Zeitung«), der »Spiegel« meldete unter der »Rubrik »Zeitgeist« den »Sieg der Lindenstraße«. Pop meets politics, das war – in Deutschland zumindest – ziemlich neu. »Noch nie in der Geschichte der Bundesrepublik haben drei Super-Prominente, zwei davon Repräsentanten des absoluten gesellschaftlichen Mainstreams, in einer so heiklen, hochumstrittenen politischen Frage derart klar Stellung bezogen«, fasste der »Spiegel« zusammen, »und das in der offiziellen Anzeigenkampagne einer rot-grünen Bundesregierung, die noch vor Jahren eine mehrheitsfähige Horrorvorstellung verkörperte.«[10]

Selbstverständlich haben sich Rassisten empört, vielleicht ist bei einigen greisen Gottschalk-Fans das Haar noch um einen Ton weißer geworden, weil ihr Tommy sich so vehement für die Fremden einsetzte. Aber eines ist sicher: Wir lagen damit im Trend. Die junge Generation schleppt keine Schuldgefühle wegen der Verbrechen im Zweiten Weltkrieg mehr mit sich herum. Reisen ins Ausland und der Kontakt mit anderen Kulturen und Hautfarben sind längst Normalität. Übergriffe gegen Andersartige wird es bei uns leider immer wieder geben, in anderen Staaten aber ebenso. Multi-Kulti ist in Deutschland Realität, auch wenn viele das noch nicht wahrhaben wollen.

Wenn sich irgendwo auf der Welt je ein Wunder ereignet und mir Hoffnung gegeben hat, dann ist es Südafrika und Nelson Mandela. Das Schicksal dieses Mannes hat mich berührt, es beflügelt mich, mich auch weiterhin zu engagieren. Mandela, ein Freiheitskämpfer, der für Gleichberechtigung und gegen Unterdrückung stritt, gegen Apartheid und Hass, einer, der dabei sein Leben riskierte, ohne Wenn und Aber. Mandela ist mein Held gewesen, noch bevor ich Barbara Feltus kennen lernte, mit der ich, sozusagen Haut an Haut, den Rassismus in der Welt persönlich erfahren musste.

Wir besuchten Mandela einmal in Kapstadt, anlässlich eines Wohltätigkeits-Turniers des »Nelson Mandela Children's Fund«. Er war noch eindrucksvoller, als ich ihn mir vorgestellt hatte: unbeschreiblich sein Charme, ungewöhnlich die Ausstrahlung. Der Präsident ließ die Sitzordnung verändern, nachdem er vor dem Dinner mit uns geplaudert hatte. Er wollte neben uns sitzen und wissen, wie Deutsche mit ihren schwarzen Landsleuten umgehen und wie die Reaktion der Weißen auf Barbaras Ehe mit einem Volkshelden war. Mandela erzählte uns von seiner Einzelhaft, achtzehn der insgesamt siebenundzwanzig Jahre im Gefängnis. Er gab die Hoffnung nie auf, weil er wusste: »Mein Leib ist hinter

Gittern, mein Geist in der Freiheit.« Er sprach ohne Hass, die personifizierte Vergebung. Neben uns saß die weiße südafrikanische Tennisspielerin Amanda Coetzer und weinte. Die Worte ihres Präsidenten trieben nicht nur ihr, sondern auch anderen Tränen in die Augen – dem schwarzen US-Tennis-Profi MaliVai Washington, der 1996 im Wimbledon-Finale stand, und dem aus Kamerun stammenden französischen Kollegen Yannick Noah.

Mandela erinnerte daran, dass unweit des Platzes, auf dem das Festzelt stand, einst schwarze Widerständler von weißen Unterdrückern hingerichtet worden waren. Ich bekam eine Gänsehaut und sagte nichts. Andre Agassi, der ebenfalls unter den Gästen war, machte dagegen einen Versuch, die gefühlsgeladene Spannung zu lockern: »Welches, Mr. President, sind eigentlich die besten Restaurants der Stadt?« Und Brooke Shields fragte ähnlich unbekümmert: »Wo gibt es die schönsten Einkaufsstraßen?«

Mandela überhörte zunächst diese Einwürfe und erzählte, wie er auf der Gefangeneninsel geangelt und sich mit Fisch und Muscheln versorgt hatte. Tagein, tagaus, Jahr um Jahr Brei und Fisch, Fisch und Brei. »Und die Ironie des Schicksals wollte es, dass bei meinem ersten Staatsessen genau das serviert wurde – Muscheln.« Erst danach antwortete er kurz auf Andres Frage: »Von Restaurants verstehe ich nichts.«

Der weiße Südafrikaner Johnny Klegg stimmte einen Gesang an: »Free, free Nelson Mandela.« Yannick Noah erinnerte in einer Rede an die Sklaverei, wir alle waren tief bewegt. Barbara meinte, sie hätte mich noch nie so aufgeregt gesehen. Und sie hatte Recht: Der Kristallpokal, den ich dem Staatsoberhaupt übergeben sollte, rutschte mir aus der Hand. Das war, meinte Barbara anschließend, »als fällst du beim Knicks vor der Queen auf die Nase oder dir platzt die Hose«. Mandela reagierte gelassen: »Zerbrochenes Kristall bedeutet bei uns Glück.«

Im Januar 1999 trafen wir uns zufällig wieder, bei der Verleihung des »Deutschen Medienpreises« in Baden-Baden. Der Geehrte war Nelson Mandela. Er sah uns und bestand darauf, dass wir uns an seinen Tisch setzten. Da saßen jedoch bereits andere: Oskar Lafontaine und der Kanzler. Lafontaine räumte seinen Platz – ich weiß nicht, ob Schröder erleichtert war. Mir war das peinlich. Wir rückten näher zusammen, und ich durfte noch einmal mit meinem Helden plaudern. »You've come a long way, Boris«, sagte der Präsident.

Steifer als gestärkte Kragen

»Paris – ein Fest fürs Leben«, hat Ernest Hemingway über die französische Hauptstadt geschrieben. Für mich aber war Paris stets ein Problem, und das nicht nur, weil ich in Bercy das Hallenturnier zwar dreimal, dagegen das Grand-Slam-Turnier auf Sand im Stade Roland Garros nie gewonnen habe. Dreimal stand ich im Halbfinale, auf einem Boden, auf dem ich gegen meine Gefühle spielen musste.

Ich war spielerisch immer auf Angriff eingestellt, das entspricht meinem Charakter. Auf Sand geht es aber darum, weniger Fehler als der Gegner zu machen. Paris gewinnt derjenige, der das kleinste Risiko eingeht und dieses Geduldspiel über vier oder mehr Stunden durchhält. Einmal war ich dicht dran am Sieg, gegen Edberg 1989. Aber es wurde wieder nichts. Den fünften Satz verlor ich mit 2:6.

Für mich war Paris immer das anstrengendste Turnier der ganzen Saison, zumal die Franzosen Fremden kaum eine Chance geben, wenigstens außerhalb des Stadions einmal durchzuatmen: Das Überqueren der Straßen ist lebensgefährlich, weil die schwarz-weiß markierten Fußgänger-Überwege von den Autofahrern offenbar als eine Art Mutprobenzone betrachtet werden – nach dem Motto: Mal sehen, ob der Fußgänger sich traut, sich mir in den Weg zu stellen. Meist gibt es bei Turnieren einen Fahrdienst und fabrikneue Wagen mit umgänglichen Fahrern. Wenn ich jedoch auf ein Pariser Taxi ausweichen musste, begrüßten mich auf dem rechten Vordersitz zuweilen ein Pudel oder auch eine Dogge, die kräftig kläfften und sich dann wieder auf den Verkehr konzentrierten – die Lebensgefährten des Droschkenlenkers.

Von der Pariser Lebenskunst und der französischen Leichtigkeit, dem *savoir vivre*, habe ich leider nicht viel mitbekommen. Charmant und chic, so war die Hauptstadt bestimmt zu Zeiten, als Yves Montand oder Edith Piaf, Coco Chanel oder Jean Gabin noch den Ton angaben. Heute kämpfen die Pariser um Parkplätze oder um einen Tisch im Café. Sie hasten vorbei und eilen davon, irgendwohin. Es ist nicht viel anders als in Manhattan, da rennen auch alle. Gelassenheit und Toleranz scheinen für die Pariser jedenfalls Fremdworte zu sein. Über die Höflichkeit der Bediensteten in den Hotels und Cafés der Hauptstadt ist schon so manches abfällige Urteil gesprochen worden, und ich will eigentlich nicht in den Chor einstimmen. Nur so viel: Es stimmt. Auch Deutschland, das, wie man hört, angeblich die fähigsten Hotel-Manager in alle Welt exportiert, ist in dieser Beziehung ja nicht gerade verwöhnt. Von Freundlichkeit oft keine Spur, es sei denn, ein VIP wie Herr Becker mit Gefolge hat gebucht. Paris scheint uns da inzwischen nachzueifern: Die Herren hinter dem Louis-XV-Tisch in der Empfangshalle sind steifer als ihre gestärkten Kragen. Im Vergleich zu diesen Messieurs sind die »dames de pipi«, die Toilettenfrauen in den traditionellen Lokalen, geradezu herzlich.

Keine Frage, Paris ist ein Juwel, geprägt von historischen Gebäuden, von Geschichte, aber leider auch von der Überzeugung der Bewohner, dass Aggressivität gegen Fremde, vor allem, wenn sie farbig sind, dazu gehört. Ohne diese Ruppigkeit wäre die Stadt auch fast unerträglich schön. Barbara liebte die Geschäfte, den Luxus. Mit Schwung stürzte sie sich ins Getümmel, und ernüchtert kehrte sie jedes Mal zurück. Sie meinte, die Ablehnung, einen unterschwelligen Rassismus, zu spüren. Schon Voltaire hat in seinem »Candide« über Paris geschrieben: »Ja, Paris kenne ich: Dort sind alle diese Eigenschaften vereinigt, es ist ein Chaos, ein Gedränge, in dem jeder den Genuss sucht und kaum einer ihn findet.«[1]

Der Kontakt zu den Einheimischen ist für einen Tennisspieler begrenzt – ich kann den Pariser Lebensstil deshalb nicht nachempfinden, und vielleicht muss man hier leben, um ihn zu begreifen. Die Aggressivität stört mich nicht, aggressiv bin ich zuweilen selbst – es ist die mit Oberflächlichkeit gekoppelte Überheblichkeit, die mich bei Paris-Besuchen immer wieder irritiert hat. Dabei bin ich in dieser Schar von Fremden ja sogar noch ein Privilegierter. Mein Französisch? *Ça va.* Ich kann es mir leisten, im Hôtel de Crillon an der Place de la Concorde abzusteigen, in meiner frühen Zeit habe ich im Royal Monceau an der Avenue Hoche gewohnt. Ich habe im Ritz so viel Geld liegen lassen, dass ich schon wegen der Kosten eigentlich um jeden Preis das Bercy-Turnier gewinnen musste.

1995 spielte ich die French Open, die Internationalen Meisterschaften von Frankreich. Ich wollte noch einmal versuchen, dieses Turnier auf Sand im Stade Roland Garros zu gewinnen, und hätte mir – etwas übertrieben gesagt – ein Bein dafür ausgerissen. In der dritten Runde traf ich auf Andrian Voinea, die Nummer hundertachtundzwanzig der Weltrangliste, einen Rumänen. Wenn es nach den Journalisten gegangen wäre, hätte ich nach einem Sieg über Voinea gegen Stich oder Michael Chang antreten sollen, dann gegen Sergi Brugera, den spanischen Sandplatz-Spezialisten. Stattdessen: Regen und Sturm. Das Match fand trotzdem statt. Bei 3:6 forderte ich eine Spielunterbrechung, ohne Erfolg. Ich verlor auch den zweiten Satz mit 4:6, danach wurde das Spiel abgebrochen. Ich lag 0:2 zurück gegen einen Nobody.

Es war, als sei ich im falschen Film, und der Rumäne wurde in seiner Heimat zum Volkshelden. Am nächsten Tag ein Hoffnungsschimmer: Der dritte Satz ging mit 6:3 an mich. Im vierten dann das Aus mit 5:7. Ich blickte zum Himmel und klagte: »Da oben will wohl jemand nicht, dass ich auf Sand gewinne!« In den folgenden Jahren musste ich Paris immer wieder absagen, weil ich verletzt war. Auch der Gedanke, mich wieder durch die Hauptstadt quälen zu müssen, hätte mich nicht abgeschreckt, hier noch einmal zu spielen, aber ein Sieg in Paris war mir einfach nicht vergönnt.

Trotz allem, was ich an Frankreich und Paris auszusetzen habe, sollte kein Missverständnis aufkommen: Ich schätze Frankreich, das Hinterland, die Schlösser um Bordeaux, Deauville, die Normandie, Aix-en-Provence, Austernbänke, Weinberge, Gänseleberpastete, Champagner – es ist ein gesegnetes Land. Ich habe mit vielen Franzosen Freundschaften geschlossen, beispielsweise mit Guy Forget und Henri Leconte oder mit Yannick Noah. Yannick hat unter seinem Ruhm und den damit verbundenen Ansprüchen in Frankreich ebenso gelitten wie ich in Deutschland. Er ist sogar einmal nachts völlig deprimiert durch Paris geirrt und hat allen Ernstes darüber nachgedacht, sich von einer Seine-Brücke zu stürzen.

Yannick hat sich dann zunächst nach New York geflüchtet, in die Anonymität. Seine erste Frau und zwei seiner Kinder leben immer noch in Manhattan. Er selbst wohnt heute in London, aber außerhalb des Zentrums. Er spielt Tennis mit den Senioren der ATP-Tour, macht überaus erfolgreich Musik und unterstützt die von seiner Mutter organisierte Kinderstiftung »Enfants de la Terre«.

Als das französische Davis-Cup-Team im Dezember 1999 in Nizza im Finale gegen Australien antrat, blieb Yannick in London. Er wollte, so seine Begründung, nicht die Aufmerksamkeit auf sich ziehen und damit seinen Nachfolger als Teamchef, Guy Forget, bei der Arbeit stören. Die französische Mannschaft hat verloren, trotz der zehntausend Fans, die vor dem Spiel die »Marseillaise« anstimmten und sich ihre Gesichter blau-weiß-rot geschminkt hatten. Die Atmosphäre in der Halle, die Organisation, alles war grandios – wie es sich für Frankreich gehört. Und mich haben die Franzosen als Gast vor dem Finale mit Sprechchören begrüßt. *Merci la France.*

Liebe auf den ersten Tritt

Windsor Castle, 1998 – der wahrscheinlich längste Tisch der Welt. Wie viele Menschen saßen wohl an dieser Tafel? Zweihundert vielleicht. Ganz links unten, fast hundert Meter entfernt, war meine Frau kaum noch zu erkennen. Der deutsche Botschafter hatte uns eingeladen, anlässlich des Staatsbesuchs unseres damaligen Bundespräsidenten Roman Herzog. Ich war sehr nervös. Ich glaube, ich bin erstmals zu früh bei einer Veranstaltung erschienen.

Während wir noch vor dem so genannten »Green Room« ausharrten, um von den Royals einzeln empfangen zu werden, küsste ich Barbara, einfach so. Ein Bediensteter des Bundespräsidenten rügte mich: »Das macht man hier nicht.« Ich küsste Barbara gleich noch einmal. Im »Blue Room« und im »Red Room« hatte ich bereits meinen Whisky genossen und erwärmte mich zusehends für diese Umgebung. Die Ritterrüstungen, die getäfelten Wände, Abendkleider, Uniformen und Orden – es war ein imponierendes Bild. Als wir an der Reihe waren, machte ich, wie vom Protokoll vorgeschrieben, meinen Diener, Barbara ihren Knicks. Prince Charles, seine Schwester Anne, Prince Andrew und die Queen waren charmant und interessiert: »Sehen wir Sie in Wimbledon im nächsten Jahr?« – »Wie entwickelt sich die Hauptstadt Berlin?« – »Waren Sie schon mal in Nürnberg?« – »Wie heißt gleich das örtliche Gebäck?« – »Lebkuchen« – Anne sprach es aus wie »Liebküken«. Ihr Bruder Andrew redete über Golf. Er spielt Handicap sieben und kann täglich auf dem schlosseigenen Neun-Loch-Platz üben. Das deutsche Staatsoberhaupt stand irgendwo. Kein Wort zu uns, keine Geste. Roman Herzog war nicht unbedingt ein Fan von mir, anders als Richard von Weizsäcker, der mich der Queen 1987 in Berlin vorstellte. Ich schätze von Weizsäcker, und er mochte mich. In Barcelona, bei den Olympischen Spielen, hatte er mich sogar als eine Art Fremdenführer durch das olympische Dorf angefordert.

Prince Edward plauderte locker: »Hier in diesem Salon haben wir als Kinder ›Jeu de paume‹ gespielt, den Vorläufer des modernen Tennis. Manchmal blieben die Bälle im Kronleuchter hängen.« Ein prachtvoller Rahmen für unseren Sport, dachte ich mir. Was mögen nur die Bediensteten gesagt haben? Zersprungene Spiegel, zerkratzter Marmor? Hin und wieder ein Treffer auf das gemalte Antlitz eines ehrwürdigen Ahnen? Barbara flüsterte mir ins Ohr: »Wie Tausendundeine Nacht – unglaublich schön. Sieh dir Queen Mum an, achtundneunzig, und diese Würde!«

Ungebrochen die Traditionen, das Protokoll und eine Pracht, die Englands Geschichte reflektiert. Hier war das Selbstverständnis einer Nation zu betrachten, die ihre Vormachtstellung in der Welt aufgeben musste und dennoch Gelassenheit und den zivilisierten Umgang miteinander bewahrt hat. Geduldiges Warten an der Bushaltestelle, hintereinander, miteinander. Millionen von Einwohnern in London und dennoch Dorfatmosphäre. Warten vor der Royal Opera, im Regen, Nebel. Tee in der Thermosflasche, eine Wollmütze über den Ohren und mit ebensolcher Nachsicht Warten vor der Tennis-Anlage in Wimbledon. Es macht Spaß, sich unter diesen Leuten zu bewegen.

Schon vor der Einladung nach Windsor hatten Barbara und ich uns Häuser in Wimbledon angesehen, mit Blick auf die Anzeigentafel. Monatelang habe ich auch darüber nachgedacht, eine Immobilie in London zu kaufen. Wenn Wimbledon mein Wohnzimmer ist, wie ich immer wieder gesagt habe, dann ist Englands Hauptstadt ein Teil meines Gemüts. Ich fühle mich wohl hier, schätze die Briten, ihren Sinn für Demokratie, für Fairplay, ihre multiethnische Gesellschaft. Ich kann aber auch nachvollziehen, dass die Briten der Kriegsgeneration ihre Probleme im Umgang mit Deutschland und mit Deutschen haben. 1940 trafen fünf deutsche Bomben auch das Wimbledon-Gelände, eine beschädigte das Dach des Centre Court. Krieg und Bomben auf England – wer sollte da Ressentiments nicht begreifen? Ich würde mir von den Engländern nur ein bisschen mehr Einsicht darin wünschen, dass meine Generation sich dafür nicht unmittelbar verantwortlich fühlt.

Wir haben aus dem Elend der Nazi-Diktatur gelernt und schrecken auf, wenn ein paar Idioten sich wieder mit Hakenkreuzen behängen. Aber wir, die Jungen, können die Geschichte nicht ungeschehen machen, wir können nur zeigen, dass wir anders denken, fühlen, glauben. Ich, der »typische Teutone«, war mit einer schwarzen Frau verheiratet. Meine Mutter musste vor den Russen fliehen, auch sie kennt die Angst und die Schuld, mit der sich unser Volk immer wieder auseinandersetzen muss. Zumindest in meinen ersten Jahren in Wimbledon war ich überrascht, wie selten britische Journalisten bereit waren, von ihren Klischees zu lassen, auch wenn es nur um ein bisschen Tennis ging. Sie haben mich als »Panzer« bezeichnet oder im Radio getönt, die Becker-Aufschläge schlügen ein wie »Geschosse der Wehrmacht«. Vom »Blitzkrieg« war die Rede, und 1992 erinnerte der »Evening Standard« an meinen ersten Wimbledon-Triumph mit den Worten: »Als der Siebzehnjährige siegreich triumphierend seine Arme hob, schien das Bild so merkwürdig vertraut zu sein. Es war fast so, als wenn ein Hitlerjugend-Poster von Joseph Goebbels lebendig wurde. Da war so etwas von diesen durchdringend blauen Augen, dieser

Schopf blonder Haare, diese schiere physische Kraft, dieses strotzende Selbstvertrauen. Vierzig Jahre früher wäre ein solcher Körper mit Sicherheit von Leni Riefenstahl auf Film gebannt worden, als Porträt des deutschen Volkes, einer Rasse, die von nordischen Göttern abstammt.«[1] So etwas ist einfach nur dumm.

Über die NS-Vergangenheit bin ich mit meinem Vater so manches Mal aneinander geraten. Ich glaubte, bei ihm Verdrängung statt Aufarbeitung wahrzunehmen, so wie sich Millionen Deutscher der nationalsozialistischen Tragödie entziehen wollten. Auch mein Vater, Jahrgang 1935 und im Dritten Reich noch ein Kind, suchte nach Erklärungen für das Desaster, die mir gelegentlich als Ausreden erschienen. Einmal stand ich beim Abendessen auf und rief nach einer hitzigen Diskussion: »Heil Hitler.« Eine alberne Reaktion, zumal mein Vater den Debatten nie ausgewichen ist. Er war kein Unverbesserlicher, und ich war damals nicht wirklich politisch engagiert, sondern vor allem Tennisspieler. Die Diskussionen mit meinem Vater waren auch Provokation, die verbale Herausforderung durch einen Heranwachsenden, und sie haben mich vorbereitet auf Reaktionen, auf die ich später im Ausland traf.

Ich bin im Ausland nie direkt attackiert worden, weil ich Deutscher bin. Deutscher zu sein bedeutet im Ausland immer, sich der Vergangenheit zu stellen, auch wenn sie über ein halbes Jahrhundert zurückliegt. Es bedeutet, die Geschichte zu verstehen, Empfindlichkeiten einzuordnen, Verdrehungen zu korrigieren. Die Kommentare der ausländischen Presse über Verhältnisse in der Bundesrepublik sind oft nicht nachvollziehbar. Das neue Deutschland existiert, erkläre ich Zweiflern. Es ist demokratischer, freier als je zuvor in der Geschichte.

Klar haben wir unsere Probleme: Neonazis, Fremdenfeindlichkeit, Parteispendenskandale. Aber gibt es das in

England etwa nicht? Oder in Frankreich, den USA, Russland? Der ehemalige deutsche Botschafter in England, Gebhardt von Moltke, hat vor seinem Abschied im Oktober 1999 den Briten »tief gehende Ignoranz« gegenüber der deutschen Wirklichkeit vorgeworfen und in einem Interview versucht, sie darüber aufzuklären, dass Deutsche weder Hunnen noch »Krauts« sind, die permanent Bratwurst essen.[2] Er musste auch noch beteuern, dass jene Deutschen, die am Hotelpool Liegestühle beschlagnahmten, indem sie die morgens um fünf Uhr mit Handtüchern markierten, in der Minderheit seien.

»Gebt zu«, schrieb ein britisches Blatt, »wir sind uns alle einig, wir hassen sie.« Gemeint waren die Deutschen, allesamt, einfach so, also auch Boris Becker. Aber das Gefühl, gehasst zu werden, habe ich in Wimbledon nie gehabt und auch nicht bei Begegnungen mit der königlichen Familie. Die britischen Fans sind immer, im wahrsten Sinne des Wortes, grenzenlos geblieben. Boris Becker war zunächst einmal ein Spieler, und Wimbledon war seine Bühne, auf der er alles geben musste. Ich habe wirklich keinen Ball verschenkt, war bereit, mir bei meinen Hechtsprüngen alle Knochen zu brechen.

Oft habe ich auf dem Platz gezetert und gemeckert, aber nie kapituliert. Ich habe unter Niederlagen gelitten und mich über mich selbst geärgert, bis hin zu Hass, aber auf Becker und sonst auf niemanden. Die englischen Kommentatoren haben sich an mir gerieben und ich mich an ihnen, vielleicht haben sie irgendwann dann doch verstanden, dass meine Leidenschaft für Wimbledon auch eine Leidenschaft für ihre Insel war. »Boris ist der Kaiser von Wimbledon«, meldete die »Daily Mail« 1986. »Er hat das Lächeln eines Kindes. Den Charme eines Prinzen. Das Auge eines Attentäters.«[3] So etwas gab es eben auch.

Die britische Gesellschaft steckt, soweit ich sie beurteilen kann, voller Widersprüche. Schon die Sprache trennt »upper« und »lower class«, Cambridge und East London, Snobs und Cockneys, Derby in Ascot und Fußball bei Arsenal, Rudern in Henley und Rassismus in Wolverhampton. Warum sollte Wimbledon anders sein? Ein Zweiklassensystem gibt es auch hier: gesetzte Spieler und die anderen. Den Kaiser und sein Gefolge. Die Stars spielen auf dem Centre Court oder auf Platz Nummer eins, die anderen, wie ich 1984 gegen Blaine Willenborg, auf Platz neunzehn - eine mittlere Katastrophe. Auf dem Centre Court geht es zu wie in der Kirche - Stille, Andacht. Auf den Nebenplätzen dagegen ist stetes Gedränge, stete Störung.

Die alte Players' Lounge war viel zu eng - 128 Männer, 128 Frauen plus Freundinnen und Ehefrauen, Freunde und Ehemänner, Trainer und Masseure - fünfhundert, sechshundert Leute. Wohin mit denen, wenn es regnete? In den Umkleideräumen sollten die Gesetzten in der zweiten Woche Ruhe finden. Von wegen: Die Senioren trudeln ein, entspannt, wie zu einem Kameradschaftstreffen. Sie erzählen Witze, machen Lärm und reden über anno dazumal. Aber Sampras, Agassi, Becker sind noch im Turnier, und sie brauchen, bei allem Respekt für die alten Kameraden, Konzentration. Das ist nun besser geworden. Es gibt neue Umkleideräume, ein tolles Players-Restaurant, bessere medizinische Versorgung. Wimbledon geht mit der Zeit, wenn auch ein bisschen schwerfällig.

Die sechzehn gesetzten Spieler dürfen täglich eine Stunde auf dem Wimbledon-Rasen trainieren - mit einem anderen gesetzten Spieler. Den einhundertzwölf Ungesetzten bleiben dreißig Minuten pro Woche, zuweilen zu viert, und ein Plätzchen auf der Trainingsanlage im Aorangi Park, zehn Minuten Fußmarsch entfernt. Und selbst da herrscht die Zweiklassengesellschaft: Die Top-Spieler trainieren auf den vorderen Plätzen, die anderen auf den hinteren. Ich bin diesem Problem mit den Trainingsplätzen, vor allem nach Regenunterbrechungen, entkommen, indem ich für die Dauer des Turniers immer drei Rasenplätze fest mietete. Auf zwei haben wir trainiert, auf dem dritten Fußball gespielt. Die Anlage gehört heute Mohamed Al-Fayed, dem aus Ägypten stammenden Besitzer von Harrod's. Er hat sie für den von ihm finanzierten Londoner Profi-Fußballclub Fulham erworben. Über Jahre haben wir außerdem in Wimbledon zwei, drei Häuser gemietet – eines für mich und meine Familie, das andere für die Betreuer Kliesing, Kühnel und de Palmer.

Hier konnte ich alleine sein, lesen, in den Garten schauen, stundenlang. Sogar Noah war in diesen Tagen lieb und die Ruhe selbst. »Papi muss arbeiten«, das akzeptierte er. Zur Ablenkung haben wir gute Filme auf Video angeschaut. Von siebzehn bis neunzehn Uhr dreißig wieder lesen, dann Abendessen mit Barbara. Um neun Uhr vielleicht noch mal ein schönes Video, dann schlafen. Wenn es regnete, konnte ich im Fernsehen verfolgen, wann der Spielbetrieb wieder begann – ein erheblicher Vorteil gegenüber denjenigen, die in der Players' Lounge zusammengedrängt ausharren mussten, zuweilen fünf, sechs Stunden.

In den Umkleidekabinen gab es weder Fenster noch Oberlicht. Die Bediensteten teilten jeweils nur ein Handtuch zum Duschen aus – ein trockenes gegen ein nasses. Die drei Tische im Massageraum standen so eng, dass die darauf liegenden Spieler Händchen halten konnten.

Solche Klassenunterschiede sind natürlich nicht nur auf Wimbledon beschränkt: Wenn man ein paar Jahre die großen Turniere gespielt hat und in der Rangliste oben steht, verrät einem der Turnierdirektor, auf welchem Platz man vermutlich spielt und zu welcher Zeit etwa. Dies ermöglicht es den Top-Spielern, sich beizeiten auf das Match einzustellen. Es war eine große Ehre für mich, dass ich noch 1999 mehrmals auf dem Centre Court in Wimbledon spielen durfte. Ehrlich gesagt, hatte ich es nicht erwartet. Letztlich war die Entscheidung aber nicht falsch: Ich war, ein letztes Mal, Zugpferd Nummer eins.

Meine Liebe zu Wimbledon hat wohl auch etwas mit dem Belag zu tun. 1983 habe ich in England auf Rasen mein erstes Jugend-Turnier gespielt. Bereits beim Training hatte ich ein gutes Timing, und trotz meiner Schwere und Länge konnte ich mich auf Rasen so gut bewegen wie auf keinem anderen Boden. Ich kam auf Anhieb ins Halbfinale – es war so etwas wie Liebe auf den ersten Tritt. Leider werden auf Gras kaum noch Turniere ausgespielt. Früher mal in Forest Hills, in Melbourne und noch heute in Halle in Westfalen, im niederländischen Rosmalen und im Londoner Queens.

Welches Turnier hat so viel Geschichte und Geschichten, dass die Veranstalter ein eigenes Museum eröffnen konnten? Sie beauftragten einen »Honorary Librarian«, Alan Little, kein Detail in der seit 1990 jährlich erscheinenden Dokumentation (»Wimbledon Compendium«) auszulassen. 1911: Die erste doppelhändig geschlagene Rückhand. 1972: Eine Südafrikanerin wagt es erstmals, ohne Socken anzutreten, *shocking, indeed.* Eine Französin war 1931 die erste Spielerin mit Brille. 256 Minuten kämpften Jimmy Connors und John McEnroe 1982 im Finale gegeneinander. Ich war der jüngste Gewinner der Geschichte. Als der Brite Arthur Gore 1909 siegte, war er bereits einundvierzig Jahre und 182 Tage alt. Der Philippino Felicismo H. Ampon war mit knapp einem Meter fünfzig der kleinste Spieler, der Tscheche Milan Srejber sowie der Belgier D. Norman waren die größten (zwei Meter drei), bis sie 2003 von Ivor Karlovic mit zwei Meter acht von Platz eins der Lulatsch-Rangliste verdrängt wurden. Miss M. H. de Amorin, eine Brasilianerin, verlor 1957 nach siebzehn Doppelfehlern hintereinander. In welche Nervenklinik wäre ich nach so einem Erlebnis eingeliefert worden?

Oder der Kollege McEnroe? Ich halte noch einen weiteren Wimbledon-Rekord, allerdings einen negativen: Auf dem Weg zu meinem Triumph 1985 habe ich so viele Sätze verloren wie vor mir nur ein Amerikaner namens Ted Schroeder, der 1949 dann ebenfalls siegte.[4]

Wimbledon spiegelt ein Stück alte Welt wider, ein Understatement, das ich schätze. Es gibt kaum Werbung, nur für Diet Coke, Slazenger und Rolex, die mit ihren Schriftzügen im ruhigen Grün nahezu verschwinden; die Vorschrift für die Spielerkleidung lautete zwischen 1963 und 1995 »predominantly white« (überwiegend weiß), heute »almost entirely white« (fast ganz weiß). Es gibt Flaschen ohne Aufschrift für die eigene Getränkemixtur. Auch die im Jahr 2003 leider abgeschaffte Geste der Verbeugung und des Knickses gehören dazu wie die ewige Gegenwart der Kents. Herzog George war 1929 zum Club-Präsidenten gekürt worden, und dieses ehrenvolle Amt wurde von nun an in der Familie weitervererbt. Selbst wenn es regnet, bleiben die Zuschauer stundenlang auf ihren Plätzen sitzen und warten auf einen Sonnenstrahl.

Wimbledon hat mir Freiheit beschert, Unabhängigkeit von allem. »Der junge Mann, der als ›siebzehnjähriger Leimener‹ einst glaubte, er habe Wimbledon für alle Zeiten für sich gewonnen, hat in den folgenden Jahren jede Seite der Lady kennen gelernt«, schrieb der Sportjournalist Ulrich Kaiser über meine Beziehung zu Wimbledon. »Sie hat ihm klargemacht, dass man sie nicht auf ewig gewinnen kann; sie hat ihm Bänder zerrissen und ihn an ihr Herz genommen; sie hat ihn rausgeschmissen, als er meinte, bereits Rechte zu besitzen, sie hat ihn wieder aufgenommen, nachdem er sich durch die Runden bis zu ihrem Thron geackert hatte; sie hat ihn in Sicherheit gewiegt, als nur noch zwei Kandidaten übrig waren, und sich dann unerwartet für den anderen entschieden; sie hat ihn glauben lassen, die ganze Welt gehöre ihm, und sie hat ihn laut darüber nachdenken hören, dass es an der Zeit wäre aufzuhören. Die Lady hat ihn zwischen Himmel und Hölle wippen lassen.«[5]

Natürlich wollte ich in Wimbledon siegen, aber ich wollte auch die Nummer eins der Weltrangliste werden. Wimbledon war einer der Bausteine, auf dem das Haus entstehen sollte. Manche Journalisten sind nahezu nostalgisch geworden, als sie irgendwann erkennen mussten, dass auch ich älter werde. Erst in den letzten zwei, drei Jahren meiner Profi-Karriere, als die Aussicht, noch einmal Nummer eins zu werden, Illusion geworden war, habe ich mich vor allem auf Wimbledon konzentriert. Es war, wie Ulrich Kaiser beobachtete, tatsächlich so, als würde ich mich »nur auf Weihnachten konzentrieren und die anderen dreihundertsechzig Tage vergessen«[6]. Weihnachten im Juni, Juli, warum nicht?

In Wimbledon 1999 habe ich einmal mehr erkannt: Mit dem Rasen des Centre Court, der Queen, der Insel, den Reportern, die sich »hacks« nennen, wie die vollleibigen Hackney-Pferde, die früher schwere Kutschen durch London ziehen mussten, werde ich verbunden sein bis zum letzten Aufschlag meines Lebens. Und heute kehre ich als BBC-Kommentator und »Times«-Kolumnist in mein Wohnzimmer zurück, als Beobachter aus einer anderen Perspektive. Es ist ein Abenteuer, meiner Liebe neu und anders zu begegnen.

Aufschlag Deutschland

Adolf Hitler wollte einen Sieg gegen den Feind. Im Juli 1937 gingen in Wimbledon die Bataillone in Stellung: USA gegen Deutschland, Davis Cup auf dem Centre Court. Das Gefecht wurde im letzten Match entschieden: Gottfried von Cramm gegen Donald Budge. Ted Tinling, in Wimbledon zuständig für das Protokoll, sollte die Gegner auf den Platz begleiten. Da klingelte das Telefon in der Umkleide. Ellis, der Steward, rief von Cramm: »Sir, Ferngespräch!« Der Freiherr griff zum Hörer und nahm Haltung an. Er sprach keinen Satz, sondern wiederholte nur elf Mal: »Ja, mein Führer.« Nachdem er aufgehängt hatte, entschuldigte er sich für die Verzögerung: »Hitler war am Apparat. Er hat mir Glück gewünscht.« Auf der Ehrentribüne, notierte Tinling in seinen Erinnerungen[1], saß der Sportminister des Reichs. Weder er noch die psychologische Aufrüstung aus Berlin konnten von Cramm vor der Niederlage (8:6, 7:5, 4:6, 2:6, 6:8) bewahren. Von Cramm, der sich geweigert hatte, in die NSDAP einzutreten, wurde später aus der Davis-Cup-Mannschaft ausgeschlossen und kurzfristig von der Gestapo festgenommen.

Erst nach meiner Berufung in das deutsche Davis-Cup-Team wurde mir klar, welche Bedeutung von Cramm für den deutschen Tennissport hatte. Er war dreimal Wimbledon-Finalist im Einzel und Sieger im gemischten Doppel. Im ersten Match der deutschen Mannschaft nach dem Zweiten Weltkrieg, 1951 gegen Jugoslawien, siegte er erneut für Deutschland – fünfundzwanzig Jahre später starb er bei einem Autounfall in Ägypten. Von Cramm hat einhundertzwei Mal für Deutschland Davis Cup gespielt, zweiundachtzig Mal gesiegt, aber nie die Trophäe gewonnen.

Zum ersten Mal schafften deutsche Spieler im August 1970 den Einzug ins Davis-Cup-Finale – Wilhelm Bungert und Christian Kuhnke verloren gegen die USA 0:5. Schon als Jugendlicher träumte ich von meiner Berufung ins Davis-Cup-Team – für einen Tennisspieler bedeutete damals der Auftritt in der Nationalmannschaft die Bestätigung, zu den Besten des Landes zu zählen, egal, auf welchem Platz in der Weltrangliste er stand. Im März 1985 gegen Spanien sah ich dann erstmals als Davis-Cup-Spieler auf die schwarz-rot-goldene Fahne. Ich war bewegt, als die Nationalhymne ertönte, mein Vater war gerührt – Deutschlandlied und Nationalmannschaft, das war für ihn die rechte Mischung. In meinem ersten Spiel besiegte ich Juan Aguilera mit 6:3, 6:4, 6:4, im zweiten Match bezwang mich Sergio Casal mit 4:6, 6:1, 5:7. Zur anschließenden Pressekonferenz erschien nur eine Hand voll Reporter. Meine Mannschaftskollegen Michael Westphal, Andreas Maurer und ich selbst konnten durch die Hotelhalle gehen, ohne dass uns ein Fan mit Autogrammwünschen bedrängte.

Das änderte sich schlagartig nach meinem Wimbledon-Sieg im Juli. Vom 2. bis 4. August traten wir in Hamburg gegen die USA an – das Ausmaß der nationalen Begeisterung über meinen Sieg in London war mir bis zu dieser Begegnung an der Alster nicht wirklich klar gewesen. In den Pressekonferenzen gab es fast nur Fragen an mich. Ich wurde im Team, ob ich wollte oder nicht, in die Hauptrolle gedrängt, und ich gebe zu: Davis Cup wurde für mich zu einer Leidenschaft. Zu fünfundsechzig Spielen bin ich angetreten, dreiundfünfzig Mal habe ich gesiegt. Ich fühlte mich wohl in der Gruppe, in der sich der Druck leichter ertragen ließ – nicht Aufschlag Becker, sondern Aufschlag Deutschland.

Mein erstes Einzel in Hamburg gegen Eliot Teltscher gewann ich glatt mit 6:2, 6:2, 6:3, Hans-Jörg Schwaier rang Aaron Krickstein in fünf Sätzen nieder. Im Doppel mit Andreas Maurer musste ich also nur noch einen Punkt holen. Wir brachten es gegen das weltbeste Doppel jener Jahre, Kenneth Flach und Robert Seguso, bis zum Matchball. Ich schlug auf zum Sieg über die USA, die Tennis-Weltmacht, aber: »Nein, nein, nein, das gibt es nicht!« – wir verloren. Eine Katastrophe. Teltscher bezwang Schwaier, das Viertelfinale stand 2:2, und dann kam das entscheidende Match: Der siebzehn Jahre alte Wimbledon-Sieger Becker gegen Krickstein, auf Sand. In neunzig Minuten fegte ich ihn vom Platz, mit 6:2, 6:2, 6:1. Dieser Tag hat viel mit dem »Mythos Becker« zu tun, der dann entstanden ist. Sieg in Wimbledon und Sieg gegen die USA innerhalb von vier Wochen, im Sommer 1985.

Im Halbfinale traten wir im Oktober in Frankfurt gegen die Tschechen an. Ich schlug Miloslav Mecir im ersten Match in drei Sätzen 6:3, 7:5, 6:4. Mein Partner Michael Westphal, der blond gelockte Sonnyboy und Teenie-Star, kämpfte in fünf Stunden und neunundzwanzig Minuten Thomas Smid nieder, nach einem 0:2-Rückstand. Dann 7:5, 11:9, 17:15 – der Westphal-Stern strahlte heller denn je. Es gab durchaus Störungen zwischen Michael und mir, weil ich populärer war als er, aber in dieser Begegnung hielt die Mannschaft zusammen wie selten zuvor. Die Frankfurter Zuschauer trugen uns, wie es sonst nur Fußball-Fans im Dortmunder Westfalenstadion mit ihrer Borussia machen.

Das Endspiel 1985 in München gegen die Schweden verdrängte selbst die Bundesliga – Tennis war »in« wie nie zuvor. Edberg und Wilander, unter den ersten fünf der Weltrangliste, gegen Becker, Nummer sechs, und Westphal, etwa Rang fünfzig, das Doppel Maurer/Becker unter ferner liefen. Michael verlor gegen Wilander in drei Sätzen. Ich musste

Edberg schlagen, meinen ewigen Widersacher. Erster Satz: 6:3. Ernüchterung nach dem 3:6, die Hütte brannte. Das Publikum tobte, trieb mich an, Stierkampfatmosphäre. Ich siegte in vier Sätzen 6:3, 3:6, 7:5, 8:6.

Der Fernsehreporter Dieter Kürten rannte gleich auf mich zu; ich musste ein Live-Interview geben, hörbar für alle Zuschauer. Ich war wie betäubt, registrierte nichts. In unserem Hotel herrschte dann eine Stimmung wie im brasilianischen Team nach dem Gewinn einer Fußball-WM. Es stand erst 1:1 – und schon jetzt ein solches Theater! Am Tag darauf spielte ich im Doppel mit Andreas Maurer. Wir verloren 6:4, 6:2, 6:1, die ersten Pfiffe. Vor den nächsten Begegnungen hatte ich zum ersten Mal Angst: Die Leute hatten eine Erwartungshaltung, die mit der Tennis-Realität nichts mehr zu tun hatte.

Vor meinem Match gegen Mats Wilander hatte ich ein flaues Gefühl im Magen. Zu Beginn spielte ich verkrampft, hatte zwei schwere Sätze, 6:3, 2:6. Mitte des dritten aber platzte dann der Knoten: Sieg mit 6:3, 2:6, 6:3, 6:3. Die Zuschauer stampften mit den Füßen. Michael Westphal kämpfte gegen Edberg am Rande seines Leistungsvermögens. Er siegte im ersten Satz, lag im zweiten mit 4:2 vorn, aber Edberg schaffte es. Schweden gewann den Cup. Dennoch feierten wir mit unseren Gegnern in der Münchner In-Disco »P 1« bis in die Morgenstunden – eine prima Truppe, die Schweden, die fairsten Typen im Davis Cup. Wir hatten uns toll geschlagen, trotz des großen Drucks. Was konnte mir jetzt noch passieren?

Die Antwort erhielt ich im März 1986 in der nächsten Davis-Cup-Runde in Mexiko-City, 2240 Meter über dem Meeresspiegel. Der Hass von Tausenden schlug uns entgegen. Ich schaffte gegen den Mexikaner Leonardo Lavalle, der später Bosch als Coach verpflichtete, ein 6:3, 6:2, 6:4. Auch Francisco Maciel ging gegen mich ein (6:3, 6:1, 6:1). Michael Westphal musste dann am letzten Tag gegen Lavalle den entscheidenden Punkt holen. Beinahe hofften wir zu verlieren, weil auf den Rängen Revolutionsstimmung herrschte, aber Michael schaffte das Unmögliche: Mit 10:8, 6:3 lag er vorn. Polizisten mit Maschinenpistolen rückten an, die ersten Warnschüsse waren zu hören. Die nächsten Sätze: 3:6, 4:6, 3:6. Wir verloren in der Verlängerung am Montag gegen Mexiko, aber wir überlebten.

Im März 1987 musste ich im Davis Cup gegen Spanien eine bittere Niederlage hinnehmen. Sergio Casal ließ mir keine Chance (2:6, 6:0, 2:6, 3:6), das Gefühl der Unbesiegbarkeit im Davis Cup war dahin. In Wimbledon verlor ich in der zweiten Runde, Bosch war nicht mehr mein Coach. Zweifel setzten ein. Die Medien prophezeiten meinen Untergang – ich war noch nicht einmal zwanzig. Aber jetzt rückten meine Jugendfreunde Patrik Kühnen, Carl-Uwe Steeb und Eric Jelen in das Davis-Cup-Team nach, und wir wurden zu einer verschworenen Gemeinschaft. Vor unserem Abstiegsspiel im Juli 1987 gegen das US-Team im amerikanischen Hartford gingen wir jeden Tag in einen Park, setzten uns auf die Wiese und spielten stundenlang Poker. Selbst Niki Pilic, unser Teamchef, sonst sehr resolut und der Peitsche zugetan, konnte sich dieser kameradschaftlichen Stimmung nicht entziehen. Die Journalisten wetzten bereits die Messer – Abstieg Deutschland, Ende Becker.

Wir trainierten in derselben Halle wie die Amerikaner – aber die sahen uns nur mit dem Hintern an. Stuart Bale, ein englischer Profi, Linkshänder und ungefähr auf Platz zweihundert der Weltrangliste, sollte uns auf den Linkshänder McEnroe einstellen. Ich habe Stuart vor einiger Zeit wieder getroffen – er ist jetzt Taxifahrer in London, aber immer noch ein Supertyp, so positiv wie damals. Eric, ein Cooler, wenn es drauf ankommt – wohl ein typisches Trierer Temperament –, hat vor dem ersten Match wahrscheinlich geschlottert, aber er rang Tim Mayotte in fünf Sätzen mit 6:8, 6:2, 1:6, 6:3, 6:2 nieder – ein Riesenschock für die Amerikaner. Mein Gegner war McEnroe, einer der erfolgreichsten Davis-Cup-Spieler überhaupt, ein Weltstar. »Was Eric kann, kann ich auch«, versuchte ich mich zu motivieren. Ich verlor gleich mein erstes Aufschlagspiel und den ersten Satz. McEnroe versuchte mich zu provozieren – »motherfucker«, »asshole«, rief er mir beim Seitenwechsel zu –, aber ich nahm das hin als New Yorker Alltagston. McEnroe redete mit Zuschauern, den Linienrichtern, mit mir. Ich reagierte nicht. Im zweiten Satz begann die Schlacht – zwei Stunden und fünfunddreißig Minuten –, der längste Satz meiner Karriere. Meine Doppelfehler wurden beklatscht, oder die US-Spieler standen auf und wedelten mit dem Sternenbanner. Ich schaltete einfach auf Durchzug. John erschien mir müde, platt, und nach fünf Sätzen (4:5, 15:13, 8:10, 6:2, 6:2), sechs Stunden und achtunddreißig Minuten warf er das Handtuch. Er sackte auf seine Bank und schwieg. Mein für den nächsten Tag vorgesehenes Doppel mit Eric Jelen musste ich wegen Erschöpfung absagen. Jelen trat mit Ricki Osterthun an. Sie wehrten sich tapfer, verloren aber.

McEnroe war am Sonntag super motiviert, Jelen verlor gegen ihn. Ich musste also gegen Mayotte den entscheidenden Punkt einfahren. Der Verlierer würde absteigen – das bedeutete Davis Cup in der zweiten Liga. Ich spielte die ersten beiden Sätze gegen Mayotte unglaublich gut, 6:2, 6:3, die Zuschauer in der Halle schienen zu resignieren. Im dritten dann der Einbruch: Die Müdigkeit machte sich bemerkbar, die Konzentration ließ nach. McEnroe betätigte sich als Einpeitscher, wiegelte die sechzehntausend Zuschauer auf, die schon eingeschlafen schienen. Nach vier Stunden glich Mayotte aus: 5:7, 4:6. Ich begann zu kippen. Fünf Breakbälle gegen mich. Mir war klar: Machte er das Break, war ich weg. Aber das Glück war auf meiner Seite – Mayotte wurde nervös. Doppelfehler. Ich nahm ihm den Aufschlag ab und gewann schließlich den entscheidenden fünften Satz mit 6:2. Ich lief zum Sohn von Ion Tiriac, Ion-Ion, der mutig die deutsche Fahne geschwungen hatte, schnappte mir das schwarz-rot-goldene Tuch und lief fünf Ehrenrunden – got you, John McEnroe! Wir blieben in der ersten Liga, die USA stiegen ab. Dieser Sieg war der Grundstein für unsere Triumphe 1988 und 1989.

Einige Davis-Cup-Begegnungen sind mir in besonderer Erinnerung geblieben, darunter das Match gegen McEnroe in Hartford 1987, mein 6:2, 6:0, 6:2 gegen Wilander 1989 im Finale in Stuttgart oder auch das Match in der Münchner Olympiahalle 1989 gegen Agassi. Die ersten beiden Sätze im Halbfinale gingen mit 7:6, 7:6 an Agassi, im dritten Satz hatte er bei 6:5 Aufschlag. 30:15 – die Punkte wissen wir beide heute noch auswendig. Ich spiele einen Stop, gehe ans Netz. Er läuft vor, überlobbt mich. Ich spiele von hinten einen »winner« – zum 30 beide statt zum 40:15. Agassi ist geschockt, verliert sein Aufschlagspiel und den Tiebreak sowie den nächsten Satz. Es ist inzwischen Mitternacht. Beide Spieler müssen sich nach den Davis-Cup-Regeln einigen, ob sie weiterspielen wollen. Er will nicht. Am nächsten Tag soll ich Doppel spielen, das weiß er natürlich. Es steht zwei beide nach Sätzen.

Den fünften Satz spielen wir dann morgens um elf Uhr aus, nach fünf Stunden unruhigen Schlafs. Alles tut weh. Nach der Entscheidung gegen Agassi im fünften, 6:4 für mich, habe ich fünfundvierzig Minuten Pause, und danach muss ich mit Jelen Doppel gegen Flach/Seguso spielen. Die haben in jenem Jahr schon zwei Grand Slams gewonnen, aber wir schlagen sie in vier Sätzen.

Diese Begegnung gegen die USA, so toll sie auch war, zeigte mir wieder einmal, wie zerbrechlich die Gunst der Zuschauer ist: Nach meinem Match gegen Agassi, nach dem völlig überraschenden 4:6, 6:4, 6:4, 6:2 von Charly gegen ihn, nach unserem Doppel-Erfolg musste ich nicht mehr antreten – wir hatten den Sieg in der Tasche. Ich war froh, denn ich war erschöpft, platt, hinüber. Kühnen ersetzte mich im Match gegen Brad Gilbert. Und was passierte? Die Zuschauer pfiffen, die Presse tobte – Becker hatte es gewagt, nicht anzutreten. Das tat weh. Mein Gesundheitszustand schien den Leuten egal. Wir hatten schließlich gewonnen – gegen die USA! Patrik verlor 4:6, 6:1, 4:6, aber er kämpfte. Das Publikum jedoch pfiff ihn aus und meinte eigentlich mich. Die »Neue Zürcher Zeitung« erkannte: »Selbst in den Stunden des Triumphes wird Becker in deutschen Landen teilweise hart angefasst, wurden ihm doch schon fast Beschimpfungen zuteil, ein ›Armani-Kommunist‹ oder ein ›Rolex-Sozialist‹ zu sein. (...) Solche Zensuren werden dem Charakter dieses Sportlers nicht gerecht, der – dies nur nebenbei – Hunderten von Mitläufern ermöglichte, aus seinen Erfolgen persönlich Kapital zu schlagen.«[2]

Mehr als sechs Jahre lang riss ich mir den Hintern auf, siegte für Deutschland, und wenn ich nach acht Stunden Hochleistungssport in zwei Tagen, also fünf Fußball-Bundesligaspielen hintereinander, nicht mehr konnte, wurden Jauchekübel über mich entleert – das Thema in der Presse war nicht der Sieg, sondern der müde Becker. Undank für uns alle, vor allem für Patrik. Und fünf Monate später gab es dann wieder Champagner und Kaviar satt in Stuttgart, beim Triumph über die Schweden 3:2, plötzlich war ich wieder ein Genie. Mir wurde klar: Ich wollte und musste mich aus dieser nationalen Umarmung befreien, mich auf andere Ziele konzentrieren, etwa auf den höchsten Rang der Weltrangliste. Im Februar 1990 entschied ich deshalb, in der nächsten Davis-Cup-Begegnung, der ersten Runde gegen die Niederlande, auszusetzen, und geriet prompt wieder in die Kritik. Der Druck der Funktionäre wurde stärker, die Sponsoren, das Fernsehen wollten Becker im Team, wegen der Einschaltquoten. Tiriac tobte und erklärte: »Ihr müsst ihm die Füße küssen und hoffen, dass er überhaupt weitermacht.«

1990 habe ich dann zwanzig Turniere gespielt, im Januar 1991 erreichte ich mein Ziel und wurde – erstmals – zur Nummer eins der Weltrangliste. Danach packte mich aber wieder die Sehnsucht nach dem Team, das 1990 noch durch Michael Stich verstärkt worden war. Der Einsatz im Davis Cup wurde inzwischen wesentlich besser bezahlt, je nach Weltranglistenplatz. Ich sollte zehn Prozent der Netto-Einnahmen bei Heimspielen bekommen und beharrte darauf – sehr zum Widerwillen von Tiriac –, dieses Geld so wie die Prämien von Team- und Davis-Cup-Sponsoren gerecht mit meinen Mannschaftskameraden zu teilen. »Du bist bescheuert«, meinte Tiriac, »aber da du offensichtlich sozialistisch angehaucht bist, kann ich dich daran nicht hindern.«

Bereits vor unserem ersten Finale gegen Schweden, in Göteborg im Dezember 1988, waren erste Risse im Verhältnis zwischen Funktionären und Profis sichtbar geworden: Die Einschaltquoten im Fernsehen nahmen gewaltig zu, der DTB kassierte, und wir wurden mit einigen tausend Mark entlohnt, plus Siegprämie. Wir forderten das Doppelte und drohten mit Abreise. Der DTB zahlte zähneknirschend.

In den Zeitungen standen wegen meiner Davis-Cup-Pause 1990 plötzlich Geschichten wie »Boris lässt sein Team im Stich« oder »Becker – Buhmann der Nation«. Sie schlugen so gnadenlos zu, dass der damalige Präsident des DTB, Claus Stauder, sich vor mich stellte und der Presse mitteilte: »Ich möchte mich zu einem entschiedenen Verteidiger von Boris machen, ihn in Schutz nehmen aus voller Überzeugung. Ich kenne keinen Spieler der Welt, der für sein Land so viel getan hat. Damit hat er sich einfach das Recht erworben, seiner Karriere einmal eine andere Priorität zu setzen.«[3]

Stauder kannte die Zahlen, er wusste, wie viel Geld ich dem Verband in die Kassen spülte. Ion Tiriac hatte es bereits Jahre zuvor auf den Punkt gebracht: »Der Boris ist im Moment die Lokomotive, die den ganzen Bahnhof zieht.«[4]

Die ehrenwerten Funktionäre des DTB, die sich hochgedient hatten vom Bezirksverwalter oder Verbandsjugendwart, lebten ja in ihrer eigenen, betulichen Welt, bis ein Knabe namens Becker in wenigen Monaten alles durcheinander wirbelte, was sie sich über Jahrzehnte in ihrer Amateurliga an Paragraphen und Vorstellungen aufgebaut hatten. Sie wurden völlig unvorbereitet vom Tenniswahn getroffen und wurden nicht damit fertig. Plötzlich tauchten die rüden Vertreter der Profi-Welt bei ihnen auf und feilschten um Bandenwerbung und Fernsehrechte. Tiriac stand ihnen, wie stets in dollarträchtigen Situationen, mit Rat und Tat zur Seite. Die Funktionäre von 1985 sind teilweise noch heute im Amt, als Vertreter der achtzehn Landesverbände im Bundesausschuss, und sie haben wohl verdrängt, was wir, die Spieler, für das Wohlergehen ihrer Verbände geleistet haben. Am liebsten hätten sie wohl auch vergessen, dass wir nicht allein für Ehre und Vaterland im Davis Cup antraten, sondern mitverdienen wollten.

Die Landesverbände haben es einfach nicht verdaut, dass sie Spieler wie mich nicht kontrollieren konnten, sondern auf meine Bedingungen eingehen mussten. Der DTB hatte mit der UFA einen Vertrag über 125 Millionen Mark für die TV-Übertragungsrechte am Davis Cup, Federation Cup sowie für die Internationalen Meisterschaften in Hamburg bei den Männern und in Berlin bei den Frauen abgeschlossen – eine Summe, die ohne Steffi, Michael und mich wohl nie gezahlt worden wäre. Und warum sollte ich keinen Anteil daran haben? Ich habe gut verdient, keine Diskussion, aber ich stelle doch noch einmal die Frage: Wo ist das restliche Geld geblieben?

Die Landesverbände hatten einen Großteil davon kassiert. Und in Hamburg, der Schaltzentrale der DTB-Macht, entstand ein Stadion für fünfundzwanzig Millionen Euro. Der DTB hat diesen Bau gewagt, weil die Deutschen mit anderen internationalen Turnierorten in Konkurrenz standen und weil er nicht ausmanövriert werden wollte. Das Vorhaben misslang, die Latte lag nach Graf/Becker natürlich sehr hoch. Nach unseren Rücktritten musste die Talfahrt zwangsläufig kommen. Aber die Begeisterung für Steffi und mich war genauso übertrieben wie das Desinteresse, das heute teilweise dem Tennis entgegengebracht wird. Viele Nationen beneiden uns um Spieler wie Haas oder Schüttler, sie haben die Chance, ganz oben mitzuspielen. Vielleicht werden sie populärer, wenn allmählich die Erinnerungen an uns verblassen.

Mein Rücktritt vom Amt des Davis-Cup-Teamchefs Ende Dezember 1999 hat keinen meiner Vertrauten überrascht. Die Entscheidung war über mehrere Monate in mir gereift. Die Querelen mit den DTB-Funktionären wurden zunehmend unerträglich, die Diskussion um Kiefer war lächerlich geworden. Ich war mit einer ziemlich romantischen Vorstellung angetreten: Ich wollte dem deutschen Tennis etwas zurückgeben, meine Erfahrungen einbringen in ein Konzept, über das Deutschland wieder zur Tennis-Macht hätte werden können.

Ich hatte mich nicht um den Job gerissen, sondern der DTB war auf mich zugekommen, als mein Profi-Dasein dem Ende zuging. Ich wollte damals, dass sich Carl-Uwe Steeb die Arbeit als Team-Captain mit mir teilte, auch deshalb, weil ich im Oktober 1997 noch selbst spielte und eine Vielzahl beruflicher Interessen verfolgte. Niki Pilic, der den Davis Cup dreimal mit seinem Team gewonnen hatte, war aber noch vertraglich an den DTB gebunden und forderte eine Abfindung. Der DTB, immerhin der mitgliederstärkste Tennis-Verband der Welt, erklärte sich jedoch außerstande, diese Forderung zu erfüllen. Im Interesse des Teams und eines harmonischen Übergangs erklärte ich mich bereit, den DTB bei der Zahlung der Pilic-Ansprüche zu unterstützen. Selbstverständlich wurde diese Geste missverstanden – bewusst.

Ein von mir initiiertes Konzept zur Nachwuchsförderung, das Mercedes-Junioren-Team, kam zu Beginn nicht ins Laufen, wie ich es mir vorgestellt hatte, weil die DTB-Landesherren uns blockierten. Sie würden es nie zugeben, aber ich weiß es von den Betroffenen selbst: Funktionäre haben die Talente massiv eingeschüchtert: Wer sich zu einer Sichtung bei Becker meldete, würde gesperrt. In Nacht- und Nebelaktionen mussten wir Jugendliche beobachten und mit ihnen verhandeln. Ich habe die Besten genommen, die ich sehen konnte, aber es waren nicht die Besten, die wir in Deutschland hatten.

Also versuchte ich, eine Brücke zwischen dem Mercedes-Nachwuchs und der Verbandsstruktur zu schlagen, doch die Funktionäre waren nicht bereit, von der Macht, die sie über Jahre angehäuft hatten, abzugeben. Am Ende waren die Gegensätze nicht mehr zu überbrücken. Bereits nach meinem letzten Davis-Cup-Einsatz als Doppelspieler gegen Russland (2:3) in Frankfurt im April 1999 oder fünf Monate später bei unserem Abstiegsmatch gegen Rumänien (4:1) in Bukarest konnte ich mir eine konstruktive Zusammenarbeit kaum noch vorstellen. So manches Mal diskutierte ich mit Charly bis spät in die Nacht über die Probleme in unseren Verbänden oder im Davis-Cup-Team. Ich habe die Streitereien nie verstanden: In anderen Teams, Schweden oder Frankreich etwa, herrscht Harmonie, aber wir kriegen das nicht hin, egal unter welchem Teamchef. Die Spieler anderer Teams verdienen weitaus weniger als unsere, aber sie drängen sich danach, für ihr Land Davis Cup zu spielen. Ist unsere Erfolgs-Story ein Grund dafür, dass junge deutsche

Spieler anfangs ein gestörtes Verhältnis zur Nation hatten, zum Nationalteam? Oder sind es die Schatten unserer Davis-Cup-Erfolge, die sie erdrücken?

Trotz all dieser Querelen fühle ich mich dem deutschen Tennis verbunden und verpflichtet. Deshalb habe ich für das Masters-Series-Turnier am Hamburger Rothenbaum zusammen mit den neuen Leuten beim DTB und meinem Team von Mitarbeitern ein neues Vermarktungs- und Veranstaltungs-Konzept entwickelt und die Rolle des Chairman übernommen. Zwanzig Prozent mehr Zuschauer in diesem Jahr – das ist immerhin ein Anfang. Der Fall des deutschen Tennis ins Bodenlose scheint fürs Erste jedenfalls gestoppt. Auch wenn das Davis-Cup-Team nach über zwanzig Jahren erstmals den Abstieg in die Zweitklassigkeit verkraften muss.

Blut unterm Zehennagel

Ein kleiner Vorgarten, Messingschild am Eingang: eine Arzt-Praxis in München-Bogenhausen, einige Schritte von der Isar entfernt, vom Spazierweg und den Wiesen. Die Vögel zwitschern, Hunde kämpfen um einen Holzknüppel, als sei es die letzte Wurst, Babies machen erste Gehversuche auf dem Rasen - eine Idylle.

Und ich liege hier auf einem weißen Laken und starre an die Zimmerdecke. Hin und wieder blicke ich auf die Kanüle in meinem Unterarm, über die mein Blut aus der Vene in den Separator pulsiert. Mein Körper, so die Diagnose des Fachmediziners Ulrich Kübler, ist wenige Tage nach meinem allerletzten Match in einem Zustand völliger Erschöpfung. Die Abwehrstoffe im Immunsystem sind dramatisch reduziert, die Ursache für eine Bronchitis, große Mattigkeit und leichtes Fieber. Die Keime, so erklärt mir Kübler, können mit Antibiotika nicht vernichtet werden. Deshalb will der Arzt körpereigene Lymphozyten zur Unterstützung des Abwehrsystems entwickeln und diese über die Venen in den Blutkreislauf zurückführen. Konservative Mediziner stehen dieser Behandlungsmethode skeptisch gegenüber, konnten mir allerdings auch keine wirkungsvolle Heilungsmethode gegen die Viren anbieten. Ich bin zu zahlreichen Medizinern gelaufen und war am Ende sehr verunsichert. Der eine sagte dieses, der andere schwor auf das Gegenteil. Boris und die Blessuren, das ist eine Geschichte für sich.

Bereits beim kleinsten Luftzug erkältete ich mich. Mancher Top-Athlet erkrankt schon durch die Fliegerei mit ihren ständigen Veränderungen der Zeit- und Klimazonen und wegen der klimatisierten Luft in den Maschinen. Durch die Dauerbelastung und die kurzen Erholungsphasen, so klärte mich Kübler auf, seien in meinem Blut erschreckende Defizite essentieller Aminosäuren erkennbar. Sportler, so glauben viele Laien, sind kerngesund, die Lungen ausgeprägter, die Herzen größer, die Muskeln straff. In Wirklichkeit aber gleichen wir hochgezüchteten, empfindlichen Rennmaschinen. Tennisspieler sind Ausdauersportler. Wir sind zuweilen doppelt so lang in Bewegung wie Marathonläufer, die zweiundvierzig Kilometer zurücklegen. Wie müssen nahezu jede Woche antreten, die Marathon-Athleten starten nicht einmal ein halbes Dutzend Mal im Jahr. Schon ein doppelter Espresso hatte bei mir eine um vieles stärkere Wirkung als bei einem Untrainierten. Mein Körpersystem war absolut »getunt«.

Bei den Australian Open in Melbourne im Januar 1997 sollte ich in der ersten Runde gegen Carlos Moya antreten, nach Steffi Graf und Michael Stich, deren Spiele unmittelbar vor meinem angesetzt waren. Ich trainierte mit de Palmer auf Platz vierzehn, weitab vom Centre Court. Nach dem Training und der Dusche würde ich – immer die gleiche Nummer – essen, einige Liter Wasser trinken und mit Waldemar und Uli zur Entspannung einige Runden Skat spielen. Diese Routine gehörte zu meiner Matchvorbereitung. Die Verlierer mussten sich vor dem Skat-Sieger in Demut verneigen. Selbst wenn Kollegen wie Pete Sampras auf einem der Nachbartische massiert wurden, haben wir unter kindischem Gebrüll Buben und Asse auf das Polster unseres Massagetischs geknallt – ich bin sicher, die Kollegen haben uns für verrückt gehalten.

Aber an diesem Tag in Melbourne kam alles anders. Steffi siegte in zwanzig Minuten – die Gegnerin hatte aufgegeben.

Stich zerstörte seinen Kontrahenten im Eiltempo, aber davon ahnten wir auf unserem entlegenen Platz vierzehn nichts. Plötzlich war ich dran. »Uli, los, Nudeln holen!« – »Waldemar, die Verbände an die Knöchel!« Nebenbei schnell zwei Runden Skat – meine Vorbereitung geriet völlig durcheinander. Aufschlag. Auf dem Platz wurden fünfzig Grad gemessen, und mir lagen die Spaghetti unverdaut im Magen. Die Bodentemperatur hatte Backofen-Niveau: vierundsechzig Grad. Ich lag im ersten Satz vorn, verlor den zweiten im Tiebreak, Sieg im dritten, und träumte vom Triumph im nächsten Satz und der Rettung vor der unbarmherzigen Sonne. Dann spürte ich, wie mich die Kraft verließ: 1:6 im vierten, danach: 4:6 – aus. Ich war draußen.

Ich war in einer Art Schockzustand, ausgelaugt wie einer, der seit Tagen durch die Wüste irrt. Waldemar hüllte mich in kühle, nasse Handtücher, die er ständig wechselte. Ich glaubte innerlich noch immer zu kochen und war völlig ratlos. Aus in der ersten Runde! Ich war nicht ansprechbar. In der Nacht danach duschte ich kalt, heiß, kalt, immer wieder. Dann schaltete ich den Fernseher ein und wieder aus. Ich rief Waldemar an und bestellte Flüge, in diese Richtung, auf jene Insel, in den Dschungel, nach New York ... Mein Körper war kaputt, meine Seele erst recht, und in der Heimat lästerten die Blätter über den erschlafften Becker – dem sie nie zugestehen wollten, dass er sich ab und zu Regenerationspausen gönnen musste, um überhaupt durchzuhalten.

Die Reporter drängen, weil sie schreiben müssen, die Sponsoren, weil sie verdienen wollen. Da musste ich manchmal den Fuß in die Tür stellen und sagen: »Bis hierher und nicht weiter, und wenn eine Bombe fällt, ich mache Pause.« Die Manager sind auch nicht besser. »Bist du verrückt? Die fünfzigtausend Dollar kannst du noch mitnehmen, zwei Stunden nur. Und morgen achtzigtausend für den Werbeauftritt im Kaufhaus. Schmerzen? Schluck 'ne Tablette. Es wird schon gehen.« Top-Spieler erhalten zusätzlich bei Turnieren Geld für Werbung. Die Linien müssen klar gezogen werden, damit man bei diesen Dollar-Ködern nicht weich wird – oder schwer krank.

Wimbledon 1996 war ein Horrortrip. Dritte Runde gegen Neville Godwin, Nummer 223 der Weltrangliste – das müsste zu schaffen sein, denke ich. Der Südafrikaner hat sich durch die Qualifikation ins Hauptfeld gespielt. In der Nacht davor quält mich Schüttelfrost, ich habe Schweißausbrüche. Schlaflos bleibe ich auf dem Sofa liegen. Eine Grippe hat mich erwischt, ausgerechnet jetzt! Waldemar ruft Dr. Müller-Wohlfahrt und einen Kollegen an, den inzwischen leider verstorbenen Physiotherapeuten Hans-Jürgen Montag. Beide sind in London, um während der Europa-Meisterschaften die deutsche Fußball-Nationalmannschaft zu betreuen. »Habt ihr was Geeignetes?« Die Fußball-Betreuer helfen mit Medikamenten aus, die nicht auf irgendwelchen Dopinglisten registriert sind. Regenwolken ziehen über Wimbledon auf, das gibt uns Hoffnung auf Verschiebung oder zumindest auf eine Unterbrechung des Matches.

Ich trat an, voll gepumpt mit Antibiotika und Schmerztabletten. Meine Koordination litt, die Reaktion ließ nach, ich stand neben mir, hatte Watte im Kopf. Dann: Ein ganz normaler Aufschlag, schon eine Million Mal ausgeführt. Im letzten Moment versuchte ich, den Ball mit meiner Vorhand rumzureißen. Der Aufschlag schien mir zweihundert Stundenkilometer schnell, ich traf den Ball aber viel zu spät. Da riss ein Teil der Strecksehne im rechten Handgelenk. Erst ein fürchterlicher Schmerz, dann gar kein Gefühl mehr. Godwin war eine Runde weiter, jubelte jedoch nicht, sondern schien eher traurig. »Lieber hätte ich das Match durchgespielt und gewonnen – klar und deutlich«, erklärte er später auf der Pressekonferenz.

Im Krankenhaus von Wimbledon wurde ich geröntgt, danach fuhren wir zum Quartier der deutschen Nationalmannschaft in die Stadt. Ich wollte die Meinung der mir vertrauten deutschen Ärzte hören, und die war nicht anders als die der Briten. Noch im Hotel legte mir der Physiotherapeut der Fußballer, Klaus Eder, im Ärzte-Raum der Nationalmannschaft also einen Gips an. Vor mir kam noch Steffen Freund dran, der Mittelfeldspieler der Nationalmannschaft. Ihn hatte ein Kreuzbandriss erwischt: mindestens sechs Monate Pause, ein Tiefschlag. Er hätte so gerne im Halbfinale gegen Tschechien mitgespielt. Da war ich mit meiner Verletzung noch gut dran. Wir haben dann ein Bier zusammen getrunken. Ich konnte meinen Arm nicht heben, er sein Bein nicht bewegen.

Drei, vier Monate müsse ich pausieren, hieß es. Ich nahm es gelassen, so etwas gehört bei Sportlern zum Berufsrisiko. Die Sache hätte ja auch gut gehen können, wie schon so oft. Wenn das Match wegen Regens unterbrochen worden wäre, hätte ich vielleicht eine Chance gehabt, die Grippe auszukurieren und noch einmal Wimbledon zu gewinnen. Die meisten Sportler wissen, worauf sie sich einlassen: Sie kämpfen um Weltranglistenpunkte, und wenn sie nicht mitspielen, nimmt ihnen ein anderer die Trophäe und die Siegprämie weg.

Seit Jahren spiele ich mit einem unelastischen Pflasterverband an beiden Sprunggelenken, einem so genannten Tape. In Stockholm habe ich sogar ein Finale trotz Bänderanrisses am linken Knöchel, der schon einmal operiert worden war, gewonnen. Nach dem legendären Davis-Cup-Marathon gegen McEnroe waren meine Füße derart angeschwollen, dass ich sie stundenlang in Eiskübel stecken musste. Schon damals hieß mein Physiotherapeut Waldemar Kliesing, zu jener Zeit noch im Einsatz für den Deutschen Tennis Bund. Ich vertraue ihm. »Ein Schatz«, sagt meine Mutter über Waldemar, weil sie nicht weiß, wie es war, wenn er mir seine

Ellenbogen in die Oberschenkel drückte oder mir mit einer Kanüle die Zehennägel anbohrte, unter denen sich Blutergüsse gebildet hatten. Gegen diese Art von Verletzung gibt es kein Mittel, obwohl die Schuhe und die Einlagen, die ich wegen meines Hohlfußes tragen muss, für mich maßgeschneidert werden. Der Fuß schwitzt unglaublich während eines Matches, er rutscht und stößt gegen die Vorderkappe. Manchmal, nach einem Grand-Slam-Turnier, waren es alle zehn Nägel ... Ich hätte an die Decke gehen können, wenn Waldemar bohrte.

Wenn ich bei ihm auf dem Massagetisch lag – mitunter drei Stunden und über Mitternacht hinaus, weil die bretthart Muskulatur sich nach einem Match nur langsam entspannt –, redeten wir wenig: »Ich bin kein Frisör«, meinte Waldemar, der in Intensivpflege ausgebildet ist und diese auch bei mir gelegentlich anwenden musste. Meine Verletzungsliste liest sich wie die medizinische Jahresbilanz eines deutschen Bundesliga-Fußballclubs für die gesamte Mannschaft, einschließlich der Reservespieler: doppelter Bänderriss am linken Fußknöchel, schwere Bänderdehnung, Muskelzerrung rechter Oberschenkel, Sehnenscheiden-Entzündung im rechten Mittelfinger, Verhärtung im rechten Oberschenkel, Entzündung im linken Knie, Entzündungen an beiden Füßen, Abriss der Sprunggelenkskapsel im linken Knöchel, Rückenwirbelgelenk ausgerenkt, Muskelriss im linken Oberschenkel, vereiterte Zehe, Bauchmuskelzerrungen, Rückenblessur, Riss einer Handgelenkssehne, Operation der Bänder im rechten Fuß. Dazu kamen häufig Bronchitis, Angina, Vereiterung der Kieferhöhlen, Virus- und Darminfektion.

Wenn ich laufen konnte, bin ich auf den Platz gegangen, selbst mit Zerrungen. Wenn der Arzt mir bestätigte: »Da wird nichts reißen«, schluckte ich eine Schmerztablette, und auf ging's. Oft habe ich meinen Körper überstrapaziert und war geschwächt, gestresst, von Schmerzen geplagt. Im Herbst 1986 habe ich innerhalb von vier Wochen in Hongkong, Sydney, Tokio und Paris gespielt – und gewonnen. Danach war ich wie ausgebrannt. Ein paar Mal haben mich meine Ärzte in Zwangsurlaub geschickt. Die Spieler haben ja selten die freie Wahl: Sie sind gezwungen zu spielen und können nur »wegen Verletzung« absagen. Ein Attest bekommt man schnell. Ich kann heute zum Arzt gehen und ihm mindestens acht Stellen zeigen, deretwegen ich krankgeschrieben werden müsste.

In Wimbledon 1994, in der dritten Runde, verschob sich bei mir ein Wirbelkörper im Brustbereich. Ich konnte nicht mehr voll durchziehen. Waldemar saß am Rand von Platz eins. »Geh in die Umkleide – ich muss dich einrenken!« Beim Schiedsrichter beantragte ich eine Pinkelpause, wie üblich begleitete mich ein Offizieller. Ich legte mich auf eine Holzpritsche, Waldemar erwischte gleich den richtigen Wirbelkörper, und ich konnte weiterspielen. Mein Begleiter meldete die Behandlung jedoch dem Schiedsrichter – ein »Vergehen gegen den Grand Slam Code Section III Q: Mr. Becker erhielt medizinische Behandlung während der Toilettenpause«. Die Strafe: tausend Dollar Bußgeld. Es gab einen Riesenskandal und Diskussionen darüber, ob ich disqualifiziert werden solle, auch unter den Spielern. Das ist wie bei einem Rudel Wölfe – sobald der Leitwolf die erste Schwäche zeigt, ist er dran.

Ich war das Risiko der Regelverletzung eingegangen, denn ich wollte siegen. Bereits nach meinem zweiten Wimbledon-Erfolg hätte ich aufhören können, finanziell war ich abgesichert. Aber es ging um mehr, und das hat etwas mit meinem Wesen zu tun: Ich kann verstehen, wenn Michael Schumacher nach seinem Waden- und Schienbeinbruch ins Rennauto steigt, obwohl die Knochen nicht völlig verheilt sind. Er wollte Weltmeister werden – egal wie und möglichst noch ein zweites und drittes Mal. Entweder geht man dann in den Wettbewerb mit aller Konsequenz oder gar nicht – und das heißt auch, bis an die Grenze und darüber hinaus. Mein Ego treibt mich. Deshalb habe ich weitergemacht, trotz der Schmerzen.

Dr. Müller-Wohlfahrt, auch Mannschaftsarzt des FC Bayern München, ist zu den meisten meiner großen Turniere angereist, zu meiner Sicherheit. Das war für mich ein teures Vergnügen, aber unerlässlich. »Mull«, wie Freunde ihn liebevoll nennen, habe ich enorm viel zu verdanken. Einige meiner Pokale habe ich ihm gewidmet. Genauso wie dem Sport-Physiotherapeuten Josef Schardhauser, von dessen enormer Erfahrung aus der Leichtathletik und dem Fußball ich profitierte. Und natürlich Dr. Thomas von Mendelsohn, dem Arzt und Chiropraktiker mit den goldenen Händen. Ganz zu schweigen von Klaus Eder, der immer da war, wenn ich ihn brauchte. Nach drei Matches war ich oft derart verkrampft, dass Verletzungen drohten. Nachdem meine Handgelenksverletzung nicht besser wurde, habe ich drei, vier Monate gewartet, danach bin ich jeder Heilungschance nachgegangen. Ich stieß auf den Namen von Muhamed Khalifa, der in der Nähe von Salzburg arbeitet. Auch Steffi Graf zählte zu seinen Patientinnen. Er behandelt nur mit seinen Händen, ohne Spritzen oder andere Mittel – eine Art Akupressur mit den Händen, mit sehr viel Druck. Es tat sehr weh, aber es funktionierte. Der Zustand besserte sich, die Symptome aber blieben trotzdem.

Hochleistungssportler sind Besessene, getrieben vom Willen zur Perfektion. Schumacher muss voll fahren oder ganz aufhören. Wenn sein direkter Konkurrent von der Piste rutscht, wird er nicht Trauer tragen. Ich habe nie einen Gegner angerufen und gefragt, ob es ihm, etwa nach einer Knieverletzung, besser geht. Man darf sich da nichts vormachen: Auf den Straßen von Rio de Janeiro oder Nairobi werden für ein paar hundert Dollar Menschen umgebracht. Bei uns ging es um ein paar hunderttausend Dollar, ein paar Millionen, also geht es brutal zu, bis an die Grenzen der Regeln. Ich habe in jedem Match irgendwann eine Mauer erreicht und bin drübergesprungen – Konzentration, Wille hat sie mich überwinden lassen. Und hinter diesem Grenzbereich lauern dann die Verletzungen.

Mein Körper ist zerschlissen, aber nicht kaputt. Wenn ich heute zu einem Schaukampf mit einem meiner ehemaligen Gegner antrete, dann braucht es Stunden der Behandlung und der Vorbereitung, um mich match-fit zu machen. Mein Körper hat einen hohen Preis zahlen müssen. Aber ich lebe ja noch.

Heute schon gedopt?

Klar, auch mir sind Drogen angeboten worden. Aber anders als US-Präsident Bill Clinton, der seinen Marihuana-Konsum mit der Erklärung entschuldigen wollte, er habe zwar geraucht, aber nicht inhaliert, kann ich behaupten: Ich habe weder das eine noch das andere. Ich bin clean. Aber sind es die anderen auch? Im ATP-Ranglistencomputer waren Ende 1999 insgesamt 1580 Spieler registriert. Es wäre Heuchelei zu behaupten, keiner dieser Athleten, die durchweg in den Zwanzigern sind, hätte je Kokain geschnupft oder sich einen Joint angesteckt. 1995, bei den US Open, wurden Wilander und sein Doppelpartner Karel Novak positiv auf Kokain getestet und gesperrt.

Rauschgift ist bekanntermaßen ein globales gesellschaftliches Problem. In den USA sind Millionen süchtig, an der Wall Street, in den Hollywood-Filmstudios, an den Highschools. Fünfundvierzig Prozent der amerikanischen Eltern, so eine 1999 veröffentlichte Studie, erwarten, dass ihre Kinder irgendwann dem verbotenen Kick nicht mehr widerstehen werden. Beim Bummeln durch München habe ich sie oft genug gesehen, die Junkies, die in den Hauseingängen sitzen und sich einen Schuss setzen. Die Polizei reagiert nicht, Fußgänger steigen über die entblößten Beine, auf denen sich die Einstichpunkte blau verfärben. Die Zahl der Drogentoten in Deutschland stieg 1999, in meinem letzten Tennisjahr, auf 1723, also 1723 Tragödien.

Selbstverständlich sind auch Tennis-Profis gefährdet. Sie

haben oft schon sehr früh eine Menge Geld. Tennis-Autor Richard Evans berichtet, dass sich Ende der achtziger Jahre so manche Berufsspieler an Drogen vergriffen. »So freimütig floss das Kokain bei jedem der Feste, die sie in New York oder Los Angeles besuchten, dass es ein Wunder gewesen wäre, wenn diese Gruppe von Zwanzigjährigen mit reichlich Bargeld in der Tasche nicht den Gewohnheiten der Superreichen verfallen wären.«[1]

Für mich ist die Drogendebatte keine um Moral oder Unmoral, Sucht und Sühne. Ich wollte meine Karriere nicht einer Hanfpflanze oder dem Kokain unterwerfen, vielleicht abhängig werden und damit todsicher meine Existenz gefährden. Viel Phantasie ist nicht erforderlich, sich vorzustellen, welch verheerendes Echo ein positiver Drogentest bei Boris Becker in der Öffentlichkeit ausgelöst hätte. Diego Maradona ist durch Kokain krank geworden. Womöglich hätten die Fußball-Verantwortlichen seinen Niedergang verhindern können, wenn sie energisch eingeschritten wären. Aber nein, er war der Gott am Fußballhimmel, niemand wollte ihn durch kritische Worte stören. Tore sollte er schießen, il magnifico.

Der kanadische Hundert-Meter-Läufer Ben Johnson, dem die Goldmedaille 1988 in Seoul aberkannt wurde, weil er Bruchteile von Sekunden durch Doping gewonnen hatte, war als Athlet zum Symbol des Niedergangs und der Unmoral geworden. Zufällig war er Kanadier und nicht US-Amerikaner, nicht weiß, sondern schwarz, nicht eloquent, sondern eher gehemmt, ein armes Schwein wie auch der Boxer Mike Tyson, das ärmste Schwein überhaupt. Der hat die ganze Welt gegen sich und kriegt es von allen Seiten.

Das Volk braucht seine Sportheroen und trägt sie auf Händen. Sie sind unerlässlich für das nationale Selbstwertgefühl. Die Sportartikel-Hersteller koppeln Gagen an Platzierungen und ihre Vermarktungsstrategien an Gold. Viele

Athleten werden Opfer dieses Drucks, sie sind die Letzten in der so genannten Wertschöpfungskette. Die seltsame körperliche Entwicklung so mancher Top-Stars der Leichtathletik in den USA hat über Jahre zu Spekulationen angeregt, aber kaum Sanktionen bewirkt. Wie sollen sie sonst auch mithalten, wenn die Konkurrenten schlucken, spritzen, Blut waschen oder Sauerstoff tanken und dann die Siegprämien abholen? Wäre ich so ganz und gar sauber geblieben, wenn ich der Ansicht gewesen wäre, dass meine Konkurrenten sich mit Chemie stärken und ich durch eine Tablette leichter Wimbledon hätte gewinnen können? Ich habe da meine Zweifel.

Bei der Tour de France wird gedopt, das ist nichts Neues. Auch die Radrennfahrer, die sich die unerlaubten Mittel geben lassen, sind erwachsene Leute. Sie brauchen das Zeug offenbar, um die mörderische Bergetappe nach Alpe d'Huez hochzukommen. Klar, sie schummeln, aber weil es anscheinend sehr viele machen, schummeln sie gegeneinander – wie in der Schule, wenn sich Schüler untereinander die Spickzettel zeigen. Warum dann die Heuchelei? Vor Jahren schon wurde ein deutscher Radstar in den Zeitungen als die »radelnde Apotheke« bezeichnet. Überfällig ist die Frage, welche Sportler überhaupt noch sauber starten. Ich behaupte: die Tennis-Profis, jedenfalls die große Mehrheit. Natürlich, der eine oder andere könnte versucht sein, mit Medikamenten nachzuhelfen, damit er die Kraft hat, ein Fünf-Stunden-Match durchzustehen. Von den Ranglistenvorderen ist aber erst einer wegen Dopings verfolgt worden: der Tscheche Petr Korda. Er soll vor dem Viertelfinale in Wimbledon 1998 mit dem anabolen Steroid Nandrolon gearbeitet haben, jenem Mittel, das irgendwelche Verschwörer dem Olympiasieger Dieter Baumann angeblich in die Zahnpastatube gedrückt haben. So wie der Leichtathlet Baumann hat auch Korda seine Unschuld beteuert, obwohl das Untersuchungsergebnis keinen Zweifel ließ. Wie aber kam das Nandrolon in sein Blut? Korda verwies als mögliche Erklärung auf eine Spritze, die er sich wegen einer Fußverletzung hatte setzen lassen.

Trotz der Diskussionen um Korda möchte ich behaupten, dass unser Sport grundsätzlich sauber ist. Koordination, Ballgefühl, Sensibilität, Timing sind mit Spritzen oder Tabletten nicht zu erreichen. Der Hundert-Meter-Läufer weiß: Ich muss siebzig oder achtzig Schritte geradeaus machen, und für jeden Schritt benötige ich soundso viel Kraft und soundso viel Schrittweite. Bei uns wird das Match durch Regen oder Dunkelheit unterbrochen: In den ersten vier Tagen in Wimbledon 1991 konnten nur zweiundfünfzig der angesetzten zweihundertvierzig Matches absolviert werden. Wie hoch setze ich also die Dopingdosis an? Dauert das Match sechzig Minuten oder mit Unterbrechungen drei Tage? Im Tennis sind Aufputschmittel daher meiner Meinung nach nahezu nutzlos.

Vom Gefühl her würde ich sagen, jeder soll mit seinem Körper tun, was er will. Vom Verstand her meine ich jedoch: Sport hat eine Vorbildfunktion, vor allem für unsere Kinder. Die wissen nicht, was sie tun – wir müssen es ihnen zeigen, und zwar die Familie und der Gesetzgeber. Aber ich mache mir keine Illusionen: Je härter verfolgt wird, desto raffinierter werden die Verfolgten. Sie kennen ihr Produkt, sie wissen, wann sie es absetzen müssen. Deshalb bin ich für strengere Kontrollen, ja sogar für Bluttests. Die Sportler werden empört aufschreien, weil sie diese Art von Untersuchung als Körperverletzung betrachten. Aber auch Autofahrer, die mit mehr als 0,5 Promille gestoppt werden, müssen eine Blutentnahme über sich ergehen lassen. Warum also der Widerstand?

Blutuntersuchungen sind die einzige Chance, den Sport wieder glaubwürdig zu machen und damit auch die Olympischen Spiele. Das Erwachen könnte, wenn es zu solchen

Tests kommt, allerdings böse sein. Ich habe keine Beweise, doch ich habe seit über einem Jahrzehnt engen Kontakt zu Profis. Die Athleten lassen sich verführen, weil die Summen, um die sie kämpfen, so unglaublich sind. Nur ein, zwei Pillen mehr, und du wirst reich ...

Hier beißen auch die alten Löwen

Da saß ich nun im Juli 1998 mit dem Erzherzog von Österreich, der Herzogin von Westminster sowie den ewig-edlen Kents in der Royal Box in Wimbledon und blickte hinab auf meine eigene Bühne. Vorbei. Für mich hatte sich der letzte Vorhang ein Jahr zuvor nach dem Viertelfinale gegen Pete Sampras gesenkt. Am Netz hatte ich meinem Gegner erklärt: »That's it, no more Wimbledon.«

Das wäre ein würdiges Ende gewesen. Pete war der Größte, ein ungewöhnlicher Champ. Aber 1998 spielte er im Finale gegen Goran Ivanisevic, und was ich sah, überzeugte mich: »Das schaffe ich auch noch.« Ich wollte noch einmal nach Wimbledon, auf den Centre Court. Doch sofort kamen die Zweifel: Wollte ich mir das harte Training noch einmal zumuten? Wieder reisen, mich quälen, körperliche Schmerzen und schmerzhafte Schlagzeilen aushalten? Ich dümpelte ja damals durch die Tennis-Szene wie eine Flaschenpost in den Wellen – mal oben, mal unten. In Stuttgart hatte ich Carlos Moya bezwungen, in der zweiten Runde. Und der hatte Wochen zuvor in Paris die French Open gewonnen, also eines der Turniere, das ich nie habe gewinnen können. Auf der Tribüne in Stuttgart saß mein Vater, vom nahen Tod gezeichnet, neben Ion Tiriac. Er hatte meinen Vater ermuntert zu kommen, und der verschob tatsächlich einen Termin zur Chemotherapie.

Karl-Heinz Becker, der bodenständige Leimener, neben dem schlitzohrigen Erdenbürger Ion Tiriac – meine Paten.

Ein eigenartiges Duo. Das Bild bewegte mich. Eigentlich, sagte ich mir, ist heute der richtige Tag, um endgültig aufzuhören – der Kreis ist geschlossen. Diese beiden Männer hatten mein Leben geprägt, und nun saßen sie dort einträchtig zusammen und redeten über die Vergangenheit, über den ersten Besuch von Ion in Leimen. Nicht mit einem Rolls-Royce ist er damals vorgefahren, sondern mit einem Bentley, was allerdings nur Kenner unterscheiden können. Daheim wurde Tiriac immer empfangen, wie es in deutschen Familien so üblich ist: Kuchen und noch mal Kuchen, und dann eine deftige Mahlzeit mit drei Nachschlägen für den Gast. Wenn meine Eltern ihn in Monte Carlo besuchten, brachten sie ihm grundsätzlich mehrere Kilo Wurst- und Fleischwaren mit.

In Stuttgart war ich dann aber doch noch nicht reif für mein Karriereende. Ich wusste: Bei kleinen Turnieren rumzuspielen, das war nicht meine Sache. Die Fans waren inzwischen sauer auf mich, ich selbst war unzufrieden. Meine Leistung stimmte einfach nicht mehr. Und Barbara war wieder schwanger. Mit zwei Kindern, das war mir klar, ging es dann wirklich nicht mehr. An einem Dezemberabend 1998 fragte ich Barbara: »Was meinst du? Soll ich Schluss machen oder noch einen Versuch wagen? Ich bin unzufrieden mit diesem Zustand. Wenn ich wirklich will, könnte ich noch mal nach oben kommen, aber will ich das wirklich?« Barbara hat mich nie gedrängt aufzuhören, sie hat sogar gegen meinen Abschied argumentiert. Tennis war unsere Lebenslinie, unsere Stabilität und zugleich unser Abenteuer. Sie hätte mich weiter gerne als Tennis-Profi gesehen. Der Ausstieg aus dem Tennis-Leben, an das sie sich gewöhnt hatte, bedeutete Ungewissheit. Würde ich mich zu einem dieser Rentner entwickeln, die sich verdrängt und vergessen fühlen und nur noch herumnörgeln? Sie kannte nur den Superstar, den berühmten Mann an ihrer Seite, der um hunderttausend

Dollar pro Nacht kämpft, und sie wusste, wie ich nach Niederlagen bin: unausstehlich.

Wir haben uns an diesem Abend lange unterhalten. »Ich habe nur eine Wahl«, sagte ich ihr. »Mein ganzes Leben lang musste ich durch die Vordertür ins Haus, und jetzt muss ich auch durch die Vordertür wieder raus, ich kann mich nicht einfach wegstehlen. Und meine Tür ist Wimbledon. Ich muss da noch mal spielen, egal wie, scheißegal, alles oder nichts.«

Am 27. Juni 1985 hatte ich zum ersten Mal auf dem Centre Court gespielt, gegen den Amerikaner Hank Pfister. 1999 wollte ich es noch einmal schaffen. Anfang Januar flogen wir nach Florida, und ich begann mit der Vorbereitung. Ich wusste: Den Rhythmus und die Quälerei, das schaffe ich schon. Der Kopf hält es aus, aber was ist mit den Knochen? Gehen die Sehnen kaputt, macht die Bandscheibe mit, was sagen die Knie? Anfang April 1999, beim Doppel im Davis Cup gegen Russland, meuterte mein Sprunggelenk. Das war schon so oft gerissen und verdreht, dass es einfach nicht mehr richtig zusammenwachsen will. Nach zwei, drei Stunden Match blockierte es, und ich konnte nicht mehr richtig auftreten. Eigentlich hätte es operiert werden müssen, aber dafür war keine Zeit. Also musste ich mich irgendwie über die Wochen retten – bis zum Auftritt auf Rasen. Dort, so meine Hoffnung, würde es schon gehen. Doch schon bei meinem ersten Training mit Sampras musste ich nach einer halben Stunde wegen dieser Geschichte abbrechen. Danach traf ich eine für mich einmalige Entscheidung: Ich ließ mich zum ersten Mal in meiner Karriere fit spritzen, mit Kortison.

Am Freitag vor Wimbledon informierte ich Barbara: »Zu neunundneunzig Prozent werde ich nicht spielen. Aber ich hoffe auf ein Wunder.« Und gleich im ersten Match gegen den Schotten Miles MacLagan, Platz 298 auf der Weltrangliste, verlor ich die ersten beiden Sätze. Normale Leute packen in einer solchen Lage ihre Sachen, ich dagegen kann nicht aufhören, es geht einfach nicht. Bei zahlreichen Grand-Slam-Turnieren hatte ich Matches mit einem Rückstand von 0:2 Sätzen, so auch bei den US Open '87, '89, '93, in Paris '91 und in Australien '96. Und wenn ich dann doch noch gewann, fühlte ich mich wie ein Bär. Außerdem schafft das unter den Kollegen einen gewissen Respekt.

Solche »Krimis«, waren ziemlich typisch für mein Tennis-Leben. Zum Beispiel gegen Andre Agassi im Davis Cup in der Münchner Olympiahalle: Die ersten beiden Sätze 7:6, 7:6 für ihn, und trotzdem siegte ich. In Rio de Janeiro, gegen Luiz Mattar, in der ersten Runde des Davis Cup Ende Januar 1992, habe ich eines meiner stärksten Spiele überhaupt gemacht. Wir standen bei vierzig Grad im Schatten auf dem Platz, umringt von fünftausend brasilianischen Chaoten, die mich mit Eiswürfeln und Kügelchen bewarfen. Ich habe den ersten Satz 6:4 gewonnen, den zweiten 5:7, den dritten 1:6 verloren. Und im vierten Satz führte er 5:2. Und dennoch habe ich wieder im Tiebreak gewonnen. Dabei hatte der Brasilianer sieben Matchbälle gegen mich! Im fünften Satz habe ich dann mit 6:0 gesiegt. Mattar konnte es nicht fassen. Ich war nach dem Spiel wie tot und konnte nicht mal mehr richtig gehen. Die Woche danach spielte ich in Brüssel im Finale gegen Jim Courier, und wieder wurde es ein Drama. Ich lag mit 0:2 Sätzen hinten und brachte das Match doch noch nach Hause: 6:7, 2:6, 7:6, 7:6; 7:5. Fünf Matchbälle und drei Tiebreaks. Ich hatte in diesem Turnier mit McEnroe Doppel gespielt und gewonnen, und John konnte das alles gar nicht glauben. Der hat mich sowieso immer auf den Arm genommen mit diesen Comebacks. »Gib's zu, du gehst jeden Morgen in die Kirche, schlägst drei Kreuze und huldigst der Jungfrau Maria!« Es war wichtig für mein Selbstbewusstsein, alle zwei Monate mal wieder so ein Match zu spielen, aber das kostet sehr viel Energie, und danach war ich mental immer für Wochen ausgelaugt.

Gegen Miles MacLagan, bei meinem letzten Auftritt in Wimbledon, hat das Sprunggelenk im dritten Satz nicht mehr wehgetan, es hielt - gut gespritzt. Und ich gewann trotz des Rückstands. Allein für dieses Spiel hatte sich der Aufwand des letzten halben Jahres gelohnt. Ich war nicht eingebrochen, war mit mir im Reinen. Aber schon gab es neue Aufregung: Becker gegen Kiefer. Die Experten erwarteten, der junge werde den alten, zahnlosen Löwen aus dem Revier vertreiben, weil der faul und träge geworden war. Kiefer, so notierte Tennis-Reporter Simon Barnes, sei »wirklich die letzte Person, gegen die Becker seinen sentimentalen letzten Auftritt von Wimbledon«[1] gewählt hätte. Gute Story, aber falsch. Wimbledon ist nicht Afrika. Hier beißen auch die alten Löwen.

Für mich ging es auch gar nicht um die Frage, ob ich Kiefer oder Australiens Jungstar Lleyton Hewitt schlagen würde. Es ging mir um einen ehrenvollen Abgang als Tennis-Profi. Meine Gegner haben mich nicht interessiert, für mich war nur Becker wichtig. Kiefer hat die Distanz, die ich vor und nach dem Match zu ihm hielt, persönlich genommen. Es war aber typisch für mich, für meine Einstellung auf das Duell.

Nach dem Sieg über Kiefer gingen die Kollegen auf Abstand. Kein Smalltalk mehr, keine Witzchen: Der alte Platzhirsch war wieder da. Becker, so meinte Hewitt nach seiner Niederlage gegen mich in der dritten Runde, »marschiert auf dem Centre Court herum, als gehöre ihm der Platz«.[2] Trotzdem war dann im Achtelfinale Schluss, Hewitts Landsmann Patrick Rafter meine Endstation.

Wimbledon ist für mich bedeutender als irgendein Gegner. Ich habe in Wimbledon immer für meine eigene Geschichte gespielt, ganz gleich, wer mir gegenüberstand. Bei diesem letzten Auftritt hatte der große Manitu wieder genickt und gesagt: Einmal helf ich dir noch. Zumindest auf dem Platz ...

Die lieben Kollegen

Freitag, dreizehn Uhr, Royal Albert Hall zu London: statt Konzert diesmal Tennis. Es läuft die ATP Senior Tour, in der Jimmy Connors, John McEnroe, Yannick Noah und Björn Borg noch einmal zeigen, was sie so groß gemacht hat. Auf den mit rotem Samt bezogenen Stühlen in den Logen sitzen Männer im Smoking. Für ihre Firmen, die Sponsoren, ist das Tennis-Ereignis eine festliche Angelegenheit. Champagnerkorken knallen. Stefan Edberg ist mit seiner Frau gekommen.

Gegen ihn habe ich zweimal im Wimbledon-Finale verloren. Er trägt einen dunklen Anzug und eine bunte Krawatte. Zehn Jahre lang lebte er in einer Wohnung unweit der Albert Hall, jetzt wohnt er in Schweden, fernab der Metropolen. Er trinkt meist nur Wasser, erzählt er mir, Champagner sei nicht sein Stoff. Sein jüngstes Kind macht Ballett und Gymnastik, Papas Sport fasziniert die Tochter nicht. Er selbst spielt zweimal pro Woche Tennis und trägt sich nach zwei Matches, zuletzt gegen mich in Arhus und London – ich habe beide gewonnen! –, mit dem Gedanken, ein paar Senior-Events zu spielen. Willkommen in der Vergangenheit.

Seit 1984, im Finale von Wimbledon, haben Connors und McEnroe auf englischem Boden nicht mehr gegeneinander gespielt. McEnroe hatte damals die Legende Connors mit 6:1, 6:1, 6:2 vernichtet. Heute sollte nun die Revanche stattfinden, für die alle Londoner Zeitungen ihre Tennis-Experten in die Albert Hall abkommandiert haben. Patty Smythe,

Johns zweite Ehefrau und Mutter von zweien seiner sechs Kinder, sitzt neben Barbara und mir in der Loge. Wir schreiben das Jahr 1998. Patty geht oft raus auf den Flur und versucht ihre Nerven mit Zigaretten zu beruhigen. Sie hat John erst nach dem Höhepunkt seiner Karriere kennen gelernt. Heute ist er einer der angesehensten TV-Tennis-Kommentatoren der USA, Experte der BBC, erfolgreicher Buchautor (»Serious«), einer der besten auf der Senior Tour (und das mit vierundvierzig!) und Gemäldesammler. In seiner Galerie in der Greene Street in SoHo stellt er unter anderem die junge Avantgarde aus.

Patty raucht zwei Minuten, dann kommt sie wieder rein. John hat den ersten Satz 6:0 gewonnen. Lärm, Pfiffe. Mrs. McEnroe war erfolgreiche Rock-Sängerin. Sie ist ausgeglichen, nachdenklich, ein eindrucksvoller Gegensatz zu Johns erster Frau Tatum O'Neal, die ihr hysterisches Temperament offenbar von ihren Hollywood-Eltern geerbt hat. John siegt im zweiten Satz 6:1. Er hebt die Arme, sein Volk jubelt. Wieder knallen Champagnerkorken. Nostalgie pur. Patty ist froh: »Jetzt können wir einkaufen gehen!« Bei einer Niederlage gegen seinen Erzfeind hätte sich John wahrscheinlich in sein Hotel zurückgezogen und sich gegrämt. Nun erheben sich die Gentlemen im Smoking und jubeln ihrem Mac zu.

Abends treffen wir uns zum Dinner in meinem Londoner Stammlokal, dem »San Lorenzo«. Mara, die italienische Besitzerin, ist Patentante unseres Sohnes Noah. Sie umarmt John und küsst ihn auf die Wangen. »Gehört das zur Vorspeise?«, witzelt er. Wir trinken Chianti, obwohl oder gerade weil Mac im Endspiel steht. Die anderen Gäste blicken diskret herüber, aber niemand stört uns. John ist grauhaariger geworden, im linken Ohr trägt er einen kleinen Ring. Eines Tages, so hofft er, werde auch ich bei den Senioren mitspielen. Ich lehne vehement ab: »Ausgeschlossen, ich habe lange genug den Affen gemacht.« Vier Jahre später schlage ich Mac in Graz, gewinne mein erstes Senior-Turnier. Umfaller, Wendehals? Ja! Wer einmal die Droge Spitzen-Tennis erlebt hat, wer einmal Teil der Faszination des Sports auf höchster Ebene war, kommt nie mehr davon los. Du brauchst diese Atmosphäre eines vollen Stadions, die Menschen, die dir zujubeln. Du brauchst den Schweiß, den du auf dem Trainingsplatz vergießt, und du brauchst immer wieder die Auseinandersetzung Mann gegen Mann, das Match.

Es ist menschlich, dieses Dinner an diesem Abend im »San Lorenzo«, und es ist eine Ausnahme. Was ist eigentlich geblieben von den Bekanntschaften in der oberen Etage des weltumspannenden Tennis-Zirkus, in dem ich so lange aufgetreten bin? Kaum etwas. Allerdings ist da auch nie viel gewesen. Der zwischenmenschliche Umgang in dieser Höhenluft ist ziemlich jämmerlich, manchmal grässlich, immer distanziert. Ich selbst war auch nicht besser. Ich kenne Stefan Edberg seit zwei Jahrzehnten, die Begegnungen sind immer freundlich, aber stets oberflächlich. Rufe ich Pete Sampras an, wenn ich in Miami Beach bin? Nein. In Monte Carlo, bei seinem Comeback-Versuch, habe ich mit Björn Borg trainiert. Er war noch immer sehr stark, trotz der Holzschläger, mit denen er unverdrossen spielte. Er hat Charisma, ist vom Leben gezeichnet, aber wir haben miteinander nur über die banalsten Dinge der Welt geredet. Mal zusammen gegessen? Nie. Und selbst Spieler, die ich richtig sympathisch fand, halten keinerlei Kontakt.

Zu einem Wohltätigkeitsturnier in Südafrika reisten Agassi und ich mit unseren Frauen an. Wir gingen sogar auf eine Safari. Dem Tod so nah war ich noch nie in meinem Leben: Hier der Jeep, dort der Löwe. Ein Sprung, und er bringt dich in die Schlagzeilen. Dann ein Elefant, viermal größer als unser Auto. Der Ranger rückt ihm näher, zwanzig Meter noch, ich habe Schiss: »Das reicht.« Ich habe in der Nacht kein Auge zugemacht. Ich dachte an Löwen, und im

Vergleich dazu waren die Schlangen, die durch das Zimmer krochen, Kleinvieh. Am dritten Tag beobachteten wir, wie eine Löwengruppe zwei Zebras riss. Ich sehnte mich wieder nach Schlangen. Das sind brutale Szenen, und man wird nachdenklich: Was treibst du eigentlich auf dieser Welt, und was treibst du hier in der Wildnis, in der ganz andere Gesetze herrschen? Die Löwen hätten uns zerfleischen können, wie sie es mit den Zebras getan haben. Ich tröste mich mit dem Gedanken, dass die Löwen täglich nicht mehr als zwei Zebras fressen, also wirklich keinen Appetit auf die Beckers oder die Agassis haben können.

Agassi ist mir sympathisch geworden auf dieser Reise. Wir verstehen uns, gestatten uns Nähe, weil wir keine Konkurrenten mehr sind. Ich bereitete mich gerade auf meinen Abschied vor, er selbst hatte noch einmal die Ärmel hochgekrempelt, von ganz unten wieder angefangen und das durchgezogen – Respekt. Agassi ist ein unfassbar guter Tennisspieler. Er hat hart trainiert für sein Comeback, hat ausreichend verloren und gelitten und wieder diesen Ehrgeiz, das Feuer in sich entfacht, das niemand löschen kann. Sieg bei den Australian Open 2003, noch einmal die Nummer eins mit dreiunddreißig – ein Stück für Hollywood. Und alles dank Steffi? Mit seiner zweiten Ehefrau hat er jedenfalls die beste Motivation im eigenen Haus. Welcher Mann will sich schon morgens beim Frühstück anhören müssen, dass die Gattin wesentlich mehr Pokale in die Ehe eingebracht hat als er selbst?

Einmal waren Andre und ich auf dem Oktoberfest, haben ordentlich gepichelt, und dabei hat er mir verraten, warum er in unseren Begegnungen (Gesamtbilanz: 10:4 für Agassi) so häufig der Bessere war – völlig banal, eigentlich unglaublich. Er hat irgendwann Ende der achtziger Jahre bemerkt, dass ich beim Aufschlag den Mund öffnete und die Zunge rausstreckte, und zwar in die Richtung, in die ich aufschlagen würde. Er hat dann immer nur auf meinen Mund geguckt, vier, fünf Jahre lang. Meine Superwaffe wurde dadurch wirkungslos, und der Return ist sein bester Schlag. In den letzten drei Jahren habe ich meinen Mund einfach zugemacht, und Andre konnte nicht mehr erkennen, wohin ich aufschlage.

Mit Pete Sampras habe ich 1999 in Queens Doppel gespielt, und das hätte er nie im Leben getan, wenn ich für ihn noch ein ernsthafter Konkurrent gewesen wäre. Während wir spielen, in den Pausen, menschelt es sogar, und er verrät mir: »I feel terrible.« Er hat sich von seiner Freundin getrennt und ist traurig: »Eigentlich habe ich keine Lust mehr.« Trotzdem gewinnt er das Finale in Wimbledon. Später findet er eine neue Liebe, gründet eine Familie, gewinnt 2002 mit den US Open in Flushing Meadows seinen vierzehnten Grand-Slam-Titel – und tritt ab. Der perfekteste Tennisspieler aller Zeiten hat einen perfekten Ausstieg gewählt. Chapeau, Pete!

Tennis-Profis sind Individualisten, Egozentriker, Alleinunterhalter. Natürlich – mit Charly, Eric und Patrik verbinden mich Freundschaften, die sich aus unserer Kindheit heraus entwickelt haben. Alex Corretja hat mir nach dem Tod meines Vaters eine Beileidsbezeugung aufs Band gesprochen, Slobodan (»Bobo«) Zivojinović ist sogar zur Beerdigung angereist. Die Mehrheit aber ist anders: Nichts, aber auch gar nichts kannst du deinen Gegnern offenbaren – es wird eiskalt ausgenutzt. Gerade wenn man ganz weit vorn ist und gewinnen will, darf man seinem Kontrahenten nicht zeigen, wer man ist, welche Stärken, Schwächen und Gefühle man hat. Warum also soll ich mit den Konkurrenten abends ausgehen und ein Bier trinken? Ausgeschlossen.

Für Connors und Lendl war Tennis deshalb so, als wenn man morgens zur Arbeit geht und am Ende des Tages was Zählbares herumgekommen sein muss – absolut berechnend. 1987 hat Connors sich in »Sports Illustrated« selbst so beschrieben: »In den frühen Jahren meiner Karriere war ich ein Tier, mit Schaum vorm Maul. (...) Es war, als hätte ich Tollwut gehabt. Auf meinem Weg habe ich eine Reihe von Menschen gebissen, und so wollte ich das auch. Jetzt muss ich niemanden mehr beißen.«[1] Agassi und Courier, die immerhin viele Jahre zusammen in Florida trainiert haben, saßen schon mal gemeinsam in der ersten Klasse auf diesem endlos langen Flug von Australien in die USA und haben kein Wort miteinander gewechselt. »Hallo, guten Flug«, das war's.

Mit Lendl habe ich am Anfang meiner Karriere Doppel gespielt. Ich war einer der wenigen, mit denen der gebürtige Tscheche überhaupt redete, vielleicht hatte er auch ein Faible für mich, weil meine Mutter aus derselben Stadt stammte wie er, aus dem heutigen Ostrava. Er sprach recht gut Deutsch, aber eine Unterhaltung über Persönliches gab es nicht. Wir haben für das Doppel auch nicht gemeinsam trainiert. »Zehn Minuten vor dem Match Treffen in der Umkleide« – mehr nicht, wie zwei Arbeitskollegen vor der Schicht. Er war nicht unsympathischer als die anderen, er war wie die Mehrheit. Lendl hat sich nicht die Bohne für seine Mitspieler interessiert. Der hat seine Gegner im Umkleideraum ausgelacht, sich über ihre Schwächen lustig gemacht und vorher angekündigt, wie hoch er sie schlagen würde, so nach dem Motto: Heute gebe ich dir drei Spiele. Beim Einschlagen spielte er die Bälle häufig unsauber zurück, oder er schlug sie einfach in die Ecke, permanent. Ich glaube, dass er von Haus aus nicht viel Selbstvertrauen hatte. Er musste eine Wand um sich aufbauen, damit die Gegner sich nicht an sein empfindliches Ich herantrauten. Die Generation Noah, McEnroe, Borg, Lendl hat mich ohnehin als Newcomer empfunden, als jemand, der in ihr Revier einbricht. Ich wurde ausgegrenzt, weil ich viel jünger war. Der

Bart, den ich mir damals wachsen ließ, entspross womöglich dem unbewussten Wunsch, älter zu wirken und dazuzugehören.

Im Herbst 1985 habe ich erstmals gegen Connors in Japan vor sechseinhalbtausend Zuschauern einen von Tiriac organisierten Schaukampf gespielt, und gleich gab es Krach. Ich war sechs Jahre alt gewesen, als Connors sein erstes Wimbledon-Finale spielte. Jetzt schlug ich ihn in zweiundvierzig Minuten mit 6:1, 6:2. Nach dem Spiel stürmte er vom Platz und schrie Tiriac an: »Kannst du deinem Greenhorn erzählen, dass wir hier Exhibition spielen, dass wir den Zuschauern mindestens eine Stunde oder mehr bieten müssen?!« Tiriac hat sich entschuldigt und gesagt: »Er ist siebzehn und weiß noch nicht, wie das abläuft, tut mir Leid.« Connors hätte mich 6:0, 6:0 geschlagen, wenn er nur gekonnt hätte, in fünfundzwanzig Minuten. Ich war natürlich durch diese Szene eingeschüchtert und habe dann gegen Vilas in Tokio nur 7:5, 7:6 gespielt, bewusst knapp. Ich hätte ihn glatt schlagen können, aber ich hatte Schiss, dass ich was falsch mache. Gegen Connors habe ich allerdings nie verloren, weder in Exhibitions noch im Turnier. Ab 1986 etwa habe ich mit ihm ein paar Mal zum Smalltalk in der Players' Lounge zusammengesessen. Mit Connors habe ich auch oft bei Turnieren trainiert. Wenn wir zusammen arbeiteten, gab es keine Gespräche. Wir spielten volle Pulle, sehr anstrengend, aber gut. Bei jedem Turnier hat er mich gefragt: »Practice tomorrow at ten?« Das war eine Art Ritterschlag, ich war im Club und wurde ernst genommen.

Es gibt Spieler, die andere dauernd provozieren und dann wie vor den Kopf gestoßen sind, wenn es irgendwann zur Revanche kommt. Früher war das bei McEnroe so, bei Connors war es noch schlimmer: Beeinflussung des Gegners, des Schiedsrichters, der Zuschauer. Im Vergleich zu Connors oder McEnroe sind die Spieler heute kleine, harmlose Jungs.

Psychologische Kriegsführung ist immer Teil des Geschäfts. Selbst Leute, die ich als meine Freunde ansah, Noah etwa, sind in ihren Spielen gegen mich nicht davor zurückgeschreckt. Bei einem Turnier in Rom haben Yannick und ich auch Doppel zusammen gespielt. Er war mein großes Vorbild, ich war glücklich, und wir erreichten das Viertelfinale. Fünfzehn Minuten vor dem Match sagte er ab: Er sei schwer verletzt am Fuß und könne nicht antreten, im Halbfinale am nächsten Tag, in dem ich gegen ihn spielen sollte, wahrscheinlich auch nicht. Ich glaubte ihm, ich war eben erst siebzehn. Ein Endspiel war in Sicht, das mein erster Durchbruch hätte werden können. Aber am Samstag lief Noah plötzlich wie eine Gazelle, schlug mich glatt und gewann das Turnier. Tiriacs Kommentar: »Siehst du, Regel Nummer eins: Glaube nie deinem Gegner!« Das habe ich an dem Tag gelernt. Manchmal bekam ich sogar einen richtigen Hass auf meine Konkurrenten, aber der war ein schlechter Ratgeber. Ich habe in solchen Situationen nie besonders gut gespielt.

Meine Stärke war, dass ich keine Angst mehr hatte, sobald ich auf dem Platz stand. Vorher war ich immer unheimlich nervös. Jeder Spieler hat seine Schwächen: Bei Stich wusste jeder, dass man ihn nur zwei-, dreimal stören musste, um ihm die Kontrolle zu nehmen. Er fing dann an, mit dem Schiedsrichter zu hadern und zu nerven. Banalitäten irritierten ihn wahnsinnig, er kam dadurch aus dem Rhythmus. Bei McEnroe hätte man damit das genaue Gegenteil erreicht, der hätte nur noch besser gespielt. Matchtaktik und Matchführung sind wichtig. Es gibt in jedem Spiel ein, zwei entscheidende Momente, in denen einem klar wird, dass der Gegner wackelt, die Psyche bröckelt, und dann muss man zuschlagen, einen Gang zulegen. Man merkt das, wenn er die Schultern fallen lässt und sich nicht mehr wehrt.

Ich achte genau auf Gestik, Körpersprache, Ausrufe, auf die Taktik, wie der Gegner bestimmte Punkte spielt, ob er plötzlich alles riskiert oder sehr vorsichtig wird. Dazu muss man ihn allerdings gut kennen. Gewisse Grundregeln gelten aber für alle Spieler: Wenn der Gegner hinten liegt und den ersten Satz verliert, ist es oft der Anfang für den Gewinn auch des zweiten. Da kann man den Sack dann zumachen. Und wenn ein Spieler früh ein Break kassiert, spielt er anschließend alles oder nichts. Wenn man dann noch ein bisschen durchhält, kann es in fünf Minuten vorbei sein.

Dieser Fight Mann gegen Mann, ohne Hilfestellungen, ohne Auszeiten, das ist eine der schönsten Seiten beim Tennis. Aber wenn man das über Jahrzehnte durchhalten möchte, muss man sehr hart im Nehmen sein, so wie Connors, der bereits 1974 gegen den Australier Ken Rosewall in Wimbledon gewann. Oder auch wie sein ewiger Rivale McEnroe, der gegen Connors zweimal das Wimbledon-Finale spielte, und den Tennis und die Senior Tour nicht mehr loslassen. John ist überzeugt: »Tennis beats working.«

Nachricht am fünften Loch

Die Fußballschuhe liegen im Schrank in der hinteren Reihe. Sie sind rissig, verbogen, angegraut, weil ihnen die Schuhcreme fehlt. Aber wegwerfen würde ich sie nie. Sie sind Jugend und Kindheit, Erinnerung an die andere Zeit – bevor das Leben begann, das ich jetzt abgestreift habe.

Wer hat noch nie an einer Wiese gestanden und Freizeitfußballern beim Kicken zugesehen, und plötzlich läuft der Ball ins Aus und dir vor die Füße? Ein toller Schuss. Na also, geht doch noch, zwanzig Jahre danach. Mit fünfzehn habe ich noch beim VfB Leimen gespielt, im »Verein für Bewegungssport«. Der Name spricht für sich.

Ich glaube, ich wäre auch ein guter Fußballer geworden. Als Kind konnte ich beides gleich gut, Tennis und Fußball. Hinteres Mittelfeld, das war meine Position, und ich war von Anfang an Fan des FC Bayern. Meine Eltern haben mittwochabends immer Europacup geschaut, und damals spielten da ja auch die Bayern. Meistens hatten sie am Schluss den Pokal. Als Kind willst du natürlich auf der Sieger-Seite sein – deshalb war ich auch nicht für den Karlsruher SC oder für Waldhof Mannheim. Heute sitze ich beim FCB sogar im Wirtschaftsbeirat.

Der »Pokal des Präsidenten von Bayern München« wird auf Gut Rieden in Leutstetten am Starnberger See ausgespielt. Heute einmal keine Verhandlungen mit Geschäftspartnern, keine Beratungen im Wohnzimmer meiner Villa mit der Hebamme über die bevorstehende Geburt meines zweiten Sohnes – Golf ist angesagt, meine neueste Leidenschaft. Mit von der Partie sind Franz Beckenbauer, Andy Brehme, Raimond Aumann, alles ehemalige Fußballprofis, die vom Ball nicht lassen können, auch wenn es nun eine pockennarbige Hartgummikugel ist. Mein Kumpel und Berater Robert Lübenoff, Kampfname »One Putt«, sowie Klaus Eder, der Physiotherapeut der Nationalmannschaft, und Raimond spielen in meinem Flight. »One Putt« und ich zocken, wie immer. An jedem zweiten oder dritten Abschlag können wir uns stärken – Schinkenbrot, Leberkäs, Weißbier, Weißwurst, gut bayrisch. Zwei Hostessen schnurren im Golf-Cart davon und kehren mit Obstlern zurück.

Ich zünde mir ein Zigarillo an. Für Golf-Puristen bin ich damit ein Frevler. Rauchen am Green? Aber Herr Becker! Doch hier sind wir unter Freunden, Entspannung ist angesagt. Die Sonne wärmt uns, der Schnaps zeigt ebenfalls Wirkung. »One Putt« hat seinen Schlagrhythmus gefunden, ich hingegen spiele meine Bälle ins Rough. Mein Bodyguard steht zwanzig Meter entfernt, diskret wie immer. Er verzieht keine Miene bei meinen verzogenen Schlägen. Ein Handy stört die Ruhe, das Telefon von »One Putt«. »Steffi ist zurückgetreten.« Sie also auch. Wir notieren: Freitag, 13. August 1999, sechs Wochen nach meinem Abschied in Wimbledon. Sie hat offiziell 994 Profi-Matches gespielt, ich 932. Sie hat zweiundzwanzig Grand Slams gewonnen, ich sechs. Wenn man die Freundschaft zwischen Steffi Graf und mir in einem Roman oder Film darstellen würde – es würde keiner glauben. Sie war sechs, ich acht, als wir uns zum ersten Mal begegneten.

Ich fuhr mit dem Fahrrad ins Leistungszentrum Leimen, sie kam mit ihrer Mutter. Damals musste ich häufig gegen die Mädchen spielen, was ich als Bestrafung empfand, zumal die älteren Kameraden, die gegen Steffi später keinen Schnitt gemacht hätten, mich hänselten: »Guck mal, die

Rothaut, schlägt sich mit der Kleinen rum!« Genervt hat es mich auch, dass Trainer Boris Breskvar den Satz immer dann abbrach, wenn ich auf Sieg zusteuerte. Meine Mutter tröstete mich dann: »Der ist wirklich kein Pädagoge.«

Steffi war schon als Kind sehr introvertiert, strebsam und konzentriert, sie arbeitete zeitweise wie ein Roboter. Wegen dieser vermeintlich typisch deutschen Merkmale ist sie erst relativ spät international beliebt und populär geworden, so wie Michael Schumacher in der Formel 1, der immer so zackig daherkommt – fehlt nur noch die Pickelhaube. Steffi war zu zielstrebig für manche Leute, zu korrekt, zu kühl, eben »Made in Germany«. Sie ist Sternzeichen Zwilling, die Perfektion gehört zu ihrer Natur, und so machte sie ihren Job. Auf der anderen Seite ist sie ein extrem sensibler, mitfühlender Mensch. Ab und zu bricht es aus ihr heraus, aber sie hat ihre Emotionen lange Zeit nicht wirklich ausgelebt. Das Wichtigste war für sie der sportliche Erfolg, und deshalb arbeitete sie wie eine Maschine. Bei mir lief das im Prinzip ähnlich, aber mir waren andere Dinge schon mal wichtiger. Sie sagte vielleicht häufig: Zum Teufel mit meiner Seele, ich will jetzt Wimbledon zum achten Mal gewinnen.

Die Steuerskandale um ihren Vater, der Prozess, seine Haft haben Steffi mächtig zugesetzt. Das hat, glaube ich, auch ihren Umgang mit ihren Gefühlen verändert. Steffi weinte, und die Menschen daheim vor dem Fernseher mit ihr. Die Nation nahm sie in die Arme. Endlich gab es so etwas wie Herzlichkeit. Wir sind und waren über all die Jahre Leidensgenossen, und wir mussten uns nicht groß austauschen über den Druck, unter dem wir standen. Wir haben immer im gleichen Boot gesessen, von Brühl und Leimen bis Wimbledon und zurück.

Als Frau hat sie mich fasziniert. Es war nicht die infantile Verliebtheit eines Teenagers, die mich antrieb, Steffi besser kennen lernen zu wollen, es war mehr ein tiefes Gefühl der

Zuneigung, des unausgesprochenen Verständnisses für die Gleichgesinnte mit dem gleichen Schicksal. Und natürlich war es Neugierde: Was hat sie, was ich nicht habe? Wo kommt diese Kraft, diese Motivation, diese Inspiration her, um so erfolgreich zu sein? Und wir alle wissen: Erfolg macht sexy, von Steffis Beinen ganz zu schweigen. Ich habe Steffi Graf als einen sehr spannenden Menschen und eine tiefgründige Frau kennen gelernt, mit einer dunklen, einer lebendigen Seite, die man der Tennisspielerin von außen nicht ansieht. Schon früh ist sie nach Florida gezogen, hatte ein Appartement im Herzen von SoHo in New York. Schwarz war von jeher ihre Lieblingsfarbe, extravagante Mode ihr Faible. Sie soll eine Beziehung zu Mick Hucknall, dem Sänger von Simpley Red, gehabt haben. Sein Song »Holding back the years« ist einer meiner Klassiker. Das alles passt eigentlich gar nicht zum Image der Tennis-Gräfin aus Brühl, und Steffi war geschickt genug, diese Seite ihres Lebens vor der Öffentlichkeit verborgen zu halten. Mir ist das nicht immer gelungen. Vielleicht wollte ich es auch nicht?

Ich habe Steffis unglaublichen Willen geschätzt, die Kraft, sich zu überwinden und immer wieder der Herausforderung zu stellen. Meistens haben wir uns bei den Grand-Slam-Turnieren getroffen, bei denen Frauen und Männer antreten. 1987 in Wimbledon etwa. Ich, der Gras-König, war an Platz eins gesetzt, mein Gegner in der zweiten Runde am 26. Juni 1987, Peter Doohan, stand auf Platz siebzig der Weltrangliste. Nach dem Tiebreak im ersten Satz war ich noch nicht sonderlich beunruhigt. Wie oft hatte ich schon zurückgelegen! Im vierten Satz allerdings ahnte ich: Doohan, der für Australien im Davis Cup spielte, spielte wie im Rausch, wurde getragen vom Publikum, das eine Sensation wollte – meine Niederlage. Lendl, der in der Umkleidekabine auf dem Massagetisch lag und den vierten Satz im Fernsehen verfolgte, behauptete später: »Ich hab's kommen sehen.«

Steffi, die treue Seele, hatte sich Teile vom ersten und zweiten Satz vor ihrem Match gegen Laura Gildemeister angesehen und war sicher, ich würde es schaffen. Sie hörte den Lärm, der von unserem Court zu ihr und Laura hinüberschwappte, den Beifall, und sie zweifelte nicht: »Die stehen hinter Boris, der gewinnt.« Der Sieger hieß dann aber Peter, nicht Boris. Die Spieler, die, wie Edberg, mein Ende auf der Pritsche vor dem TV-Gerät im Umkleideraum verfolgten, waren »schockiert«. Mitleid allerdings ist in unserem Geschäft nicht zu erwarten: Das Hindernis Becker war aus dem Weg geräumt. Nur Steffi hatte Worte des Trostes für mich. Bis heute weiß sie nicht, wie sehr sie mir damals geholfen hat.

Nach dem nächsten Abschlag lässt sich »One Putt« über sein Handy einen Bericht des Sport-Informations-Dienstes vorlesen: *»Nach Wochen innerlicher Zerrissenheit, körperlicher Leiden und widersprüchlicher Aussagen zu ihrem Rücktritt hat Steffi Graf am Freitag, dem 13., einen endgültigen Schlussstrich unter ihre einmalige Karriere gezogen. ›Ich gebe meinen endgültigen Rücktritt vom Turnier-Tennis bekannt und bin sehr erleichtert, dass mir die Entscheidung letztlich so leicht gefallen ist. Es waren nach Wimbledon keine einfachen Wochen, weil ich zum ersten Mal den Spaß und die Freude am Tennis vermisst habe. Das war ein komisches Gefühl für mich, das ich so nie kannte‹, erklärte die dreißig Jahre alte ehemalige Weltranglisten-Erste mit gefasster Stimme auf einer Pressekonferenz in ihrer Heimat Heidelberg.«*[1]

Am nächsten Loch warten schon die Reporter. »Boris, was sagst du dazu?« Boris, Boris – warum duzen die mich eigentlich alle? Ich will nichts sagen, ich habe nichts zu sagen. Andere sollen reden, Franz Beckenbauer etwa, dem fällt immer was ein. Ich will erst einmal mit Steffi selbst sprechen. Die Journalisten setzen nach: »Boris, bist du traurig? Boris, ist sie die Größte? Boris, ist sie krank?« – »Herr Becker« – der Mann vom Fernsehen –, »Herr Becker, unser Sender spendet fünfhundert Mark an die Beckenbauer-Stiftung, wenn Sie ein Statement über Steffi abgeben.« – »Ich will jetzt erst mal zu Ende spielen.« Das habe ich auch getan, aber kein Wunder, dass ich den Zock gegen »One Putt« verloren habe.

Bald darauf rief ich Steffi an. Sie war fröhlich, gelöst. Ich gratulierte ihr zu ihrer Karriere, zu ihrer tollen Entscheidung im richtigen Moment. Wir wussten beide, was da in einem vorgeht. Von ihrer neuen Liebe, Andre Agassi, ahnte ich nichts, sie erwähnte ihn mit keinem Wort. Überrascht hat mich dieses Mixed dann nicht. Ich wusste von Andre, dass er schon seit längerem auf Steffi steht. Aber er hat erst einmal die Scheidung von Brooke Shields verkraften müssen, und Steffi verarbeitete ihr Karriere-Ende. Jetzt sind sie das Traumpaar der Tennis-Szene. Sohn Jaden Gil wird schon von den englischen Buchmachern als potentieller Wimbledon-Sieger (Quote 100:1) gehandelt. Vielleicht trifft er ja eines Tages im Finale auf Elias.

Ali, mach die Augen auf

Das Blaulicht des Polizeiwagens flackert durch die Windschutzscheibe unserer Limousine. Wir sind in Eile, durch das schlechte Wetter hat sich der Flug elend verspätet. Einer der Beamten streckt seinen Arm aus dem Seitenfenster und deutet mit einem roten Stab Autofahrern an, den folgenden Wagen den Weg frei zu machen. Die Sirene heult, irritierte Fahrer hupen, Schnee und Regen in Wien.

Wir sind unterwegs zur Staatsoper, zur Ehrung der Sportlegenden des Jahrhunderts, den »World Sports Awards of the Century«. Dutzende sind angereist, darunter Fußballer Pelé, Schwimmer Mark Spitz, Boxer Muhammad Ali, Stabhochspringer Sergej Bubka. Die Zufahrt zum Hotel Imperial ist mit Autos zugeparkt. Kein Problem für unsere Eskorte – auf den Gehweg, wir folgen. Auf dem Flur unseres Stockwerks treffe ich Ion, bereits im Smoking. Alis enger Freund, der Fotograf Howard Bingham, der den großen Boxer seit sechsunddreißig Jahren begleitet, kommt aus seiner Suite. Zum Smoking trägt er rechts einen Lack-, links einen Straßenschuh. In Los Angeles, erklärt Bingham, habe er sich beim Packen vergriffen. Er werde diese Kombination nun zum kalifornischen Modetrend für das anstehende Jahrtausend erklären. Ich sehe Carl Lewis im Fahrstuhl, den Sprinter und Weitspringer. Später erzählt er mir, er sei von Houston nach Pacific Palisades in Kalifornien gezogen und wohne jetzt in der Nachbarschaft von Arnold Schwarzenegger. Er werde sein Restaurant in Houston wohl behalten, aber nun an seiner Filmkarriere arbeiten und mit seinen Hunden am Strand von Santa Monica sprinten. Nur einen sehe ich nicht, und gerade dem möchte ich über den Weg laufen: Ali, die Boxlegende.

Vor der Oper gibt es viel Beifall. Die Kälte hat die wartenden Fans nicht abgeschreckt. An den Treppen, die in die oberen Säle führen, warten Hunderte von Fotografen und Fernsehreportern. Welch eine Pracht, diese Oper! Wir sitzen in der ersten Reihe, Parkett links. Vor uns stelzt die üppige Brigitte Nielsen vorbei, die in Hollywood in die Schlagzeilen kam, weil sie Sylvester Stallone heiratete, damals reich und Rambo. Gedränge überall und »Küss die Hand, gnä' Frau«. Ich drehe mich um, und mich trifft fast der Schlag: Hinter mir sitzt Ali, Muhammad Ali! Für mich ist er *der* globale Superstar, ehedem ein kleiner »Nigger«, verbannt in den hinteren Teil des Busses, und heute ein Mann, der die Grenzen überwunden hat von Religion und Rasse.

Cassius Marcellus Clay, der Sohn eines Schildermalers, hat das amerikanische Establishment herausgefordert, hat es gewagt, »God's own country« zu verteufeln. Er folgte radikalen Moslems und ihrer Illusion, sie könnten auf amerikanischem Boden eine islamische Nation etablieren. Ali war *black power* pur, nicht nur im Ring. Im Fernsehen ketzerte er gegen den Vietnam-Krieg: »Und fragt ihr mich auch noch so lang / über den Krieg in Vietnam / sing' ich den Song / ich habe keinen Streit mit dem Vietcong.«[1] Diese Herausforderung endete für ihn mit der Verurteilung zu fünf Jahren Gefängnis wegen Wehrdienstverweigerung. Er musste sie jedoch nicht absitzen – das Gewissen Amerikas, auch das weiße, die Empörung der Welt bewahrten ihn davor. Die Konservativen verachteten ihn, das FBI hörte seine Gespräche ab, aber Ali machte weiterhin den Mund auf. Schon bei seinem ersten Weltmeisterschafts-Kampf 1964 trat er in einem weißen Bademantel in den Ring, auf dessen Rücken

»The Lip«, »Großmaul«, eingestickt war. So wie er redete, konnte er boxen. Nach der sechsten Runde spuckte sein Gegner Sonny Liston den Mundschutz aus. »That's it.« Ali war Weltmeister, gerade zweiundzwanzig Jahre alt. Das war sein Wimbledon.

Mein Held steht auf, mühsam zwar, aber er lässt sich nicht stützen. Barbara gibt ihm die Hand: »Ich bin die Frau von Boris Becker.« Ali zieht sie zu sich heran, küsst sie auf die Wange und flüstert: »I know everything about you.« Dutzende von Fotografen drängen sich um uns, und es ist so, wie Alis Arbeitskollege Sugar Ray Leonard gesagt hat: »Wenn du Ali in einen Raum voller Menschen neben Castro und Gorbatschow stellen würdest, würden sich alle um Ali scharen.« Er hat Prügel zur Poesie gemacht und sich vermarktet wie vor ihm und nach ihm kein Megastar. Norman Mailer, der über Ali den Bestseller »The Fight« schrieb, hat es auf den Punkt gebracht: »Ali war Amerikas größtes Ego.«[2] Mein Vater hat mich, den siebenjährigen Knirps, geweckt, als Ali im Januar 1974 im afrikanischen Zaire seinen »Rumble in the Jungle« gegen George Foreman kämpfte. Der legendäre Ali-Shuffle, die Beinarbeit, hat sogar den feinfühligen Ballett-Choreographen George Balanchine begeistert. Er sei fähig, hat Ali der Welt verkündet, »zu schweben wie ein Schmetterling und zu stechen wie eine Biene«.

Jetzt schließt er die Augen und sackt in seinem Sitz zusammen. Sind es die Scheinwerfer, der Jetlag, die Krankheit, die ihm zusetzen? Ali zittert. Es ist die Parkinsonsche Krankheit: Zellen im Mittelteil des Gehirns degenerieren, die Folge sind Gedächtnisverlust, Gliederzittern, Lähmungen. Oben auf der Bühne dankt Mark Spitz, neunfacher Goldmedaillen-Gewinner, für seine Ehrung als bester Schwimmer aller Zeiten: Die Qualen bis zum Erfolg seien unkalkulierbar, meint der Amerikaner, Naivität gehöre dazu, »the innocence of never having done it before«, die den Spitzensportler in unbekannte Bereiche befördere. Für Ali hat das Folgen gehabt, die er sicher nicht vorhergesehen hat – oder die ihm vielleicht sogar gleichgültig waren.

In dem Bestseller »King of the World«, den ich nach meiner Begegnung mit Ali noch einmal gelesen habe, hat David Remnick aufgezeichnet, was Ali eigentlich für die Menschen bedeutet: »Symbol des Glaubens, Symbol der Überzeugung und des Widerstands, ein Symbol der Schönheit und des Talents und Mutes, rassischer Stolz, Witz und Liebe.«[3] Mit den Beatles traf Ali für einen Werbegag 1964 in Miami in einem Trainingscamp zusammen. Cassius Clay zu John Lennon: »Du bist gar nicht so blöd, wie du aussiehst.« Entgegnet der Brite: »Ich nicht, aber du.« Ali liebte den verbalen Schlagabtausch, die Provokation. Nie war er berechenbar. Was war Witz? Was Überzeugung? Mal war er Komiker, dann wieder Killer. Er predigte für Allah und prahlte über sich selbst: »Ich bin der Größte.«

Bingham stößt Ali sanft an – die Ansage der Moderatoren lässt keinen Zweifel: Auch in Wien ist Ali der Mann unseres Jahrhunderts, zumindest im Kampfsport. Die zweitausendvierhundert Zuschauer stampfen mit den Füßen und rufen im Chor: »Ali, Ali, Ali, Ali.« Ben Wett, der New Yorker TV-Produzent, der Ali bereits kannte, als der noch Cassius Clay hieß, will seinem Freund aus dem Sessel helfen. Ali aber schiebt die Hand weg. Er weiß: Die TV-Kameras sind auf ihn gerichtet, und er will nicht als Invalide gezeigt werden. Schließlich ist er insgesamt fast ein Jahrzehnt lang Weltmeister gewesen, der Schönste, der Schnellste. Langsam bewegt er sich auf die Treppe zu, seine Arme zittern, sein ganzer Körper scheint unter Strom zu stehen. Wer unter den Zuschauern denkt in diesem Moment nicht an die Olympiade von Atlanta 1996, als Muhammad Ali die Fackel trug, um das Olympische Feuer zu entzünden? Unendlich viele Treppenstufen musste er überwinden. Und wieder eine.

Zehn, sechs, fünf, vier – Ali, du hast es gleich geschafft! Gib nicht auf, Ali, weiter! Und dann, mit der letzten Kraft, entzündete die Legende vor Milliarden von Fernseh-Zuschauern die Flamme.

Die Rede, die er für die Wiener Ehrung als Kampfsportler des Jahrhunderts mit seinen Vertrauten vorbereitet hatte, lässt er nun in der Smoking-Tasche. Sein Satz »I won many fights – this one is the greatest« ist kaum zu verstehen und sicher übertrieben. Aber was soll's, er ist ein Entertainer. Die Menge ruft immer wieder seinen Namen, und er reagiert mit einer kurzen Box-Kombination, Schattenboxen. In der Wiener Oper werden Taschentücher gezückt.

Neben Barbara sitzt noch ein Großer der Sportgeschichte, Rod Laver, und klatscht, so gut er kann. Laver, der als einziger Tennisspieler die vier Grand-Slam-Turniere gleich zweimal in jeweils einem Jahr (1962 und 1967) gewinnen konnte, ist, wie Ali, von Krankheit gezeichnet: Schlaganfall, Lähmung. Ende Juli 1998, erzählt mir der in der kalifornischen Wüste lebende Australier später beim Dinner, habe er während eines Fernseh-Interviews plötzlich Stiche und Hitze im rechten Arm, in der Schulter und im Kopf gespürt und das auf den Scheinwerfer geschoben. Das Sprechen bereitete ihm zunehmend Schwierigkeiten, die Schmerzen wurden unerträglich. In den Tagen danach konnte er keine Sätze mehr formulieren, und als es ihm Monate später gelang, überhaupt wieder Worte zusammenzubringen, erschien es seinen Zuhörern wie »eine neue Art Latein«.

Doch Laver gab nicht auf. Mein Idol, das Vorbild so vieler Tennis-Profis, setzte auf den Sport: Nach vielen Monaten Reha gelang es dem Linkshänder endlich, den Ball mit der rechten, teilweise gelähmten Hand wieder zum Aufschlag hochzuwerfen. Sein Golfspiel, das darnieder lag wie seine körperlichen Funktionen, brachte er auf Handicap zehn zurück – Laver hatte zuvor ein Handicap von vier. Ich hatte wirklich gehofft, dass sie diesen eindrucksvollen und dennoch bescheidenen Mann zur Sportlegende des Jahrhunderts küren würden. Stattdessen wird Michael Jordan gewählt, doch der ist nicht einmal nach Wien angereist. Rod Laver klatscht trotzdem für ihn. Fairplay wie immer. Beim anschließenden Dinner sehe ich hinüber zu Ali. Sein Tisch ist umlagert: »Herr Ali, eine Unterschrift, bittschön.« Er lässt die Gabel sinken und malt mit zitternder Hand eine Fieberkurve aufs Papier. »Pardon für diese Ungemächlichkeit, ich hätt gern eine Fotografie mit Ihnen für meinen Buben!« Der Bittsteller trägt weiße Uniform.

Ali erhebt sich und schließt die Augen. Der Blitz zuckt, er merkt es nicht. Sein Körper sackt zurück auf den mit rotem Samt bezogenen Stuhl. Ein anderer Mann erscheint, ebenfalls in weißer Uniform. Wieder ein Fotowunsch. Ali erhebt sich erneut, setzt sich hin, steht wieder auf – wie macht er das nur?

Morgens gegen zwei Uhr sitze ich mit Mark Spitz an der Bar des Imperial bei Champagner und Zigarillos. Spitz ist neunundvierzig, ergraut und Familienvater. Er schwimmt nur noch selten, seine Goldmedaillen liegen im Safe. Er hat an der Börse investiert und verfolgt die Aktienkurse am Computer. Kaufen, verkaufen – ein Hobby, mit dem er glücklich ist. Ein paar Stunden später treffe ich im VIP-Raum des Wiener Flughafens den Spitz-Kollegen Michael Groß, den die Blätter während der Olympiade in Los Angeles zum »Albatros« hochschrieben. Auf drei Goldmedaillen hat er es gebracht. »Was machst du denn jetzt?«, frage ich ihn. Er arbeitet in einer PR-Agentur in Frankfurt, Schreibtisch, Verwaltung. Zwei Kinder, neues Haus, knappes Gehalt, kaum je eine Urlaubsreise ins Ausland. »Also ganz bürgerlich«, wage ich anzumerken. Groß nickt: »Kann man so sagen.« – »Bist du glücklich?« – »Wie man's sehen will.« Ich kann es sehen. So läuft er, der Umstieg in die Realität, in die andere Welt, ohne Beifall. Wir starten nach Frankfurt. Ich muss zu den deutschen Tennis-Hallenmeisterschaften, er zurück an seinen Schreibtisch.

Nach der Landung rufe ich, wie immer, meine Familie an, die noch in Wien geblieben ist. Barbara ist ganz aufgedreht: »Rat mal, wo wir eben waren? Bei Ali! Er hat uns anrufen lassen, er wollte Boris, Barbara und die Kinder sehen.« Ali saß in seiner Suite, erzählt mir meine Frau, ganz wie es einem König angemessen ist: auf einem Sessel in der Mitte des Raumes, der sicher fünfzig Quadratmeter hatte, hohe Fenster, Teppiche an den Wänden. Neben dem Fernseher lag ein Paar roter Boxhandschuhe, auf dem Boden, in einer weißen Kiste, der Kristallpokal des Jahrhundertsportlers, den sie ihm am Abend zuvor überreicht hatten. Ali wollte ein Foto mit Noah in Boxposition. Der Kleine wagte sich aber nicht an den sitzenden Koloss heran, zumal Ali plötzlich die Augen weit aufriss (so wie damals, als Sonny Liston im zweiten Kampf wie ein umgedrehter Käfer vor ihm auf den Brettern lag) und wie ein Löwe knurrte.

Noah traute sich erst, nachdem ihn Bingham in Alis Richtung schob. Der schloss die Augen, zitterte, murmelte etwas vor sich hin. Und plötzlich zog er meinen Sohn an sich heran. Er formte ihm wortlos die Hände zu Fäusten und deutete ihm an, er solle die eine Faust unter Alis Kinn schieben – George Foreman hätte sich gefreut über eine solche Einladung. Bingham fotografierte und wies seinen Freund an: »Ali, mach die Augen auf!« Ali gehorchte. Barbara saß neben Muhammad Ali auf dem Stuhl und amüsierte sich noch über die Szene, als er plötzlich zur Seite kippte, in ihre Richtung. »Er ist ohnmächtig!«, rief Bingham, scheinbar entsetzt. Barbara fing den Koloss auf, er ruhte in ihren Armen. Und dann öffnete Ali die Augen: »Danke, der Trick hat geklappt!« Der Champ hatte seinen Sieg, und für Noah stand fest: »Der Ali kann nicht nur hauen.«

John McEnroe: magisch und schön

*Wie werden Tennis-Historiker Boris Becker bewerten?**

McEnroe: Als einen der charismatischsten Spieler aller Zeiten. Nicht einer unter einer Million, sondern unter einer Milliarde wird so wie er. Es wäre mir eine Ehre, wenn mich die Historiker in einem Atemzug mit Boris Becker nennen würden, gemeinsam mit Jimmy Connors, Björn Borg, Andre Agassi und Pete Sampras, sofern über die letzten fünfundzwanzig Jahre des Profitennis gesprochen wird. Was Boris für den Sport geleistet hat, ist beeindruckend. Wenn ich nur daran denke, wie er auf dem Platz herumgeflogen ist. Ich bin immer erstaunt gewesen, wie er das gemacht hat, selbst auf einem Hartplatz. Es war magisch und schön, diese Sprünge auf dem Rasen zu beobachten, einfach atemberaubend. Ich habe das nie gewagt, weil ich mir für ein Spiel nicht die Knochen brechen und zwei Monate ausfallen wollte. Boris hatte den Mut dazu und den Instinkt.

Seinen ersten Sieg in Wimbledon haben Sie als »Glück« herabgesetzt. Warum?

McEnroe: Natürlich war eine erhebliche Portion Glück dabei. Das ist nicht abwertend gemeint. Wer gut ist, muss auch Glück haben, anders sind solche Grand-Slam-Turniere nicht zu gewinnen. Sein Sieg hat mich überrascht. Ja, man kann sagen, es war ein Schock. Einige Monate zuvor hatten

* *Der ehemalige »Spiegel«-Korrespondent Helmut Sorge interviewte John McEnroe für dieses Buch.*

wir in Mailand gegeneinander gespielt. Er hat da herumgeheult, sich über die Linienrichter geärgert, und irgendwie hat er mich an einen Kerl erinnert, der mir sehr vertraut ist – an mich selbst. Ich habe ihm in diesem Match gesagt: »Bis du mal was gewonnen hast, musst du dein freches Maul halten. Du musst dich nach oben vorarbeiten, und dann darfst du mal was sagen.« Ich habe 6:4, 6:3 gesiegt. Und dann triumphiert er in Wimbledon. Das hatte ich nun von meinem losen Mundwerk. An ihn habe ich überhaupt nicht gedacht. So ist es mir 1977 selbst ergangen. Ich musste mich fürs Hauptfeld in Wimbledon qualifizieren und bin bis ins Halbfinale durchgekommen. Mein Gegner? Jimmy Connors. Er hat mich in vier Sätzen bezwungen. Ich war damals über meine eigene Leistung überrascht. Die Wetten standen zweihundert zu eins gegen mich. Entweder, so habe ich mir gesagt, bin ich weitaus besser, als ich dachte, oder die Profis sind viel schlechter. Die Wahrheit lag in der Mitte. Ich war davon ausgegangen, wie Boris 1985 sicher auch, dass die Lücke zwischen Junioren und Profis weitaus größer war, und hatte nicht registriert, wie schnell ich mich entwickelt hatte. Mental war ich allerdings noch nicht so weit, ein solches Turnier zu gewinnen. Ich denke, Boris könnte im Nachhinein über seinen ersten Wimbledon-Erfolg ähnlich gedacht haben. Der Sieg traf ihn unerwartet und hart. Nach Wimbledon habe ich noch zwölf Wochen mit Tennis weitergemacht, dann habe ich mich an der kalifornischen Stanford-Universität auch mit der Hoffnung eingeschrieben, dass die Mädchen einem tollen Mann wie mir, Nummer einundzwanzig der Weltrangliste, zu Füßen liegen würden. Sie haben mich überhaupt nicht beachtet. Ein Grund mehr für mich, härter zu arbeiten und die Weltspitze anzustreben. Ich wollte den Girls zeigen, wen sie da ignoriert hatten. Boris war 1985 ein relativ Unbekannter, zwanzigster der Weltrangliste, nicht gesetzt, siebzehn Jahre alt. Wenn man ein Neuling ist, hat das

Vorteile. Die Spitze konzentriert sich auf die wahre Konkurrenz, die anderen Top-Spieler. Und die ignorieren meist die jungen Typen, die plötzlich vor ihnen stehen und eine dicke Lippe riskieren. »Wait a minute«, habe ich Boris immer wieder genervt, »wer bist du eigentlich, du Weihnachtsmann?« Ich habe zwar fünf Wimbledon-Finales erreicht, aber gegen Boris in Wimbledon nie gespielt. Das hat sich leider nicht ergeben. Entweder bin ich vorzeitig rausgeflogen oder er. Zwei Jahre habe ich überhaupt nicht gespielt, weil ich von dem Tennis-Zirkus die Schnauze voll hatte. Ich hätte natürlich gern auf dem Höhepunkt meiner Karriere gegen ihn gespielt und nicht am Ende. Ich habe Boris folglich in zehn offiziellen Begegnungen nur zweimal besiegt. Jimmy Connors hat es übrigens nie geschafft. Ein schwacher Trost.

1987, beim Davis-Cup-Spiel USA gegen Deutschland in Hartford, Connecticut sind Sie mehr als einmal gegen Boris Becker verbal ausfallend geworden. Mochten Sie ihn menschlich nicht?

McEnroe: Ich schätze ihn sehr. Heute. Er ist einer der interessantesten und eindrucksvollsten Männer seiner Generation, eine Persönlichkeit. Damals war's anders. Der Davis Cup ist eine Tennis-Veranstaltung, in der man den Gefühlen freien Lauf lassen und ungebremst für sein eigenes Land jubeln kann. Ich habe für die USA einundvierzig von neunundvierzig Einzeln gewonnen und achtzehn von zwanzig Doppeln. Ich liebe den Davis Cup. Im normalen Profibetrieb gilt es als ungeschriebenes Gesetz, für diesen oder jenen Spieler nicht offen Partei zu ergreifen. Meine Begeisterung, mein Engagement sind damals als psychologische Kriegsführung missverstanden worden. Im Rahmen der Regeln versucht man aber alles, um eine Runde weiterzukommen, selbst patriotische Gefühle werden mobilisiert. Gegen Deutschland haben wir alles versucht und dennoch verloren. Wir hätten gewinnen müssen. Ich habe mir das Herz aus dem Leib gespielt, und es war nicht genug. Sechs Stunden, achtunddreißig Minuten. In meiner gesamten Karriere habe ich insgesamt nur zweimal über fünf Stunden gespielt, gegen Boris und Mats Wilander. Nach den ersten drei Sätzen gegen Boris, wir hatten nahezu fünf Stunden gespielt, habe ich zu meinen Betreuern gesagt: »Ihr müsst was tun, massieren oder sonst was, ich bin kaputt.« Nach der Massage bin ich aufgestanden, mein Geist ist mir gefolgt, aber mein Körper ist auf dem Tisch liegen geblieben. Ich war erledigt, meine Glieder wollten nicht mehr, obwohl mein Kopf klar war. Alles schmerzte, und nichts bewegte sich.

Hat Sie der tobende Boris je irritiert, oder haben Sie sich gesagt: Da steht mein Spiegelbild?

McEnroe: Für ihn waren diese Nervenkrisen sicherlich weitaus problematischer, denn normalerweise ist er ein Mann, der sich unter Kontrolle hat. Und wenn Boris Becker die Nerven einmal verloren hat, war's schlecht für ihn. Wenn mich in meiner jungen Zeit ein Zuschauer nervte, habe ich gebrüllt: »Hey, du Mistkerl, halt deine Knochen still!« Das Publikum tobte, die Schiedsrichter verwarnten mich, und danach habe ich ein Ass geschlagen. Ich bin an diese Ausraster und Beleidigungen gewöhnt, ich bin nicht umsonst in New York City aufgewachsen. In dieser Stadt wird man dauernd angerempelt, beleidigt: »Knallkopf, geh aus dem Weg«, »Drecksack«. Dauernd. Das ist dort Alltag. Und wenn ich solche Verbalinjurien auf dem Platz höre, sind das heimatliche Klänge. Vergessen wir nicht: New York ist nicht eine kleine Provinzstadt in Deutschland. Meine Eltern sind seit über vierzig Jahren verheiratet, und die schreien sich immer noch an. Das ist New Yorker Normalität. Für sie, für mich. Ich wollte Boris testen, er mich. Ich bin stur, er ebenfalls. Sagen wir mal: zwei stark ausgeprägte Charaktere. Irisch. Deutsch. Ich habe es nie persönlich gemeint. In Stratton Mountain habe ich einmal mehr versucht, ihn zu destabilisieren und verrückt zu machen, indem ich ihm beim Seitenwechsel zuflüsterte: »Du bist ein kleiner Scheißer«, oder: »Wer glaubst du, wer du bist, du Nuss?« Boris war so selbstsicher, zumindest nach außen, das grenzte an Arroganz. Wie er auftrat, herumstolzierte. Ich war nervös in dem Match. Ich hatte sechs Monate nicht gespielt und wollte ihm zeigen, wer der Boss ist. Er gewann 3:6; 7:5, 7:6 und sagte kein Wort. Und diese Missachtung war viel schlimmer für mich, als wenn er selbst ausfallend geworden wäre. Boris hat sich sicher gesagt: »Von diesem Spinner McEnroe lass ich mir nichts gefallen.« Das war zwischen uns so ein verbales Tauziehen. Physisch, körperlich hätte ich gegen ihn ohnehin keine Chance gehabt. Ich bin schmächtiger als er. Ich habe ihn provoziert, sicher, immer mal mit neuen Methoden. Ich erinnere mich an das Spiel 1989 beim Hallenturnier in Bercy. Wie oft hat er mich mit seinem Husten gestört! Eigenartigerweise hat er immer beim Breakpoint gehustet. Vor dem Match habe ich mich entschlossen, auch zu husten, sobald er hustet. Allein deshalb, um ihm einmal zu dokumentieren, wie häufig er das tat. Es war schon zu einer Angewohnheit bei ihm geworden, die er allerdings nicht abstellen wollte, eben weil es den Gegner durcheinander brachte. Also ging's los mit dem Gehuste. Becker: Husten. McEnroe: Husten. Husten ich, Husten er. Schließlich reagierte Boris: »John, mach keinen Scheiß, ich bin erkältet.« – »Du bist seit vier Jahren erkältet.« Nochmal Husten, wieder Husten. Dann habe ich damit aufgehört. Das Match hätte ich gewinnen müssen, er war nicht gut drauf. Trotzdem siegte er 7:6, 3:6, 6:3. Und danach gab's Theater mit Tatum, meiner damaligen Frau – wegen des Hustens: »Wie kannst du Boris das antun?« – »Warum, du fragst mich, warum? Auf wessen Seite stehst du? Wir kämpfen gegeneinander, so etwas gibt's nun mal! Auf dem Platz feiern wir kein Friedensfest.« Meine Frau bedrängte mich: »Entschuldige dich bei ihm, John. Ich will, dass du dich entschuldigst.« – »Bist du verrückt geworden?

Entschuldigen für was? Ich entschuldige mich nicht. Nie.« – »Nie« dauerte, bis ich Boris traf, der im selben Hotel abgestiegen war. »Boris, was in dem letzten Match passiert ist, war nicht persönlich gemeint.« Er hat gelassen reagiert, zumal das als Sieger immer einfacher ist: »Das ist o. k. Solche Dinge gehören dazu.« Ich war vom Haken, auch bei meiner Frau. Eigentlich war dieses Theater auch nicht nötig. Boris und ich mögen uns, jedenfalls hat sich die Beziehung positiv entwickelt. Ich würde ihn gern häufiger treffen. Er hat mich sogar zu seiner Hochzeit eingeladen, und diese Ehre ist nur wenigen Personen widerfahren. So negativ kann unser Verhältnis also nicht gewesen sein. Wegen meiner Scheidung war ich allerdings so niedergeschlagen, richtig down, ich wäre kein fröhlicher Hochzeitsgast gewesen. Außerdem musste ich mich um meine Kinder kümmern.

Ist einer Ihrer Arbeitskollegen je zum echten Freund geworden?

McEnroe: Das ist sehr schwierig. Mit Björn Borg habe ich mich immer gut verstanden. Aber so eng waren die Beziehungen auch wieder nicht, dass wir vertrauliche, wirklich private Dinge ausgetauscht hätten. Die Spieler wollen vermeiden, dass die Kollegen ihre Schwächen erkennen, etwa von privaten Problemen erfahren und diese psychische Schwäche auf dem Platz brutal ausnutzen. Nein, Gespräche über Probleme werden vermieden. Wir sind immer gut drauf, zumindest nach außen. Tennis scheint auf den ersten Blick nicht übermäßig problematisch zu sein, aber mental gibt es eine Menge zu tun. Auf dem Platz ist der Spieler allein mit sich selbst und den Niederlagen. Nur einer kann Wimbledon oder irgendein anderes Turnier gewinnen, die anderen 127 sind Verlierer. Für Verlierer, besonders wenn die Niederlagen in den ersten Runden erfolgen, ist es nicht einfach, das Selbstwertgefühl und die damit verbundene Selbstsicherheit auf dem Platz zu erhalten, vor allem, wenn diese sich vornehmlich am sportlichen Erfolg orientiert. Meine bitterste Niederlage muss in Paris gewesen sein, das Endspiel gegen Lendl. Ich habe 2:0 nach Sätzen geführt und trotzdem verloren. Das war bitter, sehr sogar. Aber Niederlagen sind nicht immer negativ: 1980 habe ich im Wimbledon-Finale gegen Borg gespielt und das Match 1:6, 7:5, 6:3, 6:7, 8:6 verloren. Der Tiebreak im vierten ist bis 18:16 gegangen. Unglaublich. Dramatisch. Ich habe durch dieses Match an Statur gewonnen, die Anerkennung gespürt, für die ich ebenfalls spiele. Du verlierst ein Finale in Paris, Rom, in Wimbledon. Verdammt, ja, aber wie viele Spieler schaffen es überhaupt ins Finale? Natürlich, ich hätte einige Turniere mehr gewinnen können, aber es sollte nicht sein. Als ich sechzehn war, hätte ich nie erwartet, dass ich dreimal Wimbledon und viermal die US Open gewinnen würde.

Gegen Jimmy Connors spielen Sie seit mehr als zwei Jahrzehnten, und dennoch gibt es Hass zwischen Ihnen. Warum?

McEnroe: Hass ist das falsche Wort. Es hat Zeiten gegeben, da haben wir kein Wort miteinander geredet, weil Connors offenbar Verachtung braucht, um sich zu motivieren. Wie oft hat er mich schräg angemacht und am nächsten Tag angerufen: »Lass uns trainieren.« Ich fragte mich dann stets: »Na, welchen Hintergedanken hat er?« Womöglich spielten wir später im Finale gegeneinander, und er wollte kurz mal checken, wie ich drauf bin. Ich hab mit ihm trainiert, weil es immer zur Sache ging. Nach einigen Ballwechseln sagte Connors: »Wir spielen einen Satz, o.k.?« – »O.k.« Ein Satz, auch zwei, goodbye, und später wieder Beleidigungen, Tiefschläge, Aggressionen. Ich hasse es zu verlieren. Auch sein Stolz lässt das nicht zu. Unsere Charaktere passen einfach nicht zusammen. Wenn wir uns heute begegnen, dann wechseln wir schon mal ein paar Worte. Wir sind schließlich nicht mehr in Wimbledon.

Boris Becker hat die Einsamkeit der Tennis-Profis beklagt. Haben auch Sie darunter gelitten?

McEnroe: Am Ende meiner Karriere hat es mich beschäftigt. Um ehrlich zu sein, in einigen Turnieren habe ich instinktiv sicher nicht alles gegeben, weil ich an meine Kinder, meine Familie dachte und mir die Frage stellte: »Ist dies hier alles mehr wert, als meine Zeit mit ihnen zu verbringen?« Natürlich, ich hätte mit der Familie reisen können, aber auch das bedeutete Probleme. Wenn ich ihnen sage: »Ich will euch nicht mitnehmen, weil ich mich auf das Turnier konzentrieren muss«, erscheint das egoistisch. Oder ich entscheide mich, mit der Familie zu reisen. Wie sieht es dann aus? In Paris etwa standen ständig Fotografen vor der Hoteltür. »Also Jungs, macht eure Fotos und lasst uns in Ruhe.« Versprochen. Und jedes Mal, wenn wir mit den Kindern ungestört im Park herumlaufen wollten, waren die Typen wieder hinter uns her. Das Ergebnis: Ich wollte überhaupt nicht mehr raus. Die Kinder aber drängelten – natürlich. Und meine Frau wollte zum Shopping. Schon gab's Krach. Bis ich überhaupt auf dem Platz ankam, hatte ich schon halb verloren. In meiner Junggesellenzeit war's zumindest während der ersten Jahre angenehm. Nur – je besser man wird, desto einsamer sind die Stunden. Der Umgang der Sieger mit Verlierern ist nicht ohne psychologische Probleme, umgekehrt ist es natürlich auch der Fall. Daraus haben sich bei mir Konflikte selbst mit Freunden ergeben.

Verdienen Tennis-Profis heute zu viel Geld?

McEnroe: Natürlich ist die Anerkennung unserer Leistung über Geld eine positive Entwicklung. Schlecht ist es allerdings, wenn Spieler für diesen hohen Lohn nicht mehr die Leistung bringen, die von ihnen erwartet werden kann. Wir, damit meine ich Connors, Lendl, Borg, zählen noch zu einer Generation, die begriffen hat, wie viel Glück sie hatte. Borg war der erste Tennis-Profi, der im Alter von sechsundzwanzig Jahren aufhören konnte, weil er reich genug war. Andere Tennisgrößen wie Rod Laver oder Roy Emerson, der in den sechziger Jahren immerhin zweimal das Einzel in Wimbledon gewonnen hat, mussten sich in Exhibitions durchschlagen, Trainerstunden geben, Tennis-Camps betreiben, um zusätzlich Geld zu verdienen. Was wir Jahrzehnte später verdient haben, erschien uns unglaublich viel. Aber das war gerade mal ein Fünftel von dem, was die Profis heute kassieren. Borg steht auf der ewigen Einkommensliste wahrscheinlich irgendwo zwischen Platz hundert und zweihundert. Spieler, deren Namen kaum jemand je gehört hat, verdienen heute mehr Geld, als Borg jemals hatte. Einige dieser Durchschnittsprofis leisten nichts, weil sie reich und überfordert sind. Sehen wir uns doch die Entwicklung im europäischen Fußball an: Zu viele Spiele, verletzte Spieler, schwache Leistungen. Genau wie im Tennis: Zu viele Turniere, verbrauchte Spieler, keine Dramatik. Von charismatischen Persönlichkeiten wie Becker oder Agassi gibt's nur wenige auf der Welt. Connors weg, Vilas, Wilander, Noah weg. Ich spiele in der Senior Tour. Wer reißt die Massen mit, wenn erst mal Sampras und Agassi nicht mehr wollen oder können? Boris könnte morgen zurückkommen und gegen die Mehrheit der Spieler gewinnen. Er zählt noch immer zu den fünf, sechs besten Rasenspielern der Welt.

Welchen Einfluss hatte Boris Becker mit seinem Stil auf die Entwicklung des Tennis-Sports?

McEnroe: Er ist nicht wie ein typischer Tennisspieler gebaut, sondern eher wie ein amerikanischer Football-Spieler, ein »linebacker«. Er stand selbstbewusst auf dem Platz. »Ich bin's«, hat er ausgedrückt und keinen Zweifel daran gelassen. Für sein Alter war er physisch seiner Zeit weit voraus. Er siegte nicht allein durch Kraft, aber die modernen Schläger haben den Aufschlag ungemein verstärkt. Boris ist das Symbol für die Entwicklung in unserem Sport gewesen. Ich hätte es vorgezogen, dass er, ja wir alle, mit Holzschlägern weitergespielt hätte. Vielleicht wäre uns die »Finesse« nicht verloren gegangen, und Ballgefühl wäre weiterhin gefragt. Stattdessen entwickelten wir die »Hit«-Männer, Aufschlag – bumm. Sechsundvierzig Asse in einem Match. Ivanisevic hat 1992 in seinen Begegnungen in Wimbledon insgesamt zweihundertsechs Asse geschlagen – ein Rekord. Die Plätze sind schneller geworden, die Bälle leichter. Das Gegenteil wäre besser gewesen. Wenn ich zu entscheiden hätte, würde ich technisch einiges korrigieren. Der Aufschlag ist zu wichtig geworden, also würde ich versuchen, ein wenig Kraft herauszunehmen durch Verkürzung der Aufschlaglinie um einige Zentimeter nur. Die Spieler müssten sich wieder auf Genauigkeit und Präzision besinnen. Damit will ich aber nicht am Erfolg von Boris herumkritisieren. Er hatte einen der besten Aufschläge in der Geschichte des Tennis.

Können Sie nachvollziehen, warum er, eben einunddreißig Jahre alt, seine Karriere als Tennis-Profi beendet hat?

McEnroe: In seinem Herzen, so vermute ich, hat er nicht mehr geglaubt, dass er noch einmal Wimbledon oder ein anderes Grand-Slam-Turnier gewinnen kann. Und die anderen Turniere hatten für ihn einfach keine Bedeutung mehr.

Hat der Ruhm Sie psychisch und in Ihrem Privatleben belastet? Boris hat damit viel zu schaffen gehabt.

McEnroe: In gewisser Weise schon – aber begrenzt. Aber das ist nichts im Vergleich zu dem, was Boris ertragen musste und muss. In der Geschichte des Tennis-Sports hat es nie einen Mann gegeben, der die Last des Ruhmes so permanent verarbeiten musste wie Boris. Es ist beeindruckend, wie er das alles verkraftet. Er ist ein eigenartiger Kerl, »strange«, meine ich, im absolut positiven Sinn. Boris hat in seiner Karriere Glück gehabt, das gehört dazu, aber vor allem hatte er die Kraft, den Glauben an sich selbst, dies alles durchzustehen. Viele andere wären daran zerbrochen.

Ein Ende und ein Anfang

Es war Ende Juni 1999. Ich stand allein auf der Terrasse meines Londoner Hotels. Der Tennis-Profi Boris Becker war gerade abgetreten, unwiderruflich. Nie mehr dieser Jubel der Massen, nie mehr der Centre Court von Wimbledon, nie mehr ein Davis-Cup-Match wie 1987 im amerikanischen Hartford gegen John McEnroe. Dreiundachtzig Mal war ich in Wimbledon zum Einzel angetreten, einundsiebzig Mal ging ich als Sieger vom Platz. Kein anderer Spieler außer Connors hatte bis dahin so viele Einzel in Wimbledon gewonnen wie ich – weder McEnroe noch Sampras oder Borg.

Wie ein Taucher, der in der Tiefe gearbeitet hat und seinen Körper behutsam wieder auf Normaldruck einstellen muss, würde ich mich umstellen müssen auf das ganz normale Leben. Statt Athlet würde ich fortan Entrepreneur sein.

Von der Terrasse des Conrad Hotels im Londoner Chelsea Harbour ging mein Blick in die Dunkelheit, zu den Konturen der Jachten, die unten im Hafen vertäut lagen. Der Wind schlug die Takelage im Takt an die Masten. Auf der Themse waren dann und wann Lichter zu sehen, die gemächlich vorbeiglitten. Ein Moment der Ruhe. Stunden zuvor hatte ich mich auf dem Centre Court von Wimbledon verabschiedet – im Achtelfinale besiegt von dem Australier Patrick Rafter, dem Weltranglisten-Zweiten. Vor diesem Match hatte ich noch kühne Träume gehabt: ein letztes Mal im Finale zu stehen – ein schöner Abschluss. Warum nicht?

Dann kam der Regen, zwei Tage lang – typisch Wimbledon. Und ich geriet aus dem Rhythmus. Am Dienstag hatte ich durchgeatmet und mich darüber gefreut, dass ich in der zweiten Woche noch dabei war. Ich war so unvorsichtig gewesen, die Sonntagszeitungen zu lesen – über Becker, der sich auf dem Centre Court »wie der Hausherr aufführt« und der diesen »ungeheuren Einfluss auf die Kultur des Profi-Tennis hatte«. Vielleicht hatte ich zu viel Zeit für zu viele Gedanken – an den Tag danach zum Beispiel, an die bevorstehende Geburt meines zweiten Sohnes oder die stressigen Auseinandersetzungen mit meiner Frau.

Die rote Rose, die mir Noah nach der Rückkehr ins Hotel überreicht hatte, stand in einem Zahnputzbecher. Ich wollte jetzt nur allein sein, raus auf die Terrasse. Dort habe ich geheult – Tränen der Befreiung, aber auch Tränen der Wut und der Verzweiflung. Das Kapitel Tennis war nun abgeschlossen, meine Karriere endgültig beendet. Ein Gefühl der unendlichen Erleichterung hatte mich im ersten Moment gepackt. Ich schlug drei Kreuze und sagte mir: »Ein Wunder, dass alles so gelaufen ist.« Aber später im Hotel hatte ich prompt wieder einen dieser Streits mit Barbara, die in den letzten Monaten unser Zusammenleben immer unerträglicher machten. Es war einfach zum Kotzen. Der Auslöser heute war harmlos gewesen: Was macht ein Arbeiter, bevor er in Rente geht? Er trinkt mit seinen Kollegen ein Bier, verabschiedet sich von der Belegschaft und widmet sich dann seiner Familie. Ich wollte das auch so machen und ging nach dem letzten Match direkt ins so genannte Deutsche Haus, zum letzten Mal. Die letzten Interviews, ein paar Bierchen mit den Journalisten. Schließlich waren diese Wimbledon-Berichterstatter auch eineinhalb Jahrzehnte Teil meiner Arbeitswelt gewesen. Abends wollte ich mit Waldemar, meinem Coach Mike und Servicemann Uli ein Abschiedsessen machen. Sie waren meine engsten Arbeitskollegen in den letzten Jahren gewesen, waren mit mir durch dick und dünn gegangen. Noch einen gemeinsamen Abend unter uns Jungs – und dann tschüss.

Ein bisschen hatte ich wohl die Wirkung der paar Becks-Fläschchen unterschätzt. Direkt nach einem kräfteraubenden Match geht der Alkohol natürlich direkt ins Blut. Vielleicht wäre ich sonst etwas besonnener gewesen, als Barbara mir nach der Rückkehr ins Hotel eine Szene machte. Sie konnte und wollte einfach nicht verstehen, dass sie nicht sofort an erster Stelle stand. »Noch einmal mit den Jungs, Barbara, nur noch einmal zum Abschied, dann kommst nur noch du!« Es half nichts, wir stritten zwei Stunden lang. Plötzlich setzten bei ihr die Wehen ein. Sie war im siebten Monat mit unserem zweiten Sohn Elias schwanger. Waren die Wehen Ausdruck von Stress, wie immer wieder mal in der letzten Zeit, vielleicht gar Vorwand zur Steigerung des Mitgefühls? Oder sollte Elias tatsächlich ein Sieben-Monats-Kind werden?

Barbara entschied, sich von ihrer Freundin Kim Steeb ins Krankenhaus bringen zu lassen. »Wenn es wirklich ernst wird, ruft mich an. Dann komm ich sofort«, versprach ich. Es kam kein Anruf, dafür bekam ich einen Brief. Er war von meiner Mutter. Als ich da so auf der Terrasse gestanden war, hatte sie mich vom Nachbarbalkon aus beobachtet, hatte meine Trauer und meine Tränen gesehen, meine Wut gespürt. Sie kam rüber, wollte mich in den Arm nehmen, aber selbst für sie war ich in diesem Moment nicht ansprechbar. »Lass mich, Mutter, bitte!« Sie ging. Wenige Minuten später wurde ein Brief unter dem Türschlitz durchgeschoben. Die Jungs fielen mir ein, ich griff zum Hörer und sagte unser geplantes Essen im »Nobu«, einem asiatischen Restaurant im Londoner Metropolitan Hotel, ab. »Ich kann nicht, ich habe Stress mit Barbara.« Dann erst erkannte ich die Handschrift meiner Mutter auf dem Kuvert.

»Du hast einen bewegten Abschnitt deines Lebens beendet«, hatte sie auf einen Hotelbriefbogen geschrieben, »jetzt beginnen die schönen Seiten, die du mit deinen Kindern und deiner Frau genießen kannst. Genieße und bleib dir selber treu. Bleib jetzt ganz ruhig. Und schlafe eine Nacht über alles.«

Was es schließlich war, das mich trotz der Warnungen meiner Mutter noch einmal in die Nacht raustrieb – ich weiß es nicht. Vielleicht wollte ich zum Trotz den Tag nun so beenden, wie ich es meinen Kumpels und mir versprochen hatte. Gegen dreiundzwanzig Uhr jedenfalls, ein paar Glas Weißwein später, saß ich doch an der Bar des »Nobu«. Statt warmer Küche gab es nur noch kaltes Lemon Sorbet im Wodka-Bad. Na, prost!

Sie war mir schon vor zwei Wochen aufgefallen. Ich war mit Freunden im »Nobu« gewesen, zum Wimbledon-Auftakt. Und sie hatte genau diese zwei Sekunden länger geschaut, die dem erfahrenen Jäger sagen: Die will was von dir. Jetzt war sie wieder da, ging zweimal an der Bar vorbei. Und wieder dieser Blick. Einige Zeit später verließ sie ihren Tisch Richtung Toilette. Ich hinterher. Fünf Minuten Small-Talk, und schon ging's in der nächstmöglichen Ecke zur Sache. Anschließend kehrte sie zurück zu ihren Freundinnen, ich trank noch ein Bier, zahlte und fuhr mit dem Taxi zurück ins Hotel. Nachdem auch dort keine Nachricht aus dem Krankenhaus vorlag, ging ich gegen zwei Uhr ins Bett.

Am Morgen fuhr ich zu Barbara. Die Wehen waren falscher Alarm gewesen. Wir packten unsere achtundzwanzig Tennis-Taschen und Koffer und verließen England. An die Begegnung der ganz und gar überraschenden Art am Vorabend verschwendete ich keinen Gedanken mehr.

Im Februar des darauf folgenden Jahres hielt mir meine Sekretärin in München ein Fax mit seltsamem Inhalt unter die Nase. »Sehr geehrter Herr Becker, wir hatten uns seinerzeit in London im ›Nobu‹ getroffen. Das Ergebnis unseres

Meetings ist nun bereits im achten Monat«, stand darauf sinngemäß und eine Telefonnummer. Ich wusste erst gar nicht, was das sollte, um was es ging. Also rief ich an. Unmissverständlich teilte mir eine weibliche Stimme auf Englisch mit: »In einem Monat kommt dein Kind zur Welt.«

Mir zog es den Boden unter den Füßen weg. Natürlich hatte ich mich wieder an diesen Abend erinnert. Aber, verflucht noch mal, das gab es doch gar nicht! Das ging doch überhaupt nicht! Ich will an dieser Stelle darauf verzichten, detailliert zu beschreiben, wie wir es gemacht, oder besser: *nicht* gemacht, hatten.

Wir telefonierten nun jede Woche. Niemand in meinem Umfeld wusste von der Sache. Ich flog schließlich nach London und traf mich mit der Dame in einem Hotel. Es erschien tatsächlich eine hochschwangere Frau. Der Umgangston war geschäftlich: Wenn ich nicht bereit sei, die Verantwortung zu übernehmen, würde die Öffentlichkeit informiert, und es würde mir ergehen wie anderen Prominenten, etwa wie Mick Jagger, dessen uneheliches Kind mit einem brasilianischen Model wochenlang den Blätterwald beherrschte. Die Drohung war deutlich.

Am 22. März 2000 kam dann im Chelsea and Westminster Hospital ein Mädchen namens Anna zur Welt. In der Zwischenzeit hatte ich in London Detektive von Pinkerton beauftragt, Nachforschungen anzustellen über die Mutter, die angab, als Kellnerin und Fotomodell zu arbeiten. Nach zwei Monaten kam die Antwort: Ich solle nicht weiter recherchieren, es sei zu gefährlich. Die Medien berichteten später von dunklen Machenschaften und Verbindungen zur Unterwelt. Und auch aus diesen Kreisen wurde mir signalisiert, nicht weiter rumschnüffeln zu lassen. Also entschied ich mich, das Kind zu akzeptieren, wenn die Ärzte nachwiesen, dass es wirklich von mir war. Ich hatte einen Seitensprung begangen in einer für mich außergewöhnlichen

Lebenssituation. Ein Verbrechen war das nicht, und erpressen lassen wollte ich mich auf keinen Fall. Und wenn es zehn »BILD«-Schlagzeilen hagelte!

Natürlich empfand ich große Scham. Wie sollte ich damit umgehen, wie sollte ich es meiner Frau, meiner Mutter oder auch Noah beibringen? Der war schon alt genug, solche Dinge zu verstehen. Vor der Öffentlichkeit hatte ich keine Angst, aber vor der eigenen Familie. An einem Freitag im September 2000, also zwei Monate vor unserer Trennung, passte ich einen Moment ab, in dem Barbara und ich abends alleine waren in unserem Haus in Bogenhausen. Die Kinder schliefen schon, Barbara hantierte in der Küche herum. Da fasste ich mir ein Herz und erzählte ihr alles, jedes Detail, und warum und wie es dazu gekommen war. Sie war natürlich überrascht, aber nicht hysterisch. Sie konnte nicht glauben, wie es gelaufen war. Dass es so gelaufen war.

»Jetzt hast du alle Rechte der Welt. Du kannst gehen, du kannst sagen, wie es weitergehen soll. Ich liebe dich aber immer noch, und wenn es für dich irgendwie möglich ist, dann lass uns weiter zusammenleben.« Zwei Tage lang dachte Barbara darüber nach. »Ich weiß zwar noch nicht wie, aber wir schaffen das.« Ich war erleichtert.

Meine Mutter reagierte typisch. »Du bist wieder Großmutter«, hatte ich ihr am Telefon angekündigt und dann die Umstände grob beschrieben. »Das ist schön, jetzt haben wir auch ein Mädchen«, frohlockte sie, ohne zu schimpfen oder mich zu kritisieren. Auch das war geschafft.

Noah habe ich es erst einen Sommer später in den Ferien auf Mallorca gestanden. Monatelang war ich diesem Moment ängstlich aus dem Weg gegangen. Jeden Morgen wachte ich mit der quälenden Frage auf: Wie erkläre ich meinem geliebten Sohn, dass ich seine Mutter hintergangen und verletzt habe? Und dass es da ein kleines Mädchen gibt, das meine Tochter und seine Schwester ist? Wir fuhren allein im Auto. Da habe ich meinem Kleinen in seiner Sprache erklärt, was er wissen musste – die schwerste Beichte meines Lebens. Er hat zugehört, kein Wort gesagt. Keine Rückfragen, bis heute nicht. Ich war restlos erleichtert. Aber es wird der Moment kommen, wo er alles wissen will.

Nach monatelangem Tauziehen, wo, wann und wie der Vaterschaftstest durchgeführt werden sollte, gab ich in einem Londoner Krankenhaus heimlich eine Speichelprobe ab. Im Februar 2001 stand es dann zweifelsfrei fest: Anna ist biologisch meine Tochter. Um ein letztes Mal Druck auf mich auszuüben, war die News vom Becker-Baby in London genau zu dem Zeitpunkt lanciert worden, als der Trennungs- und Scheidungskampf mit Barbara in Miami auf dem Höhepunkt angelangt war. »Boris ... und jetzt auch noch Vaterschaftsklage«, titelte »BILD« am 10. Januar 2001.

Sicherlich hat mein Seitensprung die Trennung von Barbara beschleunigt. Die Spannungen waren ja schon seit Monaten immer stärker geworden. Auch wenn wir es nach meinem Geständnis wirklich weiter miteinander versuchen wollten, so wurde es vor allem für mich immer schwerer. Barbara war wirklich bereit, sich mit der Situation zu arrangieren. Mir aber saß die Steuer im Nacken, dazu kamen weitere Probleme, und nun war ich gegenüber Barbara völlig in der Defensive – ein Zustand, den mein Naturell nicht erträgt. Sie hatte mich in der Hand. Bei jeder Diskussion hatte sie am Ende immer das Killer-Argument London. Das konnte ich zusammen mit all den anderen Problemen irgendwann nicht mehr ertragen.

Der Richter, der später in London die Höhe des Unterhalts festlegte, meinte, ich hätte mich »generös« verhalten. In den Medien war von Millionen-Zahlungen die Rede. Und wieder machte »der arme Becker« die Runde, der nach der Scheidung nun erneut geschröpft würde. In England aber sind solche Dinge gesetzlich ganz klar geregelt, und die

Summen liegen weit unter der Vorstellungskraft so mancher Presseleute. Anna wohnt mit ihrer Mutter mietfrei in einer Wohnung, die mir gehört. Sie bekommt ein monatliches Kindergeld, das weit unter den in Amerika üblichen und ein bisschen über den in Deutschland veranlagten Summen liegt. Annas Zukunft ist materiell gesichert, aber von Millionen kann da ganz und gar nicht die Rede sein.

Was aber wird aus dem Kind werden, was wird sie für ein Mensch werden? Die Mutter kannte ich überhaupt nicht, als es zu unserer einzigen Begegnung kam. Auch später hatten wir kaum Kontakt, bis kurz vor Annas zweitem Geburtstag, als ich sie zum ersten Mal sah. Bis dahin hatte ich Anna nicht als mein Kind betrachtet, die Ärzte hatten das getan. Würde ich trotzdem Vatergefühle für sie entwickeln?

»Schau, da kommt der Papa«, kündigte Annas Mutter mich an. Mit gemischten Gefühlen betrat ich die Wohnung. Anna aber war ganz normal. Sie sprang mich nicht gerade an, war nicht gerade überschwänglich, aber sie hatte Zutrauen. Über eine Stunde spielten wir allein miteinander. Natürlich ertappte ich mich dabei, wie ich sie unter die Lupe nahm: Wem sieht sie ähnlich, wie benimmt und verhält sie sich? Seitdem besuche ich Anna alle zwei Monate, und auch mit der Mutter hat sich das Verhältnis normalisiert. Wir sprechen über Anna und über ihre Zukunft. Ich spreche mit Angela Ermakova aber auch über ihre eigenen Probleme, den Fluch ihrer Popularität, die sie provoziert hat. Sie ist heute eine bekannte Frau in London; die Medien haben sie jedoch als die hingestellt, die Becker reinlegte. Die Folge: Geht sie mit Freundinnen aus, wird diesen der gleiche Makel unterstellt. Geht sie mit Männern aus, denken die nur an das eine.

Ich bin in dieser Nacht unvorsichtig, dumm und fahrlässig gewesen, aber die Schuldgefühle habe ich längst abgelegt. Ich bin für mein Tun eingestanden und habe eine Lösung gefunden. Damit kommen alle klar, und ehrlich gesagt freue ich mich schon jetzt, wenn Anna größer ist und ich mit ihr über uns und das Leben reden kann. Ich werde ihr dann erklären, dass eben nicht immer alles nach Schema F verläuft, dass das Leben die seltsamsten Kapriolen schlägt und Dinge passieren, die einem nicht einmal im Traum einfallen würden. Bis dahin allerdings liegt eine große Aufgabe vor mir: Ich will lernen, meine Tochter zu lieben.

Epilog

Noah und Elias haben sich noch enger an mich gekuschelt. Juey, der Hund, hat sich verzogen. Wahrscheinlich war's ihm zu eng im Bett mit uns allen. Es müssen Stunden vergangen sein, aber draußen ist es noch dunkel. Über der Kinderbibel waren wir alle eingeschlafen. Jetzt liegen sie ruhig und zufrieden in meinen Armen, meine beiden Löwen. Mein ganzes Glück.

Noah hat die Züge von Barbara, auch die Feingliedrigkeit. Er hat ihre Hautfarbe, ihr Temperament, aber meinen Blick. Natürlich war er das absolute Wunschkind. Der Traum eines jeden jungen Vaters: das erste Kind, ein Sohn! Ich war bei der Geburt von beiden dabei. Elias habe ich sogar mit auf die Welt gebracht. Barbara hatte nicht mehr genug Kraft, deshalb bat mich der Arzt mitzuhelfen. Elias habe ich regelrecht auf diese Welt gezogen. Er ist mir genauso lieb wie Noah, aber die beiden sind grundverschieden, schon äußerlich. Elias ist hellhäutig, hat blonde Locken und blaue Augen, kommt also eher nach dem Papa. Zwar ist er erst vier, Noah ist fünf Jahre älter, aber Elias steht schon jetzt mitten in seinem kleinen Leben. Er ist der Fels in der Brandung, hat einen ganz eigenen Kopf, vielleicht weil wir selbstverständlicher mit ihm umgegangen sind. Beim zweiten Kind stellt sich eine gewisse Routine ein, da bricht nicht gleich Panik aus, wenn ein neuer Zahn kommt. Außerdem hat Elias den Großteil seines Lebens in Miami verbracht, abseits vom Lärm der Öffentlichkeit und den Scheinwerfern der Medien-

Welt. Er hatte von Anfang an mehr Erde, mehr Bodenhaftung.

Noah ist mitten ins Glamour-Leben eines Tennis-Stars geboren worden: Jede Woche eine andere Hotelsuite, Kindermädchen, Bodyguards, Limousine und Lear-Jet. Er ist mit goldenen Löffeln groß geworden. Auf der einen Seite ungeheuer liebevoll behütet, auf der anderen Seite extrem verhätschelt. Trotzdem ist er heute sehr ehrgeizig - in der Schule, im Sport, im Leben. Er will alles wissen, will alles besser machen. Er möchte etwas beweisen, sich, mir und den anderen. Wenn wir zusammen Fußball oder Tennis spielen, rastet er aus, wenn es nicht so läuft, wie er will. Er verliert dann völlig die Kontrolle. Ich war als Kind genauso: Ich habe ins Netz gebissen, den Schläger zerhackt. Verlieren war unmöglich.

Elias ist da emotionsloser. Er macht sein Ding, ist viel ruhiger, klarer und einfacher. Was er nicht will, das will er nicht. Für die Jungs war der Umzug nach Miami ein Glücksfall: Vor allem Noah musste lernen, seine eigenen Probleme zu lösen - in der Schule, mit den Kumpels, aber auch mit uns, seinen Eltern. Es gibt kaum mehr bezahlte Helfer. Kein Hoteldiener trägt heute das Spielzeug hinterher, kein Lehrer übt Nachsicht, weil der Vater ein Tennis-Turnier gewonnen hat. Aber Noah beißt sich durch. Er hat sich in Miami gehäutet, er hat seine Scheu abgelegt. Vor ein paar Jahren, als er merkte, dass es bei uns kriselte, hat er intuitiv die Rolle des Schlichters übernommen. Er hat mir gegenüber Barbara gelobt: »Das hat die Mama aber gut gemacht«, und Barbara versichert: »Der Papa liebt dich.« Er spürte, dass wir auseinander drifteten, hat versucht, um unsere Beziehung zu kämpfen. Heute ist er eher ein Schlitzohr: Er schaut auf sich, weiß seinen Charme einzusetzen. Wir können uns Wochen nicht gesehen oder wenig gesprochen haben, trotzdem sind wir zutiefst vertraut miteinander. Wir haben das gleiche Gefühl für Dinge, Momente und Menschen.

Trotz der Scheidung haben es Barbara und ich geschafft, als Familie weiterzuleben. Hierfür bin ich Barbara sehr dankbar. Sie macht einen großartigen Job als Mutter, ich versuche mein Bestes als Vater. Unsere Kinder haben schon sehr früh eine große Dosis Leben mitbekommen. Sie werden nicht erst mit achtzehn feststellen, wie brutal es da draußen sein kann, aber sie haben ein Elternhaus, das ihnen viel Liebe, viel Freiheit und alle Chancen bietet. Auch wenn Barbara und ich nicht mehr als Mann und Frau zusammenleben, so verstehen wir uns doch als Vater und Mutter.

Ein Wunder, dass alles so gekommen ist? Sicher, ich war jahrelang verwirrt, auf dem falschen Weg, bin falschen Zielen hinterhergelaufen. Plötzlich wurden Ruhm und Reichtum zur Priorität meines Lebens, ich war fremdbestimmt und auf dem besten Weg, mich zu verlieren. Auch deshalb habe ich die Trennung provoziert, die schöne Scheinwelt zerschlagen. Ich habe einen exzessiven Drang, an Grenzen zu gehen. Auf der Suche nach dem Weg zurück zu mir selbst habe ich einige Grenzen überschritten: Ich wollte wieder Leben in mir spüren. Und Leben heißt für mich, Schmerzen zu ertragen und Freude zu spüren. Nur dann fühle ich mich wahrhaftig.

Die letzten zweieinhalb Jahre waren sicherlich die schwerste Zeit meines Lebens, doch sie haben mich geheilt. Der Kampf um mein Leben und meine Seele hat mich endlich wieder zu einem Punkt gebracht, an dem ich den Mut habe, ehrlich zu mir zu sein. Schluss mit dem Selbstbetrug, Schluss mit der Heuchelei. Ich habe viele Fehler gemacht und gehofft, dass es gut geht. Ich habe gehofft, dass der Staat meine sportlichen Erfolge und gesellschaftlichen Engagements als Dienst für Deutschland anerkennt und mich deshalb nicht als Steuersünder anklagt. Ich habe gehofft, dass die Trennung von meiner Frau unsere Ehe rettet und nicht zerstört. Und ich habe gehofft, dass ein unbedachter Seitensprung in einer extremen Lebenssituation keine Konsequenzen nach sich zieht. Die Realität aber ließ keinen Raum für solche Hoffnungen.

Diese Erfahrungen haben mir das letzte Stückchen Naivität genommen. An meiner Liebe zu Deutschland, zu diesem Land und zu den Menschen, hat sich nichts geändert, aber die Art und Weise, wie Institutionen und die Gesellschaft mich vor allem hier behandelt haben, hat meinen Glauben an das Gute im Menschen erschüttert. Ich bin fest davon überzeugt, dass man allein geboren wird und auch alleine stirbt. Ich habe meine Familie, echte Freunde, gute Partner und Helfer, aber am Ende war ich vor Gericht genauso allein wie einst auf dem Centre Court. Das musste ich einfach wieder begreifen lernen.

Deshalb ist es keinesfalls paradox, wenn ich sage: Die Schläge und Schmerzen der letzten Jahre haben mir gut getan. Sie haben in mir den längst verschütteten Instinkt wieder geweckt, der mich einst zum besten Tennisspieler der Welt gemacht hat: den Killerinstinkt. Keine Angst, ich werde niemanden umbringen, aber ich werde wieder mit allen Mitteln auf Sieg spielen. Denn ich habe wieder angefangen, um mein Glück zu kämpfen.

Anmerkungen

Vorwort

1 Stuttgarter Zeitung, 7.7.1986.
2 Neue Zürcher Zeitung, 22.12.1985.
3 Claus Jacobi, in: Welt am Sonntag, 19.9.1999.
4 Neue Zürcher Zeitung, 22.12.1985.

Einer für alle

1 Time, 15.7.1985.

Was ist der Sinn des Ganzen?

1 Sir Edmund Hillary, *View from the Summit*, London 1999.
2 Daily Express, London 8.7.1985.
3 Washington Post, 8.7.1985.

Die Wochen des kalten Schweigens

1 Doris Henkel, in: *Boris B. 18 Autoren, 1 Phänomen*, hrg. v. Herbert Riehl-Heyse, Heilsbronn 1992.

Zur Freiheit verurteilt

1 sid-Bericht, 8.12.1996.
2 Abendzeitung München, 23.10.2002.
3 Bild, 25.10.2002.

Der Mann, der meine Mutter war

1 Einleitung des Herausgebers zu Johann Peter Eckermann, in: *Gespräche mit Goethe*, Kiel 1949.
2 Erklärung von Günther Bosch, in: Süddeutsche Zeitung, 22.1.1987.
3 Ion Tiriac, zitiert in: Süddeutsche Zeitung, 23.1.1987.
4 Ion Tiriac, zitiert in: Die Welt, 23.1.1987.
5 Welt am Sonntag, 30.5.1993.
6 ebd., 28.9.1997.

Die Last des Ruhms

1 Frankfurter Allgemeine Zeitung, 9. 7. 1986.
2 Schweizer Weltwoche, zitiert in: Süddeutsche Zeitung, 6. 11. 1986.
3 Sports, 6/1993.
4 Martin Walser, in: *Boris B.*, a. a. O.
5 Frankfurter Allgemeine Zeitung, 24. 2. 1985.
6 Frankfurter Rundschau, 22. 3. 1986.
7 Max Frisch, *Biographie. Ein Spiel*, Frankfurt a. M. 1967.
8 Observer, London 14. 12. 1986.
9 L'Express, 19. 7. 1985.
10 Laotse, *Tao te king. Das Buch vom Sinn und Leben*, München 1998.

Und alles löst sich endlich auf in Schlaf

1 Peter Harry/Pat H.Broeske, *Down at the End of Lonely Street*, New York 1997.

Mit zwei Rumänen in Monte Carlo

1 Fjodor Dostojewski, *Der Spieler*, München 1981.

Never change a winning shirt

1 Fortune, 22. 6. 1998.
2 Richard Evans, *Open Tennis. The First Twenty Years*, London 1988.

Der Traum aller Schwiegermütter

1 Niki Pilic, zitiert in: Süddeutsche Zeitung, 13. 11. 1991.
2 Frankfurter Allgemeine Zeitung, 16. 11. 1991.
3 Times, London, zitiert in: Abendzeitung, 2. 7. 1999.
4 Michael Stich, zitiert in: Bild, 23. 9. 1997.

Es grüßt euch der Käfer

1 Norman Mailer, *The Fight*, Boston 1975.
2 Günther Bresnik, in: News, zitiert in: Die Welt, 23. 7. 1993.

Sind denn alle wahnsinnig hier?

1 John Steinbeck, zitiert in: Kim B. Tyler, *The Great New York City Trivia & Fact Book*, Nashville 1998.
2 Tom Wolfe, *Fegefeuer der Eitelkeiten*, München 1988.

Im Bett gab es keine Straßenschlacht

1 Playboy, Februar 1988.
2 Bild, 30.5.1990.

Warum nur?

1 Pressemeldung lübMedia, 5.12.2000.
2 Stern, 14.12.2000.
3 Spiegel, 11.12.2000.
4 Bunte, 12.12.2000.
5 Bild, 6.12.2000.
6 Sun, 6.12.2000.
7 The Times, 6.12.2000.
8 Statistisches Bundesamt, Mikrozensus 1989.
9 dpa 061123, Dezember 2000.
10 Bild, 11.12.2000.
11 Bezirksgericht Miami-Dade, Nr. 00-30252 FC 07.
12 Stern, 28.12.2000.
13 ebd.

Becker gegen Becker

1 Spiegel, 8.1.2001.
2 Focus, 8.1.2001.
3 Spiegel, 8.1.2001.
4 ebd.
5 ebd.
6 Bild, 16.1.2001.

Kein Platz in der Schublade

1 International Herald Tribune, 21.1.1986.
2 Klaus Ullrich, *Der weiße Dschungel*, Berlin 1987.
3 Bild, 30.1.1990.
4 Herbert Riehl-Heyse, in: *Boris B.*, a.a.O.
5 ebd.
6 Stefan Aust, *Der Baader-Meinhof-Komplex*, Hamburg 1989.
7 Peter Ustinov, in: Frankfurter Allgemeine Zeitung, 27.3.1998.
8 Hans-Josef Justen, in: *Boris B.*, a.a.O.
9 Süddeutsche Zeitung, 1.2.1999.
10 Der Spiegel, 8.2.1999.

Steifer als gestärkte Kragen

1 Voltaire, *Candid oder Die beste der Welten*, dt. Ausgabe Stuttgart 1957.

Liebe auf den ersten Tritt

1 Evening Standard, London, zitiert in: Die Welt, 25.6.1992.
2 vgl. Gebhardt von Moltke, in: Daily Telegraph, 12.10.1999.
3 Daily Mail, London, 7.7.1986.
4 vgl. Alan Little, *Wimbledon Compendium 1999*, hrg. v. The All England Lawn Tennis and Croquet Club, London 1999.
5 Ulrich Kaiser, in: *Boris B.*, a.a.O.
6 ebd.

Aufschlag Deutschland

1 Vgl. Ted Tinling, *Sixty Years in Tennis*, London 1983.
2 Neue Zürcher Zeitung, 19.12.1989.
3 Die Welt, 30.1.1990.
4 Stern, 10.4.1986.

Heute schon gedopt?

1 Richard Evans, *Open Tennis*, a.a.O.

Hier beißen auch die alten Löwen

1 Times, 25.6.1999.
2 Lleyton Hewitt, zitiert in: The Mail on Sunday, 27.6.1999.

Die lieben Kollegen

1 Sports Illustrated, 1987.

Nachricht am fünften Loch

1 Sport-Informations-Dienst, 13.8.1999.

Ali, mach die Augen auf

1 Muhammad Ali, zitiert nach: Die Zeit, 14.10.1999.
2 Norman Mailer, *The Fight*, a.a.O.
3 David Remnick, *King of the World*, New York 1998.

Der Deutschen liebster Sohn – am Ende einer atemberaubenden Tennis-Karriere stand er plötzlich am Abgrund seines Lebens. Doch wie auf dem Tennisplatz kämpfte er sich wieder zurück ins Spiel. Seine mitreißende Lebenslust, seine charismatische Ausstrahlung und seine kosmopolitische Einstellung haben ihn zur weltbekannten Persönlichkeit gemacht. Boris Becker spricht zum ersten Mal über die großen Augenblicke in seinem privaten und öffentlichen Leben.

Persönlich gelesen auf 4 CDs.

Augenblick,
verweile doch…
Die Musik
meines Lebens